Lula
DO BRASIL

RICHARD BOURNE

Lula
DO BRASIL

A HISTÓRIA REAL

Tradução:
Paulo Schmidt
Bernardo Schmidt

GERAÇÃO EDITORIAL

LULA DO BRASIL
A HISTÓRIA REAL

TÍTULO ORIGINAL:
LULA OF BRAZIL – THE STORY SO FAR

1ª edição – dezembro de 2009

Grafia atualizada segundo o Acordo Ortográfico da Língua Portuguesa de 1990, que entrou em vigor no Brasil em 2009.

Editor e Publisher
Luiz Fernando Emediato

Diretora Editorial
Fernanda Emediato

Capa
Estúdio Geração

Projeto Gráfico e Diagramação
Alan Maia e Kauan Sales

Tradução
Paulo Schmidt e Bernardo Schmidt

Revisão
Josias Aparecido Andrade

DADOS INTERNACIONAIS DE CATALOGAÇÃO NA PUBLICAÇÃO (CIP)
(Câmara Brasileira do Livro, SP, Brasil)

Bourne, Richard
Lula do Brasil : a história real / Richard Bourne ; tradução Paulo Schmidt, Bernardo Schmidt. -- São Paulo : Geração Editorial, 2009.

Título original: Lula of Brazil – the story so far.
Bibliografia

ISBN 978-85-61501-24-2

1. Silva, Luiz Inácio Lula da, 1945- 2. Brasil - Política e governo - 2003- 3. Brasil - Política e governo - 1985-2002 4. Brasil - Presidentes - Biografia I. Título.

09-12104 CDD: 923.181

Índices para catálogo sistemático

1. Brasil : Presidentes : Biografia 923.181

GERAÇÃO EDITORIAL

Administração e Vendas
Rua Pedra Bonita, 870
CEP: 30430-390 – Belo Horizonte – MG
Telefax: (31) 3379-0620
Email: leitura@editoraleitura.com.br

Editorial
Rua Major Quedinho, 111 – 20º andar
CEP: 01050-030 – São Paulo – SP
Tel.: (11) 3256-4444 – Fax: (11) 3257-6373
Email: producao.editorial@terra.com.br
www.geracaoeditorial.com.br

2009
Impresso no Brasil
Printed in Brazil

PARA EMILY, DANIEL, MAX, JAMES E
ISABEL, MEUS NETOS, QUE CONHECERÃO
UM BRASIL DIFERENTE

SUMÁRIO

PREFÁCIO

À EDIÇÃO BRASILEIRA

É com certo nervosismo e humildade que dou as boas-vindas aos leitores desta edição em língua portuguesa de *Lula do Brasil — a história real.* Os brasileiros, em particular, têm tido a oportunidade de observar Lula de perto por quase quarenta anos. É difícil para um autor britânico dizer-lhes qualquer coisa que já não saibam, e a maioria já tem opinião formada sobre os defeitos e as virtudes dele.

Este livro tem por subtítulo original "*the story so far*" [a história até o momento] porque foi terminado no final de 2006, logo após a reeleição de Lula como presidente do Brasil, com as conclusões a que cheguei à época. Ainda é muito cedo para avaliar esse segundo mandato como um todo.

Porém, sob um ponto de vista do outro lado do Atlântico, saltam aos olhos alguns aspectos sobre Lula e o Brasil no final de 2009 que vale a pena destacar. O país foi bem-sucedido em livrar-se da recessão global que teve início nos primeiros meses de 2008, quando irrompeu a crise hipotecária nos Estados Unidos. Lula se beneficiou disso, com altos índices de aprovação, e o presidente Obama estava certo ao descrevê-lo, no Encontro das Américas em Trinidad e Tobago, como o político mais popular do planeta.

O *status* do Brasil no mundo consolidou-se firmemente depois que o país se tornou um jogador reconhecido no Grupo dos Vinte, ao passo que o "nascido em berço de ouro" Grupo dos Sete ou Oito perdeu seu poder de influenciar acontecimentos. Sob um fã de futebol que se tornou presidente, o Brasil ganhou o direito de hospedar a Copa do Mundo em 2014, e os Jogos Olímpicos em 2016. Embora hospedar as Olimpíadas possa resultar dispendioso, há fortes indícios, principalmente após Sydney em 2000, de que também pode fazer maravilhas pela autoestima nacional.

Dentro do hemisfério sul, Lula insistiu na sua política de solidariedade regional. Dentro do Brasil, ele continuou as tentativas de resgatar seus compatriotas da pobreza e consolidar a democracia, embora o favoritismo e o apadrinhamento continuem a desfigurar o cenário político. Ele rejeitou os falsos amigos que lhe haviam pedido para alterar a Constituição de modo que ele pudesse explorar sua popularidade e concorrer a um terceiro mandato presidencial. O seu Partido dos Trabalhadores recuperou-se da pior crise ética descrita neste livro, mas se o presidente será capaz de transmitir sua aura popular a Dilma Rousseff, ou a outros que aspirem sucedê-lo, é algo que só o futuro vai dizer.

Pois o Brasil ainda enfrenta sérios problemas, sociais, econômicos e ambientais. E Lula, a despeito de toda a sua energia e boas intenções, jamais poderia solucioná-los sozinho. Ele continua sendo uma figura incomparável no Brasil e no mundo — espirituoso, amadurecido em combates, único. Procurei, no que vem a seguir, fornecer um retrato justo e objetivo tanto dele quanto da sua nação em desenvolvimento.

Faço votos que este livro contribua, para os brasileiros e outros leitores de língua portuguesa, com uma perspectiva diferente e estimulante; e aproveito a oportunidade para agradecer a Luiz Fernando Emediato, da Geração Editorial, e ao meu tradutor, Paulo Schmidt, por torná-lo acessível a eles.

Richard Bourne
Londres, novembro de 2009

PREFÁCIO

E AGRADECIMENTOS

Preciso começar com uma confissão: apaixonei-me pelo Brasil aos vinte e cinco anos de idade, em 1965, quando tive a sorte de ganhar uma bolsa de estudos com duração de seis meses nesse país, teoricamente ligada à Pontifícia Universidade Católica do Rio de Janeiro, mas que na prática me deixava livre para trabalhar como jornalista independente. A bolsa foi outorgada pelo Itamaraty e negociada para a Embaixada Brasileira em Londres pelo Conselho Britânico. Nessa época eu era repórter do jornal *The Guardian*, que generosamente concedeu-me uma licença.

Foi um período estimulante para um jovem jornalista interessado em política. O governo militar que havia derrubado o presidente Goulart não era ainda o regime brutal que se tornou depois, ainda existia oposição civil ativa e relativa liberdade de imprensa. Durante a década seguinte fiz outras visitas, colhendo material para três livros. Então, no começo da década de 80, minha própria carreira sofreu uma reviravolta: abandonei o jornalismo e me dediquei aos assuntos da Comunidade das Nações, empenhado numa série de atividades diferentes.

Foi somente em 2005, ao me desincumbir da última destas, a Unidade de Estudos Políticos da Comunidade das Nações na Universidade de Londres, que fiquei livre para abordar novamente um tópico brasileiro. A vida extraordinária e controversa de Lula, presidente do Brasil desde o início de 2003, acenou-me como um assunto digno de uma biografia do tipo "vida e época".

O que vem a seguir, portanto, é uma tentativa de fornecer um relato inteligível do atual presidente brasileiro, tendo a história recente do seu país como pano de fundo. As questões discutidas aqui dizem respeito não apenas à ascensão sem precedentes de um operário que cresceu pobre, com tantas dificuldades, à Presidência, mas também: à redemocratização do Brasil depois que os militares foram forçados a deixar o poder; a um novo tipo de partido de esquerda edificado sobre um movimento sindical renovado; às dificuldades da política progressista numa era de globalização e de livre circulação de capital; à corrupção do sistema político brasileiro; e à ambição de Lula, e de muitos outros, de que o Brasil se torne uma superpotência mundial no século XXI.

O objetivo foi fazer uma biografia política acessível, evitando perfis psicológicos e discussões sobre o que o presidente gosta de comer no café da manhã. Parti do princípio de que muitos leitores de língua inglesa possuem apenas um vago conhecimento sobre o Brasil moderno ou de sua política. Baseei-me sobretudo em livros, artigos e pessoas que entrevistei, particularmente para o período sobre o qual o meu próprio conhecimento do Brasil era remoto e de segunda mão. Os erros são todos meus.

Mesmo assim, espero que a personalidade de Lula, nesta minha tentativa de fornecer uma visão equilibrada da sua presidência até o momento de sua reeleição em outubro de 2006, transpareça tão claramente quanto o meu próprio interesse e afeto pelo seu país.

Devo agradecimentos a muitas pessoas, a começar por minha esposa, Juliet, que foi muitíssimo paciente enquanto eu fazia pesquisas para este livro, e Naomi Schneider, minha editora da University of California Press. A Fundação Leverhulme generosamente financiou minha pesquisa no Brasil, enquadrada no seu programa para Emeritus Fellows. Também gostaria de agradecer à dra. Sue Cunningham, que gentilmente leu um esboço, e foi uma das pessoas que me incentivaram a persistir quando eu estava tendo dificuldade em convencer editores.

Quero também recordar com afeto daqueles que me ajudaram no Brasil quando eu havia recém-chegado em 1965, muitos dos quais não se encontram mais entre nós: Jane Braga, que estava na Reuters; Henry Hogg, correspondente local do *Daily Express* (e registrou a opinião do duque de Edimburgo de que "o Express é uma droga de um jornal horrível"); Michael Field do *Daily Telegraph*; Roman Skowronski, filho do embaixador polonês no Brasil em 1939; a artista Dora Basílio; e Carlos Widmann, então no *Suddeutsche Zeitung*.

Entre outros a quem gostaria de agradecer estão:

No Nordeste do Brasil: Edson Barreto, que me levou por aí e me ajudou com entrevistas; Eraldo Ferreira, secretário-geral da executiva do PT em Garanhuns; Gilberto Ferreira, em Caetés; Beti, da Rádio Sete Colinas, Garanhuns, e Aldo, da Rádio Marano, também de Garanhuns; Luciano Godoy e Vali Vicente, guias até o local do nascimento de Lula; Alamir Cardoso, presidente do Partido Comunista do Brasil, Pernambuco; e Moacir Paulino Silveira, José Inácio Barbosa, e Augusto dos Santos Semente, todos membros do comitê estadual do PCdoB em Pernambuco.

Em São Paulo: Maria Laura Canineu, pesquisadora assistente inestimável; Denise Paraná, autora da abrangente biografia *Lula, o filho do Brasil*; Juno Rodrigues Silva, o "Gijó", dono de um restaurante em São Bernardo e ex-ativista sindical; Denise Brito, jornalista, que muito ajudou na pesquisa de fotos; Epaminondas Neto Filho, jornalista; Marco Moretto, diretor de Paranapiacaba, em Santo André; André Skowronski; Flamarion Maués, coordenador editorial da Editora Perseu Abramo; Ana Stuart, coordenadora de relações internacionais do PT; Ana Luiza Leão, advogada; Heather Sutton, do Sou da Paz; e Expedito Soares Batista, do Sindicato dos Metalúrgicos do ABCD.

Em Brasília: Renato Janine Ribeiro, CAPES; Marco Aurélio de Garcia, assessor especial da Presidência para assuntos internacionais; senador Aloizio Mercadante; senador Marco Maciel, ex-vice presidente da República; José Graziano da Silva; Oswaldo Bargas; deputado Vicentinho (Vicente Paulo da Silva); Celsius Lodder; Denise Neddermayor; Hamilton Pereira, presidente da Fundação Perseu Abramo; dr. Peter Collecott, embaixador do Reino Unido; Winston Moore, embaixador de Trinidad e Tobago; professor João Paulo Peixoto; David Cordingley, diretor do Conselho Britânico no Brasil; ministro Paulo Roberto de Almeida, do Núcleo de Assuntos Estratégicos; Bernardo Kucinski, jornalista; Kennedy Alencar, jornalista; e Vicente y Plá Trevas, subchefe de Assuntos Federativos.

No Rio de Janeiro: Nelson Franco Jobim, jornalista; Carlos Magno, jornalista; ministro da Cultura Gilberto Gil; João Moreira Salles, cineasta; Silvia Skowronski; e Tom Phillips, jornalista.

No Reino Unido: Sue Branford, jornalista; Sue Cunningham, comentarista econômica sobre o Brasil; Fernando de Mello Barreto, então cônsul geral brasileiro, agora embaixador na Austrália; Graça Fish; Edna Crepaldi, diretora executiva do Brazil Contemporary Arts; Carlos Feres, que me deu assistência na pesquisa sobre política externa; Jan Rocha; Fiona Macauley; professor Leslie Bethell, diretor do Centro Oxford para Estudos Brasileiros; professor Andrew Williams, da Universidade St. Andrews; e Ian Cooke.

Lula e sua irmã
Maria em 1949.

1 COMEÇO DURO DE VIDA

Lula nasceu em 27 de outubro de 1945 perto de Garanhuns, cidadezinha a cerca de 240 quilômetros do Recife, capital de Pernambuco.[1] Era um sábado. Seu pai havia partido um mês antes para procurar trabalho em São Paulo, e sua mãe, dona Lindu, já estava criando seis filhos. Lula, Luiz Inácio da Silva, foi o sétimo.[2] Moravam numa casa pequena, e ela tentava alimentar a família plantando milho, mandioca, batata, feijão e frutas.

A casa onde Lula nasceu não existe mais. Mas o local, numa trilha de terra fora da estrada principal de Garanhuns a Caetés, foi mostrado a mim em setembro de 2005 por dois garotos em motocicletas, um deles primo distante de Lula. Tecnicamente, a terra é semiárida, mas há pequenos lagos nas proximidades e o solo é fértil.

Algumas poucas casas de fazenda agora têm antenas parabólicas de TV; mas ainda há muito desemprego e assaltos à mão armada em algumas estradas rurais à noite. Garanhuns, "cidade das flores", foi fundada em 1879; sua estação ferroviária, fechada há muito tempo, tornou-se um centro cultural. Região de minifúndios, não é um território natural para o Partido dos Trabalhadores, que só conseguiu eleger seu primeiro vereador na região vinte e cinco anos após ter sido fundado.[3]

É uma área que assistiu a um fluxo constante de emigração por mais de meio século. Em 2005, já presidente, Lula abriu uma escola de direito no *campus* da Universidade Estadual de Pernambuco ali, contribuindo, em parte, para conservar gente jovem na região. Havia dez mil pessoas na inauguração, e cinquenta e dois parentes dele foram fotografados ao seu lado.

Se Garanhuns hoje parece apresentável, com alguns edifícios novos, a cidadezinha de Caetés, bem menor, pertence ao rol dos locais esquecidos do paupérrimo Nordeste brasileiro.[4] Ainda são vistas charretes puxadas por burros, bem como os ocasionais paus de arara, caminhões munidos de bancos para transportar gente.[5] É difícil imaginar o que as pessoas fazem para ganhar a vida em Caetés, além de agricultura de subsistência. Mas a família Silva do presidente é lembrada. Em frente à casa de Gilberto Ferreira, primo de Lula, há um novo posto de saúde com o nome de Dona Lindu.

Não é preciso muita imaginação para perceber que, quando Lula nasceu, essa era uma região inóspita. Não havia eletricidade na zona rural. As pessoas aqueciam suas casas e cozinhavam com carvão e lenha. Elas extraíam água de poços e lavavam suas roupas no rio. Famílias inteiras espremiam-se em casas autoconstruídas de dois cômodos. A de Lula fora construída por seu pai e seu tio, com um telhado de madeira, piso de cimento no quarto principal e de terra batida no restante da casa. Cobras instalavam-se sobre o telhado. Não havia rádio.

O produto excedente mal bastava para comprar itens de primeira necessidade, como roupas ou sal, e era preciso acrescentar caça à dieta. O Brasil podia estar entre os vitoriosos na Segunda Guerra Mundial, quando sua força expedicionária voltou da Itália para um país cansado do Estado Novo e seu regime semifascista, mas no Nordeste, regularmente flagelado pela seca, a fome era mais que frequente.

Quando começou a sentir as dores do parto, a mãe de Lula, Eurídice Ferreira de Melo, pediu ao cunhado José que trouxesse uma parteira de Caetés. Ele era magro, ela era gorda, ambos caíram do cavalo mais de uma vez no caminho de volta; quando chegaram, Lula já estava nascendo. Sua mãe tinha trinta anos; seu irmão mais velho, José Inácio, conhecido como Zé Cuia, tinha nove; Jaime tinha oito; Marinete tinha sete; Genival, conhecido como Vavá, estava com seis; outro José — mais tarde chamado de Frei Chico porque sua calvície o fazia parecer um frade — estava com três; e Maria estava com dois. Dois outros bebês haviam morrido antes do nascimento de Lula; Lindu também perdeu gêmeos mais tarde, após o nascimento de Lula. Famílias grandes e mortalidade infantil eram tristemente comuns numa época anterior ao controle de natalidade e numa região sem serviços de saúde.

O que dona Lindu não sabia, ao chorar enquanto se despedia do impassível marido, Aristides Inácio da Silva, que se dirigia a pé a Garanhuns para lá pegar um pau de arara a fim de tentar a sorte no Sudeste — ele vendera dois cavalos para pagar pela passagem —, é que ele não estava partindo sozinho. Viajava com uma jovem prima de Lindu, Mocinha,[6] já grávida, com quem ele começaria uma segunda família. Imigrantes nordestinos frequentemente iniciavam segundas famílias no sul mais rico. No caso dos Silvas, isso causou problemas.

Embora Aristides mandasse dinheiro para Lindu, que foi crucial por dois anos quando sua pequena terra foi destruída pela seca, ele não voltou ao Nordeste, nem mesmo para visitar, até 1949. Ele havia conseguido viajar porque ganhara dinheiro no jogo do bicho, e trouxe sua segunda esposa e os dois filhos deles de volta a Pernambuco, para ver sua terra natal. Embora ele mantivesse Mocinha afastada de Lindu, esta se sentia humilhada, e Vavá fez o possível para irritar seus meio-irmãos bem vestidos. Eles nunca mais voltaram.

Apesar disso, Lindu aceitou Aristides de volta. Ela ficou grávida dele outra vez, e deu à luz Sebastiana, ou Tiana, que foi batizada como Ruth. Lula, portanto, encontrou-se com seu pai pela primeira vez aos quatro anos de idade. Ele só viria a conhecê-lo aos sete, e só moraria junto com ele por três infelizes anos.

Sabe-se alguma coisa sobre os antecedentes de Lula. Seu avô paterno possuía terra em Pernambuco e, segundo o próprio Lula, era muito avarento e morreu pobre. Tinha um sobrenome português comum. Do lado materno, a avó de Lula era uma costureira de origem italiana que bebia demais. Em geral supõe-se que, da mesma forma que com outras famílias nordestinas, houvera casamentos com índios no passado. Aristides tinha aparência de caboclo, ou indivíduo resultante de miscigenação entre índios e portugueses. Os pais de Lula eram pobres e iletrados, e, embora seu pai tivesse alguma admiração por Getúlio Vargas (o ex-ditador que veio a ser eleito presidente em 1950), eles não se interessavam por política.

Durante seus anos de formação, Lula foi criado pela mãe, pelos irmãos e irmãs, particularmente por sua irmã mais velha Marinete. Ele adorava sua mãe trabalhadora, uma mulher que nunca tivera inimigos e que era amorosa com os filhos, embora sem demonstrar seus sentimentos. Ela tinha olhos azuis e era forte fisicamente, mas uma vida árdua e uma dieta frugal envelheceram-na prematuramente.

Talvez não seja correto descrever Lula como o filho favorito dela, apesar de que ele pode ter tido certas vantagens por ser o caçula. Mas ela parece ter detectado alguma coisa nele — não exatamente um dom de liderança, e sim uma espécie de energia — muito cedo, e incentivou a educação dele sempre que pôde. A família era pobre, rodeada por outras famílias pobres, e portanto nem sempre consciente de sua pobreza. Lula não se lembra de ter se divertido muito em sua primeira infância.

Sua vida mudou quando ele chegou aos sete anos. Em 1952, sua mãe levou a família toda para Santos, onde seu pai trabalhava no porto como estivador. Ele carregava sacos de café (então e por muito tempo o principal produto de exportação do Brasil) dentro dos navios. Era um árduo trabalho braçal. Aristides afeiçoou-se demais ao álcool e tentava esconder seu analfabetismo comprando jornais, às vezes fingindo lê-los enquanto os segurava de cabeça para baixo.

Aristides provavelmente nunca quis que sua família viesse para o sul, e deu a entender que o único familiar que ele teria gostado de reencontrar era o seu cão favorito, que tivera de ser deixado para trás. Numa segunda visita ao Nordeste ele levou consigo seu filho Jaime, que então escreveu a Lindu, sem o pai saber, dizendo que Aristides queria que todos se juntassem a ele. Dizendo às crianças que seria melhor morrer de fome em São Paulo do que no Nordeste, Lindu vendeu tudo e comprou uma viagem num pau de arara. Vavá, escondendo-se atrás de uma árvore, não queria abandonar o lar.

A jornada para o sul foi uma história clássica de imigração da época, e durou treze dias e noites, de 10 a 23 de dezembro de 1952. Ao todo, onze membros da família estavam num caminhão aglomerado e coberto por uma lona — Lindu e seus sete filhos, um tio, sua esposa e o filho de ambos. Lula usou a mesma camisa a viagem inteira.

Foi a primeira expedição de Lula longe de casa, e foi nela que ele viu pela primeira vez uma bicicleta, um carro, e um caminhão. Partiram do bar e lojinha do Tonzinho, onde tiveram que pernoitar porque o pau de arara estava atrasado. Durante a viagem dormiram no caminhão, ao ar livre ou em postos de gasolina; Lindu havia empacotado frango e biscoitos, e também comiam farinha de mandioca, bananas e carne seca; foram perseguidos por gado; Lula e Frei Chico quase foram deixados para trás quando pararam para fazer suas necessidades, e precisaram correr atrás do caminhão à noite por oitocentos metros antes de serem vistos; lavavam-se a cada três ou quatro dias. Foi uma tremenda aventura: sessenta pessoas apinhadas em dois andares de um caminhão desconfortável, percorrendo estradas sujas, em busca de uma nova vida.

Quando os Silvas chegaram ao seu destino, a estação rodoviária do Brás, em São Paulo, todos os onze espremeram-se dentro de um táxi Chevrolet novo e desceram para as docas de Santos à procura de Aristides. Ele não ficou particularmente contente em vê-los — estava morando com Mocinha e os filhos de ambos —, mas alugou um lugar para ficarem. Isso abriu um novo capítulo na vida dessa família desestruturada. Também ofereceu uma perspectiva de liberdade maior para Lula, e foi a partir de então que ele deixou de ser uma criança sertaneja ignorante e começou a crescer como um garoto urbano, próximo ao coração industrial do país.

Lula nunca gostou do seu pai. Considerava-o tirânico, estúpido, alcoólatra, e mais apegado à segunda família que à primeira. Quando embriagado — e ele adorava cachaça — ele batia em ambas as famílias, embora sua segunda esposa e Rubens, seu filho com ela, sofressem mais que os filhos de Lindu. As únicas coisas boas que Lula tem a dizer de Aristides é que ele era trabalhador, que se esforçava para sustentar suas duas famílias, e que de certa maneira reconhecia a primazia da primeira. Os outros irmãos de Lula tinham medo do pai, mas Frei Chico, que ia caçar com ele aos fins de semana, tinha uma opinião melhor sobre ele.

As lembranças que Lula guardava de seu pai em Santos, narradas à sua biógrafa Denise Paraná,[7] eram na maior parte negativas. Ele deu dois exemplos disso. Em um, Aristides havia pedido a Frei Chico e Lula que fossem ver se estava tudo bem com um pequeno barco que ele tinha no rio Caraú, no lado oposto ao da Base Aérea de Santos, onde moravam. Começou a chover torrencialmente enquanto os dois meninos se dirigiam para lá, eles ficaram com medo e voltaram sem ver o barco. Quando Aristides chegou à casa, Lindu disse-lhe que o barco estava em segurança. No dia seguinte, porém, um colega de trabalho falou a Aristides que vira alguém remando o barco, que este fora roubado. Aristides ficou furioso. Chegando em casa, espancou Frei Chico tão violentamente com uma mangueira, que o menino urinou nas calças do uniforme escolar, e teria espancado Lula também se Lindu não tivesse se colocado entre eles. Aristides então espancou Lindu; para Lula, foi nesse momento que nasceu a determinação dela de se separar do marido.

Outro exemplo era a avareza de Aristides com relação à comida. Esta era sempre escassa, mas em 1952, quando Tiana tinha apenas três anos, ele deu pedaços de pão aos seus cães embora ela suplicasse um pouco para si. Lula tampouco perdoou Aristides por ter dado sorvete uma vez aos seus dois filhos com Mocinha, mas não para ele, alegando que ele não saberia como lambê-lo! Seu pai não deixava que se divertissem muito, não deixava que os garotos mais velhos fumassem, e desconfiava da educação.

Como Aristides conseguia sustentar dois lares? Ele alternava entre eles, passando duas noites em um, duas noites em outro. Na verdade, ele era um trabalhador privilegiado, ganhava relativamente bem como estivador. Carregar três sacos de café de uma vez exigia muito fisicamente; mas estivadores que carregavam grãos de café nos navios tinham condições de vestir-se bem e eram tratados como aristocratas do trabalho braçal.

Além do mais, todos os membros da família, com exceção do mais novo, precisavam trabalhar e trazer dinheiro para casa. Vavá vendia água de um barril e trabalhava num bar, Jaime ajudava a construir navios pesqueiros num estaleiro, Zé Cuia trabalhava numa carvoaria, Marinete e Maria trabalhavam como domésticas. Quando Lula tinha sete ou oito anos, começou a vender amendoins no porto com Frei Chico. Também vendiam laranjas e a tapioca caseira feita por Lindu. Lula não era bom nisso; Frei Chico mais tarde recordou que ele era tímido demais para apregoar sua mercadoria aos gritos.

Trabalho infantil e crianças vendedoras nas ruas eram comuns então e não são incomuns hoje no Brasil. Um filme excelente de Nelson Pereira dos Santos, *Rio, 40 Graus*, acompanha as aventuras de um grupo de crianças vendedoras de amendoim no Rio de Janeiro por volta da época em que Lula e Frei Chico faziam o mesmo em Santos. Mostra vendedores mais novos sendo intimidados por garotos mais velhos e pela polícia num ambiente perigoso e violento. Lula não era órfão e contava com o amparo de uma grande família e de uma mãe amorosa, mas suas experiências nas docas de Santos apenas fortaleceram seu conhecimento da natureza humana e seu estímulo para a sobrevivência, sobretudo no hostil ambiente urbano.

Lula e seus irmãos trabalhavam de dia e estudavam à noite. Ele e outros três iam à mesma escola, o Grupo Escolar Marcílio Dias, de onde ficou a lembrança de uma professora, dona Terezinha, que gostava dele, e de Frei Chico ganhando uma edição de *As Viagens de Gulliver* como prêmio.

Mas a vida em Santos, com um pai ocasionalmente bêbado e uma mãe nada feliz em ter que dividir o marido com outra, não era exatamente idílica. Ela envolvia muito trabalho duro, incluindo carregar água e lenha. Em três anos Lindu cansou-se e resolveu romper com Aristides. Embora ele procurasse reconquistá-la com agrados, ou fazendo com que parentes intercedessem em seu favor, ou frequentando a nova casa dela à noite, ela terminou com ele. Um dia ela e a família dela foram embora cedo, deixando para trás apenas uma filha para entregar a ele as chaves.

Lindu não voltou a se casar, embora tenha recebido uma proposta; não guardou rancor de Aristides após a separação, e até criou um dos outros filhos dele. Para Lula e as outras crianças, no entanto, essa separação foi como um grito de liberdade. Eles podiam começar a ter uma infância e adolescência normais, ir ao cinema, jogar futebol, ter namorados e namoradas.

Mas ainda precisavam trabalhar duro, e Lindu separava grãos de café e lavava roupas para o seu sustento. Ficou atrasada com o pagamento do aluguel. Sua sorte mudou, porém, em 1955, quando Vavá achou um pacote embrulhado em jornal no piso do mercado onde ele trabalhava. O pacote continha 5.855 cruzeiros, mais de trinta e quatro vezes o valor do salário mínimo legal.

Depois de esperar uma semana para ver se alguém reclamava o dinheiro, e dando 500 cruzeiros ao homem a quem pedira conselho, Vavá entregou o dinheiro à mãe. Ela prontamente pagou o aluguel que devia e se mudou com quatro de seus filhos para a Vila Carioca, subúrbio industrial da cidade de São Paulo. Duas das filhas dela ficaram em Santos trabalhando como domésticas; Frei Chico e Lula moraram com Aristides e Mocinha por um desagradável ano — no decorrer do qual Aristides foi esfaqueado numa rixa de bêbados e perdeu um rim — antes de se juntarem à mãe em 1956.

Que tipo de Brasil era esse em que Lula estava crescendo, quando chegou à capital industrial brasileira? Era uma época estimulante. Em 1955, Juscelino Kubitschek fora eleito presidente, apoiado por dois partidos, o Partido Social Democrático (PSD) e o Partido Trabalhista Brasileiro (PTB), ambos os quais traçavam a sua origem a Getúlio Vargas. Ele prometeu cinquenta anos de progresso em cinco, um programa de cinco metas, industrialização rápida baseada em substituição de importações, e um aprofundamento da ainda frágil democracia no país. Era uma democracia de apenas dez anos, em que um presidente eleito cometera suicídio em 1954, culpando pressões malignas, em que analfabetos como Aristides não podiam votar, em que havia constantes rumores de intervenção militar, e em que Kubitschek pôde ser eleito com apenas 35,63% dos votos.

Historicamente, o Brasil foi uma exceção na América Latina. É um país de língua portuguesa rodeado de países hispanofalantes, criado pela diplomacia de Portugal e pelo impiedoso avanço rumo oeste dos mestiços bandeirantes, de extração portuguesa e índia, na época do descobrimento por Portugal e no século seguinte. Dois anos depois que Colombo "descobriu" o Novo Mundo, Portugal convenceu o papa a arbitrar entre as duas potências católicas, Espanha e Portugal, no Tratado de Tordesilhas em 1494. Sob os termos do tratado, Portugal ficaria com toda a terra no espaço de 370 léguas a oeste das ilhas de Cabo Verde. Seis anos depois, Pedro Álvares Cabral "descobriu" o Brasil, e uma pátria-mãe meio desbotada supervisionou a rápida expansão de seu filho mais vigoroso.

Nos quatro séculos seguintes houve uma colonização gradual da vastíssima área do Brasil moderno. Rivais como os holandeses, que brevemente ocuparam o Nordeste no século XVII, foram derrotados. Escravos negros foram trazidos da África, depois que os índios nativos mostraram-se resistentes à coação e ao trabalho manual. Houve surtos de riqueza causados pelo açúcar, ouro e algodão, mas Portugal, inicialmente mais interessado em uma rota para a Índia e no comércio de especiarias, demorou a encontrar muitas vantagens econômicas na sua possessão sul-americana.

Enquanto uma sociedade semifeudal se consolidava na faixa costeira, com fazendas e escravos, uma sociedade mais dinâmica e sem lei crescia em São Paulo, no Oeste, no Sul e acima dos afluentes do Amazonas. Casamentos mistos e promiscuidade sexual entre europeus, africanos e índios eram comuns. O Brasil juntou-se ao mundo europeu do começo do século XIX de forma extremamente repentina, depois que Napoleão invadiu Portugal em 1807. Escoltada pela marinha britânica, a corte real e dez mil parasitas chegaram ao Rio de Janeiro, onde permaneceriam de 1808 a 1821.[8]

Sobrevieram um novo teatro lírico, jardins botânicos e uma onda de modernidade. Mas a experiência também destacou as diferenças entre o Brasil e seus vizinhos hispanófonos. As ideias do Iluminismo, bem como as revoluções Americana e Francesa, desencadearam violentas rebeliões contra a coroa espanhola. No Brasil, por outro lado, o filho mais novo do rei, Pedro, com seu Grito do Ipiranga de "Independência ou morte", tornou a colônia independente de Portugal em 1822. Teve início então o longo e anômalo período do Império do Brasil, encerrado finalmente por uma quartelada em 1889. Um ano antes o Brasil abolira tardiamente a escravatura, uma indicação do conservadorismo social do Império.

Nos primeiros anos do século XX, na época em que os pais de Lula cresceram, a política do Brasil era dominada pelo café e pelo leite — os estados de São Paulo, com sua poderosa lavoura cafeeira, e Minas Gerais, com sua produção leiteira. O Nordeste estava sob domínio dos coronéis, reacionários donos de terra que podiam ou não ter sido outrora oficiais militares. Ao Sul, na fronteira com o Uruguai e a Argentina, imigração europeia e uma tradição de faroeste haviam gerado certa impaciência com a preguiça e corrupção do governo federal no Rio de Janeiro. A política era elitista, ardilosa e pessoal, e o hábito dos conchavos e troca de favores sobrevivia desde a época imperial.

O Brasil era ainda majoritariamente agrário, mas nas grandes cidades do Sudeste já havia um começo de capitalismo e uma classe operária industrial. Em 1904, o empresário Francisco Matarazzo abriu sua primeira fábrica têxtil em São Paulo; trinta anos depois, as receitas combinadas do seu negócio representavam 87,5% da renda do estado. O Partido Comunista Brasileiro foi fundado em 1922, e a Federação das Indústrias do Estado de São Paulo (FIESP) seis anos depois.

O que mudou o Brasil mais profundamente do que o fim do Império em 1889 foi a revolução que elevou Getúlio Vargas ao poder em 1930. Vargas fora presidente de província do Rio Grande do Sul e concorrera a uma eleição presidencial federal naquele ano como candidato da Aliança Liberal. Seu pai e tio materno haviam sido comandantes em lados opostos de uma brutal guerra civil no estado, e ele herdou um traço de impiedade no caráter. Recebeu apoio de Minas Gerais e do estado nordestino da Paraíba. Mas não havia voto secreto, e as eleições eram fixadas por meio da divisão de espólios entre máquinas políticas estaduais. Depois da eleição de 1930, o presidente de saída, Washington Luís, declarou que o seu candidato, Júlio Prestes — presidente do estado de São Paulo, portanto ele mesmo um paulista — havia ganho com o dobro dos votos.

O país estava pronto para uma revolução. As ações caíram em 1929, e no mesmo ano houvera uma crise do café, principal item de exportação do país, cuja produção quase dobrara em cinco anos, superando a demanda. O capital estrangeiro fugiu do Brasil. As reservas de ouro do governo, sadias até o final da Primeira Guerra Mundial, haviam caído para zero no final de 1930. E ao longo da década precedente haviam ocorrido dissensões e pequenas rebeliões entre jovens oficiais do Exército, o fenômeno conhecido como tenentismo.

Deflagrada no Rio Grande do Sul a 3 de outubro após cuidadoso planejamento, a insurreição foi bem-sucedida, e em relativamente pouco tempo. Vargas foi para o Catete, o palácio presidencial no Rio, em 31 de outubro. Multidões tumultuosas o saudaram. Homem astuto, introvertido, com um sorriso paternal, ele seria a figura principal da política brasileira até o seu suicídio em 1954. Ele derrotou uma rebelião em São Paulo em 1932, uma tentativa de golpe comunista em 1935, e ficou aprisionado por algumas horas em um quase bem-sucedido *putsch* dos integralistas, os fascistas brasileiros, em 1938. Após instaurar uma ditadura pessoal com seu Estado Novo de estilo fascista em 1937, ele levou o Brasil à Segunda Guerra Mundial do lado dos Aliados em 1942.[9]

Dois elementos-chave da Era Vargas, que voltaram à tona quando Getúlio foi democraticamente eleito presidente da República em 1951, foram a incorporação da crescente classe operária e gestos significativos de nacionalismo econômico dentro de um contexto de industrialização. A ideologia fascista, que na Europa pouco fizera pelos trabalhadores organizados além de destruir seus sindicatos autônomos, foi reinterpretada pelo Estado Novo no Brasil para dar aos operários sindicalizados uma participação na sociedade. A abordagem era paternalista e clientelista, com muito poder investido no Ministério do Trabalho e pouca liberdade para as eleições de operários. Greves foram proscritas pela Constituição de 1937. Mas com um salário mínimo em algumas indústrias, e tentativas de fornecimento de pensões e proteção social, isso era progresso para os pobres que vinham do campo para a sociedade industrial de livre competição.

Os maiores símbolos de nacionalismo econômico eram o aço e o petróleo. No final de 1940, quando os Estados Unidos ainda tentavam manter as Américas fora da Segunda Guerra Mundial, eles autorizaram seu Banco de Crédito à Exportação e Importação a emprestar vinte milhões de dólares para a construção de uma usina siderúrgica em Volta Redonda; já se sabia que o Brasil possuía reservas substanciais de minério de ferro. Em dezembro de 1951, após retornar como presidente, Vargas mandou ao Congresso Nacional um projeto de lei para a instauração de uma empresa nacional de petróleo, a Petrobras, que deteria o monopólio da extração e de novas refinarias. A questão da Petrobras tornou-se uma poderosa força unificadora entre os partidários de Vargas pelos dois anos seguintes — o *slogan* popular era "O petróleo é nosso" — antes que o projeto de lei fosse aprovado. Ao mesmo tempo, desencorajava investimentos estrangeiros em outros setores além do petrolífero.[10]

De 1930 a 1945, Getúlio Vargas fora um ditador. Mas nos primeiros meses de 1945, a ilogicidade da situação política do Brasil provocou rachaduras no Estado Novo, e o clamor por democracia, liberdade e eleições tornou-se irrespondível. Os militares haviam ficado politizados e agora se opunham a Vargas. Em outubro, em face às dúvidas se Vargas permitiria eleições, e à nomeação de Benjamim, irmão do presidente, como chefe de polícia, ato que enfureceu seus agora numerosos oponentes, os generais depuseram Vargas. Eurico Dutra, que fora ministro da Defesa de Getúlio, foi eleito presidente. Vargas, eleito senador pelo Partido Social Democrático (PSD), um dos dois partidos fundados por ele — ele demonstrava mais afeto pelo Partido Trabalhista Brasileiro (PTB), estabelecido por seus partidários no Ministério do Trabalho e sindicatos controlados —, retirou-se para sua casa em São Borja, no Rio Grande do Sul. Em outubro de 1950, no entanto, ele foi eleito presidente com votação expressiva, apoiado pelo PTB e PSD.

O último governo de Getúlio não foi um sucesso, e estimulou mais conspirações militares. Embora a Guerra da Coreia resultasse num excedente de produtos primários, o governo continuou fazendo cortes e mudando sua política econômica, a inflação subiu, e sobreveio intensa corrupção, ligada em parte a rufiões na guarda presidencial. O assassinato de um major da Aeronáutica, Rubem Vaz, durante um atentado contra um barulhento jornalista anti-Vargas, Carlos Lacerda, levou a um ultimato militar. A 24 de agosto de 1954, Getúlio preferiu cometer suicídio a ser tirado à força da Presidência pela segunda vez. Houve uma profunda comoção por todo o país pela morte do homem apelidado de "pai dos pobres".

Golpes e contragolpes marcaram os anos seguintes. Houve dois presidentes temporários, Café Filho e Carlos Luz. Apenas graças a um "golpe da legalidade" de Henrique Lott, ministro da Guerra que se recusou a ser demitido, Juscelino Kubitschek e seu colega de chapa do PTB, João Goulart, assumiram os cargos para os quais haviam sido eleitos.

Tudo isso deve ter parecido muito distante para um garoto de rua como Lula, que ainda tinha apenas dez anos quando Kubitschek tornou-se presidente no final de janeiro de 1956. Mas os cin-

Dona Lindu, a mãe e, no detalhe, Aristides, o pai de Lula.

Lula, ao centro e dois amigos, Olavo (à esquerda) e Lambari (direita), em 1960.

Jogando bola, em 1955.

Com os colegas na formatura da escola do SENAI, em 1962.

Dona Lindu e os filhos na praia de Santos, 1954.

Lula, Frei Chico e amigos, em 1966.

Lula e a família, em 1968.

Dona Lindu e a filha Marinete, em 1970.

Um amigo, Lula, Lambari, Jaime, Frei Chico e Zé Graxa numa viagem a Aparecida.

co anos seguintes, o otimismo e a teatralidade do novo chefe de Estado despertaram a consciência de todos os brasileiros e decerto tiveram influência sobre um adolescente. O apelido de "país do futuro" dado na década de 1940 por Stefan Zweig, escritor austríaco que terminou seus dias no Brasil, a estratégia de "metas" e a arriscada construção de uma nova capital, Brasília, sugeriam mesmo que o país podia escapar de sua estagnação, pobreza e atraso. Kubitschek e os que o cercavam advogavam a doutrina do desenvolvimento, mesmo que isso provocasse altos índices de inflação e uma rixa com o Fundo Monetário Internacional (FMI).

Mas para a família de Lula, agora na Vila Carioca, em São Paulo, a vida ainda era dura. Eles moravam num quarto nos fundos de um bar que pertencia a um tio. Não havia uma cadeira para o médico que veio ver Frei Chico, então conhecido como Ziza, quando ele teve pneumonia. Sem asfalto, a estrada lá fora se tornava frequentemente um mar de lama. As pessoas da vizinhança eram muito pobres. Embora Lindu lavasse roupas e Lula engraxasse sapatos, a família não podia comprar carne. Lula pediu emprestado um paletó para entrar num cinema, coisa então obrigatória, e quando seu amigo Cláudio pediu-o de volta, Lula foi proibido de entrar.

A família se mudou diversas vezes, gradualmente adquirindo mais mobília. Lula trabalhou numa empresa de lavagem a seco e a vida pareceu melhorar. Depois trabalhou seis meses num escritório, depois numa fábrica de parafusos chamada Marte, como parte de seu curso no SENAI, quando em treinamento como torneiro mecânico.

O Serviço Nacional de Aprendizagem Industrial era um programa de treinamento industrial nacional implantado no governo Vargas. Tornou-se cada vez mais importante na região de São Paulo com a chegada das montadoras de automóveis e outras novas indústrias no surto de industrialização promovido por Kubitschek. O programa era difícil para um adolescente, e Lula fez o exame de admissão duas vezes. Na primeira vez, a única vaga era para soldador, que não o atraiu. Como o nível da sua escolaridade se tornou uma questão controversa mais de trinta anos depois, quando ele começou a fazer campanha para a Presidência, convém dizer que o requerimento para admissão era equivalente ao de uma boa escola secundária.

Entrevistado por Denise Paraná na década de 90, Lula disse que o seu tempo no SENAI foi o período mais feliz da sua meninice.[11] Sua mãe estava muitíssimo orgulhosa dele; eles haviam percorrido um longo caminho juntos, da Vila Carioca até o Ipiranga, quando ele foi fazer o exame. Seu treinamento de dois anos no SENAI era o que às vezes se chama de um "curso sanduíche", que envolvia aulas ligadas à experiência prática, e também educação física.

Ele passou cinco meses nas aulas, seis meses na fábrica, e tinha um mês de férias. Todo esse tempo ele era pago com um valor equivalente a meio salário mínimo. Ele foi o primeiro membro da sua família a ter uma profissão que requeria treinamento, e pôde contribuir com dinheiro regularmente para o seu lar. "Sinto que o orgulho da minha mãe era o mesmo que sinto quando um filho meu vai à universidade", ele observou mais tarde.[12] Esse foi o auge de sua educação formal.

Lula estava se alimentando devidamente, e podia jogar futebol nos intervalos do almoço na fábrica e ter acesso a diversões. Uma de suas formas de relaxar na época era nadar em lagos ao redor da Vila Carioca. Outros nordestinos trabalhavam na fábrica, e ele era tratado com afeto por ser um garoto. Um homem mais velho, um torneiro mecânico negro chamado Barbosa, tomou-o sob seus cuidados, dividia sua bebida com ele, ensinava-o no serviço e foi uma gentil figura paterna para o rapaz. Ao todo Lula ficou na fábrica de parafusos por três anos e meio e saiu em 1964, um ano funesto na história do Brasil.

Embora a vida estivesse ficando mais agradável para Lula, o otimismo dos anos Kubitschek no Brasil como um todo havia azedado. Se Juscelino alcançara seus planejados cinquenta anos de progresso ao deixar o cargo após a inauguração de Brasília em 1960, é assunto para debate. Mas certamente houvera notável crescimento, com uma combinação de substituição de importações para o mercado interno, capital estrangeiro e planejamento nacional. Grupos executivos especiais foram criados para estimular a indústria automobilística, a indústria naval, a construção de estradas, a produção de maquinário e equipamento pesado agrícola, rodoviário, exportação de minério de ferro e armazenagem. Entre 1957 e 1961, o produto interno bruto cresceu 8,2% ao ano, e a renda *per capita* 5,1%.[13]

O crescimento foi particularmente admirável na construção de estradas, em que mais de 16 mil quilômetros foram construídos; no fornecimento de energia, gerando 1,65 milhão de quilowatts, grande parte por meio de hidrelétricas; e na indústria automobilística, em que a produção subiu para 170 mil automóveis e caminhões por ano, e companhias internacionais como a Volkswagen e a Mercedes-Benz abriram fábricas.

Mas houve custos substanciais, tanto econômicos quanto políticos. A inflação disparou nos últimos dezoito meses do mandato de Juscelino, quando as conversações com o FMI haviam chegado ao fim; 1960 assistiu a um déficit de pagamentos recorde; e no início de 1961 havia três vezes mais cruzeiros em circulação do que no final de 1955. A rápida construção da nova capital, inaugurada em 1960 depois de apenas quatro anos de obras, foi inflacionária e envolveu substancial corrupção. Empreiteiras fizeram fortunas. O fato de a cidade, com sua sensacional arquitetura moderna, ser um símbolo de um novo Brasil mais desenvolvido, não desarmou os críticos conservadores.

Kubitschek passou o cargo a um político independente de São Paulo, Jânio Quadros, que subitamente renunciou em agosto de 1961.[14] Ele fora apoiado pelo conservador partido anti-Vargas, a

União Democrática Nacional (UDN), e recebera 48% dos votos. Mas sua saída abriu um prospecto inquietante para os grupos conservadores, especialmente para os militares que vinham conspirando contra Vargas e seu legado desde 1945, porque o vice-presidente era João Goulart do PTB, conhecido como Jango por seus partidários. Embora fosse um proprietário de terras no Rio Grande do Sul, ele sempre defendera uma plataforma populista de nacionalismo econômico e benefícios trabalhistas.

Inicialmente, Goulart não foi investido de todos os poderes da Presidência, mas uma experiência parlamentarista foi descartada em janeiro de 1963, quando num referendo o povo optou, numa proporção de cinco votos para um, pela volta do presidencialismo. Goulart começou então a clamar por reformas — tributação de pessoas ricas, reforma agrária, e a nacionalização de companhias estrangeiras como a canadense Rio Light, no Rio de Janeiro. Enquanto a inflação subia, controles ineficazes de preços eram introduzidos. O mal-estar social crescia, com manifestações contra e favor do presidente, que parecia hesitar.

Por fim, a crise atingiu o clímax em março e abril de 1964. Num comício no Rio a 13 de março, organizado pelos sindicatos que faziam parte da máquina do PTB, Jango expropriou refinarias de petróleo privadas e decretou que propriedades rurais improdutivas próximas a estradas, ferrovias ou projetos federais de irrigação poderiam ser confiscadas pelo Estado. Disse que planejava introduzir controles de renda, dar aos analfabetos e servidores o direito de votar, e mudar a Constituição. Após uma manifestação hostil e um motim naval, que Goulart tentou debelar demitindo o seu ministro da Marinha, o Exército promoveu um golpe, com o apoio dos governadores de Minas Gerais, São Paulo, e a cidade-estado da Guanabara, outrora Rio de Janeiro.

O golpe foi concluído em três dias, a 2 de abril, com pouco derramamento de sangue, ainda que, como prenúncio do que estava por vir, tenham sido alegados casos de opositores torturados no Nordeste.[15] O golpe recebera ajuda discreta do governo dos EUA, o qual, como os brasileiros conservadores, estava preocupado com a possível disseminação da Revolução Cubana para o resto da América Latina. Muitos deputados, líderes sindicais, artistas e jornalistas tiveram seus direitos políticos cassados pelo regime; um processo chamado "Operação Limpeza", com inquéritos policiais militares, foi instaurado pelo ministro da Defesa linha-dura, o general Costa e Silva.

Os militares governariam o Brasil pelas duas décadas seguintes e, conforme veremos, Lula desempenhou um papel importante no sentido de fazê-los voltar para suas casernas. A ditadura militar foi o contexto no qual Lula se desenvolveria como sindicalista e se tornaria uma figura nacional.

Enquanto isso, o próprio Lula, ainda um adolescente em 1964, tentava seguir em frente como torneiro mecânico. Ele deixou a Fábrica de Parafusos Marte porque ela se recusava a aumentar o seu salário na mesma proporção que os operários mais velhos, embora ele tivesse trabalhado lá tanto tempo quanto eles. Em 1965, portanto, quando o arrocho econômico estava apertando, Lula ficou sem trabalho por oito meses. Seus irmãos também estavam desempregados, e no lar de dona Lindu passava-se necessidade. Lula saía de casa às 6 da manhã e percorria as fábricas para ver se alguma delas estava contratando operários. Às vezes respondiam-lhe que não havia vagas, às vezes tomavam a carteira de trabalho de Lula, ficavam com ela por um tempo, depois diziam que não havia nada disponível. Seu sonho de ser bem remunerado trabalhando numa das grandes montadoras de carros parecia distante da realidade.

A família mudava-se com frequência, e diversas das casas de má qualidade onde moraram foram inundadas em enchentes. Não havia muito que comer além de arroz e batatas cozinhadas em óleo, sem frango nem carne vermelha. Lula achou a experiência do desemprego profundamente deprimente; ele não tinha nenhum amigo do trabalho e nem dinheiro para modestos prazeres.

Depois do que pareceu muito tempo, ele conseguiu emprego em uma certa Fábrica Independência, onde trabalhou como torneiro mecânico no turno da noite. Ele podia dormir um pouco no serviço, acordando antes que o patrão chegasse. Lula poupou o suficiente para comprar uma bicicleta de segunda mão. Foi ali que ele perdeu o dedo mínimo da mão esquerda num acidente. Um parafuso de uma máquina se quebrou, e uma pesada prensa caiu, esmagando-lhe o dedo.[16] Foi doloroso, e ele teve de esperar algumas horas antes que o gerente da fábrica chegasse às 6 da manhã e o levasse a um médico. A perda do dedo mínimo causou-lhe um complexo psicológico durante meses, mas fez com que ele recebesse uma indenização de 350 mil cruzeiros, uma quantia considerável à época; ele usou o dinheiro para comprar mobília para sua mãe e ajudá-la a adquirir um pequeno pedaço de terra.

As medidas de segurança nas novas fábricas que germinavam na região de São Paulo deixavam muito a desejar, e muitos mecânicos e torneiros sofriam danos. Outros membros da família de Lula foram também vítimas da industrialização rápida e amplamente sem regulamentação. Um gerente da Volkswagen contou ao correspondente de um jornal alemão que ele preferia empregar os nordestinos ignorantes do Brasil, e que a produção de carros em São Paulo era maior do que com os operários alemães de Wolfsburg.[17]

Na Independência, onde a empresa oferecia uma jarra de vinho com o décimo terceiro salário, Lula teve sua primeira experiência de ficar completamente bêbado. Ele e seus colegas operários esvaziaram a jarra num bar próximo e misturaram o vinho com algumas cervejas. Felizmente, Lula tinha que andar pouco até sua casa. Depois de mais onze meses nessa fábrica, ele foi para outra, a Fris-Moldu-Car, de onde foi demitido por causa de um pequeno ato de rebelião. O seu patrão quis que ele trabalhasse num sábado, mas Lula queria ir a um piquenique em Santos com os irmãos. Lula se recusou a trabalhar naquele sábado, foi ao piquenique, e perdeu o emprego.

Tanto na Independência quanto na Fris-Moldu-Car, Lula teve experiências de participação em greves de metalúrgicos. O regime militar de Humberto Castelo Branco seguia a apertada política anti-inflacionária do seu ministro da Fazenda, Roberto Campos.[18] Ela achatava o salário dos trabalhadores, e embora houvesse repressão aos comunistas, aos esquerdistas e a outros opositores do governo militar, os sindicatos precisavam atender aos desejos dos membros comuns para manter seus ganhos.

Mas no final da década de 1960, enquanto o regime militar se aferrava ao poder com o Ato Institucional número 5 — depois que seus amigos demonstraram-se incapazes de vencer as eleições em 1967 — a situação de Lula progrediu. Seguindo seu irmão Frei Chico, que já trabalhava lá, ele conseguiu emprego na Aços Villares, uma grande empresa de engenharia. A firma tinha por diretriz não contratar parentes, mas como o Departamento Pessoal não se deu conta de que José Ferreira da Silva e Luiz Inácio da Silva eram irmãos, ele conseguiu o emprego.

Lula ficou constrangido no seu primeiro dia porque, como estava sem dinheiro antes do seu primeiro pagamento, não podia comprar seu almoço. Ele precisou caminhar por uma hora e meia ou duas horas para chegar ao serviço, pois não tinha dinheiro para o ônibus. E também precisava trabalhar no turno da noite.

Nessa época Lula parecia um jovem operário típico — fanático por futebol, não muito interessado em política ou sindicatos, e começando a namorar garotas. Sua primeira namorada séria foi uma bela moça de origem japonesa — havia uma grande comunidade japonesa nos arredores de São Paulo —, mas ele se interessava mais por futebol do que por ela. Embora próximo à sua família, ele não mantinha contato algum com o pai.

Nem mesmo um operário apolítico, no entanto, ficava indiferente à agitação trabalhista do fim da década de 60, ou completamente alheio à elevada tensão no campo em 1968-69. Como mero operário, Lula assistira a numerosas greves, algumas delas violentas. Quando tinha quinze anos de idade, foi aconselhado a não ir trabalhar certo dia porque havia um piquete na fábrica. Sua irmã Maria foi uma de dois mil grevistas trancados numa fábrica têxtil pela gerência e resgatados pelos colegas operários. O próprio Lula entrou em greve na Metalúrgica Independência.

O irmão dele, Frei Chico, havia-se tornado cada vez mais ativo no sindicato dos metalúrgicos. Embora Frei Chico não tenha se filiado ao Partido Comunista (PCB) antes da década de 1970, estava irritado com o capitalismo desenfreado praticado pelo regime militar, com os salários dos metalúrgicos reduzidos por um terço, seguidos de turnos mais longos e mais trabalho aos sábados. Em 1968-69, ele participou da campanha por maiores salários, falou em reuniões e começou a atuar em vários sindicatos. Lula, que compareceu a uma ou duas dessas reuniões, achava que seu irmão era ativista em excesso. Nos bastidores, o PCB fazia o que podia para fomentar agitação, embora o anticomunismo católico no contexto da Guerra Fria, as prisões pela polícia e a repressão do governo obstruíssem o partido.

Em dezembro de 1968 o regime, que já havia cassado o mandato de deputados que pudessem opor-se a ele, decretou o AI-5. Atos Institucionais eram decretos-lei do regime que substituíam uma constituição democrática. Castelo Branco havia entregado a Presidência a Artur da Costa e Silva em fevereiro de 1967 após o fracasso de sua política em favor de um regime militar mais suave, com eleições ininterruptas. Costa e Silva representava o anticomunismo linha-dura favorável a uma ditadura bem mais descarada.

O pretexto para o AI-5 foi uma provocadora invasão da Universidade de Brasília por parte dos linhas-duras, bem como um discurso incendiário de um jornalista e deputado da oposição, Márcio Moreira Alves, que denunciou o Exército como um bando de torturadores e carrascos, e exortou as namoradas de jovens oficiais e cadetes a boicotá-los. O AI-5 desencadeou mais censura, prisões e repressão.[19] Líderes do movimento estudantil como José Dirceu, mais tarde um dos principais organizadores do PT, foram parar na cadeia.

Enquanto o movimento estudantil nos Estados Unidos protestava contra a Guerra do Vietnã e o da França contra a presidência de De Gaulle, no Brasil o regime militar e preocupações estudantis mais prosaicas haviam levado a uma mobilização clandestina. Mas depois do AI-5, muitos esquerdistas e marxistas que haviam conseguido evitar ser presos — como o jovem sociólogo e futuro presidente Fernando Henrique Cardoso — exilaram-se. Ao mesmo tempo, inspirados por movimentos de guerrilha urbana e rural em outras partes da América Latina, pequenos grupos, formados em sua maioria por homens e mulheres jovens, resolveram empunhar armas contra a ditadura.

O ano 1969 foi importante para Lula. Ele se casou e assumiu um cargo no seu sindicato, o dos Metalúrgicos. E, embora apolítico, um incidente dramático — o sequestro de um embaixador estadunidense — mostrou a ele e a todos os brasileiros que o regime militar não era inexpugnável.

O casamento de Lula e o seu envolvimento com o sindicato começaram quase simultaneamente. Fazia alguns anos que ele conhecia Maria de Lourdes Ribeiro, uma operária têxtil, apenas como amiga e vizinha. Trigueira e bonita, ela viera de Ipatinga, cidade do interior do estado de Minas Gerais, próxima à divisa do estado de São Paulo. Lula e sua família passaram a morar ao lado de Lourdes, os pais e os três irmãos dela, ao se mudarem para uma casa no Jardim Patente, na Grande São Paulo. Lula fez amizade com os irmãos de Maria, especialmente com Jacinto, e iam todos a bailes juntos.

Lula percebeu que se sentia atraído por Lourdes, mas era muito tímido. Perguntou a Jacinto como deveria abordá-la, e se deveria falar com os pais dela primeiro. Jacinto respondeu que ele deveria falar diretamente com ela. Num baile de fim de semana, após várias danças e quatro doses de conhaque, ele criou coragem para dizer a ela que a amava.

Enquanto Lula se apaixonava, também se tornava um sindicalista ativo, quase à sua revelia. Em setembro de 1968, ele se tornou membro do Sindicato dos Metalúrgicos de São Bernardo. São Bernardo era um subúrbio industrial de São Paulo com muitas montadoras e indústrias de autopeças. Era parte do cinturão industrial e operário conhecido como região do ABCD — juntamente com Santo André, São Caetano e Diadema. Essa região, e São Bernardo em particular, viriam a ser o centro da atividade de Lula nos quinze anos seguintes, e seu trampolim para a proeminência nacional.

Em 24 de abril de 1969, Lula assumiu uma posição de membro alternativo ou substituto da executiva do seu sindicato. Apenas um mês depois, em 25 de maio, ele se casou com Lourdes; a ocasião foi feliz e contou com a presença das famílias aumentadas deles. Partiram em viagem numa charrete e passaram uma curta lua de mel num belo lugar, Poços de Caldas.

Mas o casamento quase não aconteceu, pois Lourdes estava aflita com a elevação do *status* de Lula no sindicato. Ela fora empregada por uma pequena empresa têxtil, cujos gerentes a pressionaram ao saberem que o noivo dela seria um representante do sindicato; para eles (sinal da atmosfera opressiva da época), ativistas sindicais eram provavelmente comunistas, e proeminência sindical traria problemas com a polícia. Lourdes não era engajada nem particularmente conservadora, mas era sabido que esquerdistas e ativistas sindicais estavam sendo perseguidos.

Na verdade, havia sido difícil convencer Lula a entrar na chapa vencedora das eleições sindicais. Para ele sindicato era uma perda de tempo, reuniões sindicais ocupavam-se com discussões triviais e disputas de poder, e a verdadeira utilidade do sindicato limitava-se à modesta assistência social. Quem o persuadiu a permitir que seu nome fosse incluído na chapa de candidatos foi seu irmão, Frei Chico, que também fez a liderança dos metalúrgicos ir conversar com ele.

Frei Chico, não Lula, fora convidado originalmente a concorrer pela diretoria do sindicato. Mas Frei Chico havia então deixado a Villares, onde permanecera menos de um ano, e fora contratado numa empresa de duzentos empregados chamada Carraço, que fabricava carrocerias. Já havia um homem do sindicato, mais velho que Frei Chico, na pequena fábrica; se o irmão de Lula fosse vitorioso na eleição, isso excluiria o então representante sindical, pois o regulamento proibia que houvesse mais de um membro da executiva do mesmo ramo de atividade. Frei Chico não queria excluir o homem mais velho, de modo que, mesmo antes de Lula entrar para o sindicato, ele sugeriu o nome dele como candidato na eleição sindical. Frei Chico conhecia bem a liderança do sindicato: Afonso Monteiro da Cruz, presidente; Mário Ladeia, secretário-geral; e Paulo Vidal, segundo secretário que em breve se tornaria presidente. Frei Chico disse que conhecia alguém bom na Villares, uma grande empresa, que era seu irmão. A liderança perguntou como ele era. Segundo Denise Paraná, Frei Chico respondeu: “Ele é jovem, não gosta do sindicato e não sabe de nada... mas, quem sabe? Talvez ele concorde em participar”.[20]

É muito revelador sobre o *status* de Frei Chico, e talvez sobre a fragilidade do Sindicato dos Metalúrgicos, que essa recomendação apática tenha levado a hierarquia sindicalista a assediar Lula. Frei Chico, que conhecia bem o irmão, havia notado que Lula, fosse jogando futebol ou trabalhando, possuía um dom natural de liderança. Todas as principais personalidades do sindicato tentaram persuadi-lo, incentivando-o a participar de cursos e reuniões. Lula resistiu por um bom tempo, dizendo-lhes que tudo que desejava era seguir em frente com sua vida. As preocupações de Lourdes não facilitaram a sua escolha; como ele, ela sonhava em primeiro lugar com uma casa própria e com a segurança de um salário fixo. Porém, no final de 1968, a sorte foi lançada. Lula conversou com Lourdes e apaziguou sua inquietação.

Com o apoio da liderança, portanto, Lula foi eleito um dos vinte e quatro membros da direção do sindicato. De 1968 a 1972, Lula ainda trabalhava na Villares, e quando colegas operários traziam-lhe questões que ele não sabia como responder, passava pelo escritório do sindicato à noite para falar com advogados e outros que pudessem resolver os problemas deles. Era um aprendizado monótono e sem drama de assuntos sindicais, muito distante do heroísmo no palco nacional.

No entanto, o heroísmo brasileiro irrompeu na consciência internacional a 4 de setembro de 1969, quando um grupo de guerrilheiros urbanos conseguiu raptar o embaixador estadunidense, Charles Burke Elbrick. A mídia mundial subitamente tomou conhecimento de que o governo militar do Brasil, aliado fiel dos Estados Unidos, não era todo-poderoso. Ele era enfrentado por oposição armada. Na verdade, após a incapacitação de Costa e Silva em decorrência de um derrame, o Brasil estava sendo temporariamente governado por esse substituto usado em outros países sul-americanos, uma junta militar.

O mais constrangedor foi que o governo, com todos os seus soldados, espiões e aparato de tortura, foi incapaz de encontrar Elbrick e libertá-lo. Foi necessário um acordo. O governo concordou em libertar um grupo eclético de esquerdistas — incluindo José Dirceu, então líder estudantil, que fora preso em São Paulo — em troca da libertação do embaixador. Uma famosa fotografia de treze presos políticos algemados foi tirada no aeroporto do Galeão, no Rio, enquanto posavam diante do avião Hércules que os transportaria para o México. Quando um policial gritou:

"Sorriam, seus filhos da puta", todos eles olharam carrancudos para a câmera. Muitos dos envolvidos no sequestro e muitos dos libertados por causa dele teriam participação no crescimento do movimento pró-democracia e nos debates que resultaram na fundação do PT.

Vale a pena fazer uma pausa a esta altura para considerar que tipo de pessoa era Lula aos vinte e quatro anos, casado e às portas de sua verdadeira carreira. Para quem o tivesse conhecido então, ele pareceria igual a milhares de outros rapazes — fanático por futebol, relativamente sem ambição, chegado à sua família aumentada. Em termos de crença pessoal, seu catolicismo teria parecido mais importante que qualquer outra fidelidade política ou ideológica, que praticamente inexistia nele. Era fisicamente forte e compartilhava do orgulho de ser um sobrevivente, como muitos nascidos no Nordeste, que veem a si mesmos como os verdadeiros brasileiros.

Mas havia muitos outros fatores a seu favor. A rede de apoio de sua família foi vital em ajudá-lo e aos outros Silvas a seguir adiante durante períodos de fome e pobreza. Sua mãe tinha fé nele. A ausência de um pai de quem ele não gostava foi — se a psicologia de outros homens bem-sucedidos serve como base — mais um estímulo. Seu irmão Frei Chico, que não hesitou em chamá-lo de "vagabundo" durante uma de suas fases de desemprego, gostava dele e o patrocinava.

A insegurança da pobreza, e a pobreza do Brasil durante a época em que ele cresceu, foram também um contexto crucial. Foi parte daquela "biografia" que lhe permitiria identificar-se com outros brasileiros, e permitiria que milhões de brasileiros se identificassem com ele, quando ele concorreu à Presidência. Ele havia genuinamente conhecido a fome. Ele fora um menino engraxate e tivera que vender amendoins nas ruas quando criança. Ele vivera em pobres casebres que não eram impermeáveis à chuva e nem resistentes a inundações. O dinheiro era difícil de ganhar e vulnerável à constante desvalorização causada pela inflação galopante. Acesso à educação, sem o fortuito período no SENAI, teria sido nenhum.

Ao mesmo tempo, para os Silvas e para o país, havia um enorme anseio por progresso. O entusiasmo com a construção de Brasília já havia passado. Mas quando os Silvas e outros retirantes desceram do Nordeste para o Sudeste, foi por um desejo de desfrutar de um Brasil mais rico e mais desenvolvido. Lula havia cobiçado o macacão de um engenheiro bem pago numa montadora. O mote positivista "Ordem e Progresso" influenciava todas as partes do que ainda era uma sociedade conservadora. Ele infectou a ideologia anticomunista da tomada do poder pelos militares em 1964, cujos oficiais também estavam cevados de populismo político, confusão burocrática e sistemas ultrapassados desde telefonia a finanças públicas.

E o Brasil estava fazendo algumas coisas. A marcha progressista da megalópole de São Paulo, com suas fábricas e arranha-céus, era simbólica. Em 1970, em meio ao regozijo nacional, o Brasil ganhou a Copa do Mundo de futebol. Um futuro melhor parecia alcançável.

No entanto, Lula aprendera sobre o lado negro do que os apologistas militares chamavam de milagre econômico brasileiro: pouca segurança nas fábricas, queda da qualidade de vida, e um ambiente no qual os que defendiam os direitos dos trabalhadores eram espionados, presos e podiam perder seus próprios direitos. Ele mesmo perdera dois empregos ao tentar defender seus próprios direitos.

Ele também fora atraído para o sindicalismo de um modo não exatamente democrático, mas que espelhava um elemento duradouro na política do país e na sociedade. Era reflexo de uma difundida tradição de apadrinhamento e importância de ligações familiares. Ele fora convidado a se tornar membro da executiva de um sindicato antes mesmo de ser um membro do sindicato, antes de qualquer eleição, porque era irmão de Frei Chico, e tirou o cartão premiado.

Sua própria atitude para com o regime militar nesse estágio era muito mais nebulosa e menos confrontadora que a de Frei Chico. Não podia estar mais distante das ideologias de esquerda dos estudantes da classe média e seus professores, envolvidos em enigmáticas disputas marxistas, movendo-se rumo a diferentes escolas de revolução armada. Para a maioria dos brasileiros, um pouco temerosos do regime militar e ansiosos por manter a cabeça abaixada e cuidar de suas vidas, os pequenos grupos guerrilheiros pareciam excêntricos, até mesmo perigosos. Em 1969, a atitude de Lula e as inquietações da sua nova noiva, Lourdes, eram provavelmente típicas da maior parte da opinião brasileira. Sua própria educação política mal havia começado.

Lula, suplente da diretoria de Paulo Vidal no Sindicato dos Metalúrgicos, 1969.

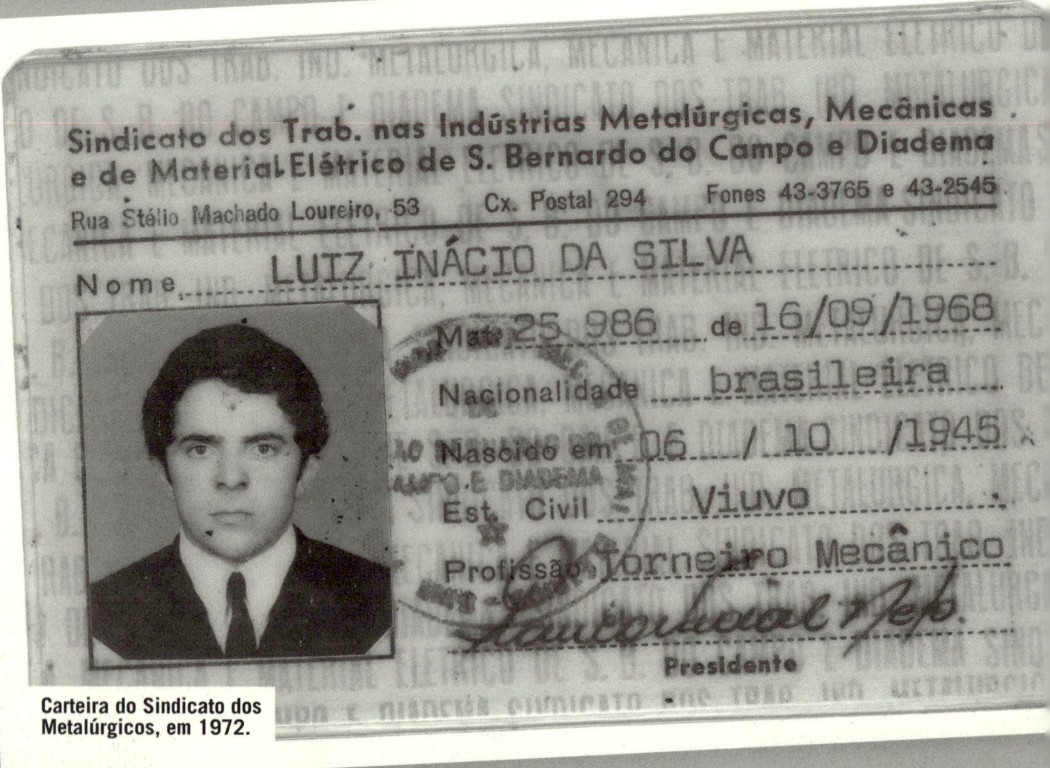

Carteira do Sindicato dos Metalúrgicos, em 1972.

Lula em sua sala de diretor
do Sindicato, 1973.

O BRASIL NOS ANOS 60 E 70

Juscelino Kubitschek.

Presos libertados em troca do embaixador Elbrick, sequestrado. O segundo à esquerda é José Dirceu, que viria a ser ministro de Lula.

Janio Quadros.

João Goulart.

José Dirceu comandando passeata na Avenida São João, em São Paulo, 1968.

José Genoino, preso na Guerrilha do Araguaia, anos 70. Viria a ser presidente do PT.

Em 1972, o Exército já combatia a guerrilha na região do Araguaia, no Pará.

Lula comemora, em sua casa, o casamento com Maria de Lourdes, 1966.

A felicidade durou pouco: Maria de Lourdes e o primeiro filho de Lula morreram no parto...

...mas a vida continuou: depois da depressão, Lula dedicou-se ao sindicato

Em 1975, Lula é eleito e toma posse na presidência do Sindicato.

Lula durante a greve de 42 dias em 1980. Atrás dele, o então deputado Eduardo Suplicy.

2 LÍDER GREVISTA

Lula e sua mãe choraram quando os recém-casados partiram para sua lua de mel. Parece que ele e Lourdes foram muito felizes juntos. Lula tinha sido o primeiro namorado dela. Com um empréstimo do fundo social da empresa Villares, eles puderam comprar sua própria casa de dois cômodos na Vila das Mercês, perto de dona Lindu. Lourdes, que estava trabalhando numa firma no Ipiranga, mantinha a casa impecavelmente limpa. A irmã de Lula, Maria, e o marido dela, então desempregado, foram morar com eles. Mas uma tragédia estava prestes a abater-se sobre o jovem casal.

Lourdes ficou grávida. No sétimo mês de gestação, em 1971, começou a vomitar intensamente. A princípio os médicos disseram que isso era normal. Ela foi levada ao Hospital Modelo, em São Paulo, onde foi diagnosticada hepatite. O médico encarregado era um estagiário inexperiente. Lula visitou-a e a encontrou gritando de dor, sem enfermeira ou médico para assisti-la.

Numa segunda-feira, ele recebeu um telefonema instruindo-o a levar roupas para a mãe e o bebê, pois uma cesariana fora agendada.

Mas quando ele chegou ao hospital, informaram-no que mãe e bebê — um menino — haviam morrido.[1] Naturalmente, ele ficou arrasado. Não autorizou uma autópsia. Talvez surpreendentemente, seu pai subiu de Santos para o funeral; sua mãe não compareceu.

A perda da sua esposa e filho, quando ele tinha apenas vinte e cinco anos, causou um impacto profundo em Lula. Foi um divisor de águas. Ele ficou ressentido contra o hospital e sua negligência. Isso o fez perceber a importância de assistência social para o sindicato, sua primeira tarefa como diretor em tempo integral. Achava que os serviços de saúde para os milhões de pobres no Brasil eram extremamente inadequados e de segunda categoria.

Ele caiu em depressão, e por seis meses não quis sair, nem se encontrar com outras pessoas. Cada domingo ia colocar flores no túmulo. Muitos anos depois, a morte de sua primeira esposa e filho ainda levavam lágrimas aos seus olhos. Dona Lindu, preocupada com ele, pediu a outro filho que se mudasse para que Lula pudesse morar com ela por algum tempo, sob seus cuidados. Ele morou com ela por três anos.

Ao sair de sua depressão, ele reagiu. Começou a sair com uma garota diferente cada semana. Foi outra fase que durou três anos. Mas ele também ficou mais sério com uma, Miriam Cordeiro, que trabalhava como enfermeira numa clínica. Lula a conhecera porque levava regularmente as filhas gêmeas do cunhado da sua irmã Maria para serem tratadas na clínica.[2] Ele saiu com ela, o relacionamento tornou-se sexual, e quando ela ficou grávida de três meses, contou a Maria e a Lula que estava esperando um bebê. Lula ficou encantado.

A menina nasceu saudável e foi batizada com o nome de Lurian — combinação dos nomes dos pais —, mas Lula logo rompeu com a mãe dela porque conhecera outra pessoa. Miriam tentou cortar todo contato entre sua filha e Lula. Num ardil político sujo em 1989, quando Lula estava concorrendo à Presidência pela primeira vez contra Fernando Collor, Miriam foi paga para ir à televisão dizer que Lula quisera que ela fizesse um aborto. A família de Lula alega que isso é um disparate.[3]

Foi quando ainda estava com Miriam que ele ouviu falar da mulher que se tornaria sua segunda esposa, Marisa Letícia Casa. Ao voltar para casa tarde, quase à meia-noite, depois de visitar Miriam, ele frequentemente pegava um táxi. Um velho taxista contou-lhe certa vez que seu filho fora morto numa briga na praça. Sua nora era bonita e estava criando um filho pequeno com a ajuda dele.

Então, por acaso, Lula conheceu Marisa no seu escritório do sindicato, onde ela viera para colher a assinatura dele num formulário. Lula gostava de conversar com as pessoas enquanto desempenhava suas tarefas de assistência social — uma de suas habilidades como organizador sindical — e ele dera instruções aos colegas no sentido de que ele atenderia pessoalmente qualquer viúva bonita que aparecesse. Conversando com ela, deu-se conta de que ela era a nora do taxista.[4]

Rapidamente ele se apaixonou por Marisa, que trabalhava como secretária numa escola em São Bernardo. Lula demonstrou sua determinação persuadindo Marisa a romper com um namorado dela — um operário da Volkswagen — que então os espreitou por algum tempo. Lula insistiu em permanecer na casa dela certo dia ao anoitecer, à hora em que o ex-namorado costumava visitala, até ela dizer ao homem que estava tudo acabado entre eles. Ela advertiu Lula que não moraria com ele enquanto não se casassem. Assim, depois de se conhecerem por apenas cinco meses num romance arrebatador, Lula e Marisa contraíram um matrimônio civil. Lula tornou-se pai adotivo do filho dela, Marcos, de três anos.

Marisa era popular na família de Lula. Era a décima primeira de uma família de doze filhos, de descendência italiana. Ela trabalhara desde os nove anos como babá e empacotadora numa fábrica de doces, antes de obter seu emprego na escola.[5]

Embora o casal estivesse feliz, os ex-sogros de Marisa não estavam. Eles sentiam que haviam perdido um neto e uma filha. Mais de um ano depois, quando os casais se reconciliaram, Lula e Marisa os convidaram para ser padrinhos de seu primeiro filho juntos, Fábio. Foi um exemplo, no domínio familiar, de um talento para a conciliação que Lula demonstraria num âmbito mais vasto.

Seu casamento com Marisa em 1974 deu estabilidade à sua vida pessoal, e eles tiveram três filhos. Isso coincidiu com avanços significativos no seu *status* e reputação dentro do seu sindicato.

Lula havia conseguido recrutar trezentos operários da Villares para o sindicato dos metalúrgicos, mas precisara ser convencido a deixar seu nome ser inscrito na chapa da facção controladora para as eleições sindicais de 1972. O homem que o convenceu foi Paulo Vidal, que de fato dirigia o sindicato. Ele pediu a Lula para concorrer à eleição como primeiro-secretário da chamada Chapa Verde. Ela venceu com mais de 70% dos votos, e Lula tornou-se um diretor do sindicato em tempo integral, responsável por um novo departamento de previdência social. Fez vários cursos e continuou tímido para falar em público; seu jornal favorito continuava sendo a *Gazeta Esportiva*.[6]

Vidal era uma figura controversa. Egocêntrico e bom orador, era conservador nas suas atitudes políticas, e foi acusado, talvez injustamente, de dedurar alguns comunistas à polícia da ditadura. Quando dez operários da Ford vieram ver Lula no final de 1973, sugerindo entrar em greve, Vidal desencorajou-os, advertindo que eles poderiam ser enquadrados sob a Lei de Segurança Nacional da ditadura, e até torturados. Mas nos círculos sindicais ele era considerado mais progressista, organizando o primeiro congresso nacional dos metalúrgicos em 1974 e procurando modernizar o sindicato.

Pouco depois disso, a fábrica em que Vidal trabalhava mudou-se, tornando-o inelegível para presidir sobre um sindicato sediado no município de São Bernardo. Vidal então propôs Lula como candidato a presidente nas eleições de 1975, e a si mesmo como secretário. Essa facção controladora foi desafiada por uma chapa de esquerda, apoiada pelo ilegal e perseguido Partido Comunista Brasileiro (PCB).

Lula teve vários contatos indiretos com os comunistas, mas apenas um encontro formal com um de seus líderes, Emílio Maria de Bonfante, com quem conversou num banco na praça em frente à Igreja Matriz de São Bernardo. Ele detestava a atmosfera de subterfúgio e paranoia em que os comunistas trabalhavam, e disse ao seu irmão francamente que não seria adepto de encontros secretos. Queria agir às claras.

Ele também aprendeu que o que gostava no sindicato era o senso de solidariedade com os operários, não suas tecnicalidades burocráticas. Pouco depois das eleições de 1975, Vidal convocara um comício-monstro, ameaçando com perda de benefícios médicos aqueles que não comparecessem; muitos assumiram que seria convocada uma greve, mas Vidal fez o que Lula chamou de "discurso-vaselina" e entregou a presidência a um dos advogados do sindicato. Foi outro exemplo da falta de coragem, consistência e empatia de Vidal. No entanto, a chapa que incluía Lula como presidente e Vidal como secretário foi eleita com 92% dos votos. Lula suspeitava que Vidal tinha esperanças de continuar mexendo os pauzinhos no sindicato.[7]

Lula assumiu seu cargo no sábado, 19 de abril de 1975, numa grande cerimônia. Havia dez mil pessoas presentes — operários; Paulo Egydio Martins, o governador de São Paulo; dona Lindu; e Marisa, que estava grávida do primeiro filho de ambos, Fábio. Lula estava muito nervoso ao falar, usando um texto escrito para ele com termos que ele normalmente não empregaria. Mas sua abordagem equilibrada, refletindo o ensinamento social católico, forneceu um claro vislumbre da maneira de pensar de um homem que ainda não fizera trinta anos e recebera súbita responsabilidade.

Ele afirmou que o momento que os brasileiros estavam vivendo era "um dos mais negros para os destinos individual e coletivo do ser humano". De um lado, no bloco soviético, as pessoas eram esmagadas pelo Estado, escravizadas pela ideologia marxista, e reprimidas em sua liberdade de pensar e se manifestar. Mas no outro, no Ocidente, as pessoas eram escravizadas pelo poder econômico do capitalismo, exploradas por outros homens, privadas da dignidade do trabalho, afetadas pela ganância, e atreladas a ritmos de produção enlouquecidos. Implicitamente ele rejeitou tanto o modelo capitalista seguido pelo regime militar quanto qualquer alternativa comunista à qual os oponentes revolucionários divididos do regime aderiam.

No fim do ano, contudo, o próprio Lula deparou-se com um de seus momentos mais negros. Em outubro, como presidente dos metalúrgicos de São Bernardo, ele fora a um congresso mundial da Toyota em Tóquio. Foi sua primeira viagem internacional, e ele gostou. Tinha pouco dinheiro, não conhecia ninguém e não gostava de comida japonesa. Enquanto estava no Japão, recebeu um telefonema de um advogado da federação dos metalúrgicos, que lhe disse que seu irmão Frei Chico fora preso a 4 de outubro. Frei Chico, que era então membro do PCB, fora eleito vice-presidente dos metalúrgicos de Santo André apenas uma semana antes. Ele estivera almoçando num bar perto de sua casa com um dos predecessores de Lula na presidência do sindicato de São Bernardo, quando foi detido por membros do temido DOI-Codi, um órgão militar de inteligência em São Paulo.[8]

Essa detenção era parte de uma varredura anticomunista em escala muito maior por todo o Brasil, mas executada com particular selvageria em São Paulo, que era o centro dos mais cruéis bandidos da segurança que estavam apenas parcialmente sob o controle dos presidentes militares. Um grande escândalo eclodiu com a morte, ali, de um jornalista célebre, Vladimir Herzog.

A varredura visava desestabilizar os mais respeitáveis oponentes ao regime no tolerado Movimento Democrático Brasileiro (MDB), mostrando que alguns de seus deputados tinham ligações com os comunistas do submundo. O MDB tivera bom desempenho nas eleições de 1974, particularmente nas grandes cidades. Era também um ataque ao presidente Ernesto Geisel, que lançara uma estratégia de "distensão", com o objetivo de diminuir o ferrão da ditadura.[9]

O advogado que telefonou para Lula em Tóquio advertiu-o que ficasse no Japão, pois se arriscava a ser preso se voltasse ao Brasil. Posteriormente, o serviço de segurança torturou Frei Chico para fazê-lo confessar que Lula havia passado uma carta para Luís Carlos Prestes, o líder veterano do PCB, agora no exílio. Era absurdo. Lula havia deixado claro que embora fosse parente de Frei Chico, nada tinha que ver com o Partido Comunista.

Lula ignorou a advertência do advogado e resolveu voar para casa imediatamente. Ele foi saudado no aeroporto de São Paulo por colegas e conselheiros sindicais. Não houve tentativa de prendê-lo. No dia seguinte ele foi à prisão para tentar descobrir o que acontecera a Frei Chico e também a Osvaldo Rodrigues Cavinato, outro membro do partido que estivera trabalhando no sindicato de São Bernardo, e que fora com homens da segurança por meio de um ardil: eles lhe haviam dito que estavam levando seu pai ao hospital. Naquela época era arriscado perguntar por presos políticos, e Lula foi insultado ao tentar.

Detido de posse de um documento que o incriminava, enviado por um partido comunista europeu, Frei Chico foi espancado, amarrado e torturado na "cadeira do dragão". Os soldados que o torturaram eram muito jovens e receberam dinheiro extra pelo serviço. Os interrogadores forjaram uma confissão, mas Frei Chico negou enfaticamente que seu irmão fora um mensageiro do partido. Após setenta e oito dias na prisão, Frei Chico e sessenta e quatro outros presos foram libertados, e apenas nove foram sentenciados; confissões obtidas sob tortura eram rejeitadas pelo tribunal.

Vários que haviam sido presos durante a varredura morreram, e Lula e a família ficaram preocupados pelo destino de Frei Chico. Porém, mais significativo foi o efeito radicalizante no próprio Lula. Ele se perguntava: qual a lógica de prender um trabalhador simplesmente por ser contra a injustiça social? Frei Chico, pai de uma família, havia trabalhado desde os dez anos de idade. Que tipo de ordem ou ideologia poderia justificar a detenção e tortura de homens como ele? Lula estava simplesmente revoltado. Ao mesmo tempo, perdeu todo sentimento de medo por sua pessoa.

Mas Lula também concluiu que a abordagem do PCB era totalmente errada, tanto quanto a abordagem não-confrontadora do seu sindicato. Apesar de os comunistas quererem justiça social, eram limitados por seus métodos conspiratórios e sigilo obsessivo. Além disso, o próprio sindicato dele estava deixando seus membros na mão ao descartar qualquer esforço sério para melhorar salários e condições de trabalho, preferindo uma vida tranquila. Embora as leis de segurança nacional procurassem proscrever greves, outros grupos mais militantes estavam criando coragem para ir contra as restrições salariais.

Enquanto a cena política era restritiva, o quadro econômico estava mais proveitoso para os operários nas indústrias avançadas ao redor de São Paulo. Dinheiro estrangeiro estava jorrando dentro do Brasil, compensando déficits na balança comercial, estimulado pela propaganda dos militares sobre um "milagre econômico". De fato, com controle estreito dos salários e do sistema político, o crescimento anual do produto interno bruto de 1969 a 1974 fora de 11%, com os mais baixos índices de inflação desde os anos 50. Embora ocasionalmente atingindo 9%, o crescimento médio de 1973 a 1981 foi de apenas 5,6% ao ano.[10]

Mas houve uma torrente de investimentos no Brasil após a crise do petróleo de 1973, quando petrodólares derramavam-se nos mercados internacionais. Em conjunção com a gerência econômica conservadora dos militares, o Brasil tinha condições de obter novos empréstimos em bancos estrangeiros. O fato de que o país estava se endividando em níveis perigosos e totalmente insustentáveis não era levado em consideração.

Os regimes militares não eram homogêneos. Batalhas ocorriam dentro deles a respeito de diretrizes políticas e econômicas, e vaivéns quase todos os meses. Cada presidente militar seguia uma linha um pouco diferente, com diferentes gabinetes. O general Garrastazu Médici (1969-74) adotara uma dura estratégia anticomunista com floreios nacionalistas, como a tentativa de "ocupar" a Amazônia com uma vasta rede de estradas e incentivos para que pobres colonos nordestinos migrassem para lá. Ele foi sucedido pelo general Ernesto Geisel (1974-79), um general político e tecnocrata, cujo irmão Orlando fora ministro da Defesa de Médici.[11] Ele e o general Golbery do Couto e Silva, chefe do Serviço Nacional de Informações (SNI), o serviço de inteligência,[12] estavam decididos a administrar uma abertura gradual do sistema político, mas no ritmo deles e sob o controle deles.

Em termos gerais, os atritos sobre posturas políticas eram entre, de um lado, os anticomunistas linha-dura, que acreditavam em supressão impiedosa de supostos inimigos, com censura e tortura, e pretendiam governar por longo tempo, e, do outro lado, militares que viam o golpe de 1964 como uma aberração temporária das tradições políticas mais suaves, acomodatícias e constitucionais do Brasil. Estes queriam uma "limpeza" ou "saneamento" do sistema; eles apoiavam o expediente pós-1964 dos Inquéritos Policiais Militares, IPMs, que resultou na cassação dos direitos de políticos, funcionários públicos, líderes sindicais, intelectuais e artistas, mas eles ansiavam retornar às suas casernas depois que a "limpeza" tivesse sido feita.

Embora os militares tivessem estado presentes na política brasileira desde a derrubada do Império em 1889, normalmente fora em segundo plano. As dificuldades em governar o Brasil podiam expor as fraquezas no alto comando e pôr em risco o seu *status* e privilégios. Em 1964, Castelo Branco havia sido um dos que favoreciam um governo militar temporário, mas sinais claros de oposição aos militares sempre que eleições eram permitidas e pequenas mas constrangedoras atividades guerrilheiras acabaram servindo aos interesses dos linhas-duras.

Unir ambas as facções era uma ideologia, a doutrina de segurança nacional. Ela fora desenvolvida, com algum incentivo da milícia dos Estados Unidos, na "universidade" dos próprios oficiais no Rio de Janeiro, a Escola Superior de Guerra (ESG).[13] A doutrina preconizava que o Brasil estava ameaçado, tanto internamente quanto externamente, pelo comunismo revolucionário totalitarista. Podia ser o comunismo soviético, o comunismo cubano de Fidel Castro, o maoísmo, ou as ideias do marxista italiano Antonio Gramsci. O que importava era que esse perigo mortal ameaçava as tradições religiosas e sociais do Brasil. Isso justificava a suspensão da democracia brasileira, a censura, e as restrições a livres associações e movimentos trabalhistas. Ideias semelhantes andavam influenciando igualmente as castas militares da Argentina e do Chile.

Havia também um lado mais ambicioso no ensinamento da ESG. Era que o Brasil devia tornar-se uma superpotência. Isso tinha origem na corrente positivista da história do país, e no orgulho por seu tamanho e abundantes recursos. Esse ensinamento ocasionou alguma propaganda hiperbólica e uso dos sucessos na Copa do Mundo para impulsionar a autoestima da nação.[14] O conceito do estado de segurança nacional era, portanto, bem abrangente.

São Paulo, onde o II Exército do Brasil estava sediado, era um baluarte da linha-dura. Desde julho de 1969, o II Exército vinha orquestrando a Operação Bandeirantes, tentativa de lidar com as divididas, mas visíveis guerrilhas urbanas, e estabelecer o perverso DOI-Codi como seu instrumento.[15] Havia ocorrido uma série de pequenas ações guerrilheiras, incluindo roubo de armas do 4º Regimento de Infantaria pelo capitão Carlos Lamarca em janeiro de 1969, um assalto ao cofre do corrupto ex-governador Adhemar de Barros, e a "execução" de um empresário que ajudara a financiar a Operação Bandeirantes, Henning Boilesen.[16]

A batida policial que capturou Frei Chico causou também o assassinato de Vladimir Herzog, diretor de jornalismo da TV Cultura, por agentes do DOI-Codi; jornalistas e grupos católicos, céticos com relação à versão oficial de que ele se suicidara, organizaram grandes manifestações, e o presidente Geisel voou para São Paulo, onde o comandante do II Exército prometeu que não ocorreriam mais suicídios como aquele.

Herzog havia morrido em outubro de 1975. Mas em janeiro de 1976 houve outra morte semelhante no DOI-Codi em São Paulo, a do operário Manuel Fiel Filho. Geisel viu isso como um desafio à sua autoridade sobre o Exército, bem como sabotagem à sua estratégia de abertura política causando revolta em todo o país. Ele demitiu o comandante do II Exército, general Ednardo d'Ávila Melo. Mais tarde, afastou também o ministro do Exército, Sílvio Frota, e o chefe do seu próprio gabinete militar, Hugo de Abreu, por interromper o caminho da estratégia. A eleição em 1976 de um novo presidente dos EUA, Jimmy Carter, não foi irrelevante. Carter falava em favor dos direitos humanos, e as ditaduras sul-americanas não eram mais benquistas em Washington.

Assim como havia atritos políticos dentro dos regimes militares, havia também divergências econômicas. De novo não era fácil generalizar, e os que partilhavam das mesmas doutrinas econômicas não se equiparavam às diferentes facções políticas. Os tópicos eram muitos. Havia aqueles preocupados em conter a inflação, bicho-papão da classe média profissional desde os anos 40. Havia aqueles ansiosos por ver mais investimentos internacionais no Brasil e uma abertura da economia, que ainda tinha altas tarifas protecionistas. Havia aqueles que ainda defendiam a estatização da economia — uma continuação da abordagem de Vargas à nacionalização e da ênfase de Kubitschek ao desenvolvimento.

Os regimes militares contavam muito com tecnocratas econômicos, e tais debates eram quase sempre um prosseguimento dos que ocorriam antes de 1964. Mas havia diferenças. Embora tivesse ocorrido uma grande preocupação por parte dos partidos esquerdistas antes de 1964 com relação à desigualdade de renda, reforma agrária e desemprego, essas questões receberam menos atenção sob os militares; a desigualdade de renda aumentou dramaticamente. E também, no fim dos anos 70, o modelo de substituição de importação para o Brasil, que ocasionara a manufatura local de carros e outros produtos que anteriormente eram importados, estava perdendo força como ferramenta para alavancar a economia.

O impacto da Guerra do Yom Kippur, de 1973, e sua resultante crise do petróleo, demoraram a chegar ao Brasil. Mas em 1975, ano em que Lula assumiu a presidência do seu sindicato, o governo Geisel foi forçado a reagir. Reis Velloso, ministro do Planejamento, preparou um segundo plano de desenvolvimento nacional, para cobrir o período de cinco anos até 1979. Seu objetivo era reduzir a dependência da nação de energia importada e promover um programa nacional para produzir etanol à base de açúcar para substituir a gasolina como combustível; isso levou a um acordo com a Alemanha Ocidental, criticado pelos Estados Unidos, para construir usinas de energia nuclear; e pagou por duas hidrelétricas colossais em Itaipu, na fronteira com o Paraguai, e Tucuruí, na Amazônia. Esses e outros investimentos em infraestrutura, como produção de aço, foram em grande parte financiados por empréstimos estrangeiros a agências e empresas estatais.

Embora a economia brasileira recebesse um impulso nos anos do "milagre" e ainda estivesse crescendo, num ritmo mais razoável, sob Geisel, a realidade para os trabalhadores foi que a maioria deles sofria um congelamento salarial. A pressão era intolerável numa época de suposta prosperidade, na qual a propaganda do governo dizia a todo mundo quão ótimo era ser brasileiro. O salário mínimo oficial (instaurado por uma lei que remontava a Vargas) não acompanhava a alta do custo da ração essencial mínima, determinado em 1938. Enquanto em 1970 seriam necessárias 105 horas e 13 minutos por mês para ganhar o suficiente para comprar ração básica para um adulto, em 1974 o tempo necessário era de 163 horas e 32 minutos.[17]

Outra coisa que crescia a olhos vistos, embora a evidência estatística não fosse confiável para pessoas que viviam abaixo da linha de pobreza, era a desigualdade social. A revista semanal *IstoÉ* estimou em 1979 que 50% dos brasileiros mais pobres haviam recebido 14,91% do produto interno bruto em 1970, mas apenas 11,6% em 1976; que 20% dos mais ricos haviam desfrutado 62,24% em 1970, e 67% em 1976. Uma sociedade muito desigual tornava-se cada vez mais desigual.[18]

Foi contra essa situação difícil e complexa que Lula começou a trabalhar como presidente do sindicato. Vidal havia conseguido algo significativo ao promover o primeiro congresso dos metalúrgicos de São Bernardo em 1974. Isso abrira discussões sobre salários e sobre as práticas de contratação e demissão das montadoras. Diversos agentes da ditadura, disfarçados de operários, haviam conseguido infiltrar-se no encontro. Ao todo, cerca de 250 haviam comparecido.

Lula, agora presidente, adotou a prática de visitar os portões das fábricas e conversar com os operários. Ele também dividia as decisões com membros da executiva do sindicato, destarte limitando a influência de Vidal. Ele fez alianças com líderes de outros sindicatos, como Olívio Dutra dos bancários de Porto Alegre, e Jacó Bittar dos petroleiros de Campinas, que mais tarde ajudaram a fundar o PT nos anos 80. Juntos, esses e outros prestes a criar o "novo sindicalismo" associaram-se para obter mais autonomia para os trabalhadores. Na teoria, cooperação intersindical era ilegal, e as leis trabalhistas corporativas que a ditadura havia herdado da Era Vargas permaneciam em vigor.

Mas em 1976 Lula e seu sindicato estavam numa posição cada vez mais vantajosa. Os representantes do sindicato estavam recrutando mais membros. Numa campanha salarial daquele ano, São Bernardo apelou para o Tribunal Superior do Trabalho para impedir que um acordo lavrado pelos empregadores, a Federação dos Metalúrgicos de São Paulo, se estendesse a todos os operários de montadoras. Para irritação dos empregadores, o tribunal acedeu parcialmente à reivindicação do sindicato e limitou o acordo a operários não-organizados, garantindo que jovens convocados para o serviço militar tivessem seus empregos de volta, e assegurando maior segurança a mulheres grávidas. Quando Lula promoveu um segundo congresso do sindicato (ao qual compareceram o governador de São Paulo, 250 operários e mais policiais e espiões do Exército), militantes protestaram abertamente contra a falta de liberdade.

Lula, que descobriu que era bom no trato com gente e na briga de foice da política sindical, conseguiu também neutralizar Vidal. Perto do fim de 1976, a Ford Motor Company decidiu reduzir a assistência médica dos funcionários. Lula disse a um jornalista que não faria reuniões dentro da fábrica, para o caso de a gerência tentar influenciar os trabalhadores a aceitar seus planos. Vidal disse a outro jornalista exatamente o contrário. O conflito tornou-se público, e Lula fez com que a executiva aprovasse uma nova regra: somente ele, ou, na sua ausência, o vice-presidente, poderia falar em nome do sindicato. Vidal, como secretário, perdeu sua posição de prestígio.

Lula dava-se ao trabalho de manter contato com seus membros, não apenas encontrando-os aos portões da fábrica. Também ajudou a erguer o jornal do sindicato, *Tribuna Metalúrgica*, incentivando o personagem de cartum João Ferrador. Esse operário resmungão cativou os membros, e seus comentários astutos e mal-humorados sobre a vida e o local de trabalho faziam os sindicalistas verem sua organização de um modo mais humano, prático e simpático.

Em 1977, Lula, ainda obcecado com os direitos e ganhos dos trabalhadores e não muito interessado em política nacional, encontrou uma causa à qual dedicar-se com especial energia. Ela permitiu que ele mobilizasse apoio não somente entre os metalúrgicos, mas também de todo o movimento sindical do país. Ela o tornou uma figura nacional.

Um professor de economia, Eduardo Matarazzo Suplicy, escreveu uma análise de um estudo do Banco Mundial na seção de economia da *Folha de S. Paulo* mostrando que o governo militar estava manipulando os índices de inflação do Brasil. A Fundação Getúlio Vargas (FGV), instituição semioficial, havia estipulado a taxa de inflação de 1973 em 22,5%, mas o governo militar anunciara que era 12,6%. O assunto era sério, porque o salário mínimo era ajustado uma vez ao ano com base no índice da FGV; com as greves proibidas pelos militares, a Justiça do Trabalho simplesmente repassava o aumento da inflação a todos os trabalhadores. Lula encomendou um estudo demonstrando que, em mais de três anos, a perda acumulada em decorrência disso chegava a 34,1% do valor do salário mínimo.[19]

Lula resolveu lutar, mas no início foi cauteloso quanto aos meios. Mais de 40 mil operários assinaram uma petição pela reposição dos ganhos perdidos; foram organizados comícios nas fábricas e áreas industriais, e treze sindicatos se juntaram à campanha. A sensação de terem sido injustiçados dava-lhes ímpeto. O presidente Geisel recusou-se a receber os líderes sindicais, mas quatro dos seus principais ministros — Fazenda, Planejamento, Indústria e Comércio, e Trabalho — gastaram três horas e meia de infrutífera discussão com eles.

Quando Lula concorreu de novo a presidente dos metalúrgicos de São Bernardo em fevereiro de 1978, numa chapa de catorze diretores, recebeu 97,3% dos votos, num total de 25 mil.[20] Na cerimônia de posse do seu segundo mandato presidencial, Lula disse a uma grande multidão que era chegada a hora de pôr um fim à exploração dos empregadores. Em caráter mais privado, fez com que a executiva do seu sindicato mudasse de uma abordagem de bem-estar social para uma estratégia mais arriscada, mais confrontadora, destinada a elevar os salários dos operários. Ele havia adquirido mais habilidade e confiança, numa época em que tanto os espiões da polícia quanto os grupos esquerdistas com suas próprias ambições procuravam se infiltrar e influenciar o sindicato.

Em julho ele participou do quarto congresso da Confederação Nacional dos Trabalhadores da Indústria, onde foi foco de interesse e estreitou seus contatos com os *autênticos* — outros líderes sindicais que tentavam construir um movimento trabalhista livre. Havia um entusiasmo crescente com a ideia de que sindicalistas pudessem criar um novo tipo de movimento, mais compreensivo e democrático, e que no processo pudessem reconstruir o Brasil.

Nesse congresso os *autênticos* adotaram uma carta de princípios bastante ampla. Reivindicavam voto secreto, livre e direto (um dos modos pelos quais os militares haviam emasculado o Congresso e as "eleições" presidenciais foi o sistema do voto indireto); uma nova constituição; anistia para exilados e os que haviam perdido seus direitos políticos; garantias de direitos humanos; uma nova política salarial; direito à greve; e representantes de sindicatos e comitês operários dentro das fábricas. A oposição política ao sistema militar estava crescendo, com Geisel forçado a fechar o Congresso; um grupo trotskista, Convergência Socialista, estava competindo com o PCB pelo apoio dos militantes no cinturão industrial.

Lula, porém, deu prioridade absoluta às necessidades salariais dos seus membros, e em 1978 ficou sobrecarregado, pois foi o ano da primeira grande onda de greves dos metalúrgicos. Começou a 12 de maio, com uma greve na Scania, e durou até 23 de dezembro. Quase todos os dias uma nova greve irrompia em alguma fábrica

— Lula descreveu isso como um tipo de febre na força operária.[21] A onda grevista não parece ter sido estimulada ou organizada diretamente por Lula no começo, mas ele e a sua executiva pouco depois estavam no centro dela, tentando fazer acordos para os operários envolvidos.

Convinha à liderança do sindicato fazer as autoridades pensarem que as greves eram totalmente espontâneas. Eram todas, claro, tecnicamente ilegais sob a ditadura, e membros da executiva poderiam ter sido presos. Como irrompiam por toda parte e eram imprevisíveis, resultava difícil para a polícia e o governo reprimi-las. Lula telefonou para o novo e mais liberal comandante do II Exército para dar o lado do sindicato na história. O general Dilermando Gomes Monteiro disse então a jornalistas que os grevistas eram pacíficos, que não havia provas de interferência estrangeira subversiva, e que era impossível para os soldados e para a polícia obrigar pessoas a trabalhar.

Os operários também inventaram táticas inovadoras, como por exemplo, ir ao trabalho mas não fazer nada nos seus bancos e máquinas, ou, na última greve do ano na Resil (empresa que fabricava extintores), rodear o edifício com um piquete de quinhentos homens sentados, a fim de que os contratados para substituir os grevistas não pudessem entrar.[22]

Os verdadeiros acordos feitos variavam — os operários da Scania receberam aumento de 20%, outros apenas 15%. Mas o sucesso deles mudou a atitude da classe operária em São Paulo. Além do mais, os acordos haviam sido obtidos por meio de negociação direta entre o sindicato e os empregadores, sem os ditames da Justiça do Trabalho da Era Vargas.

Havia uma característica informal e popular nessas greves. Lula e seus colegas tomavam muitas das decisões num bar em São Bernardo dirigido por Tia Rosa, uma nordestina como Lula. Era um grupo de amigos, não burocratas sindicais. Marisa também tomava parte, tanto quanto suas obrigações domésticas permitiam, e para Lula era uma ocupação de vinte e quatro horas por dia e sete dias por semana.

Lula estava desapontado com o fato de que empregados de uma das maiores fábricas, a Volkswagen, nunca tivessem entrado em greve como um todo. Ele criticou a desorganização de seu próprio sindicato, a irresponsabilidade de estudantes da esquerda radical que faziam agitações nas fábricas, onde tinham bem menos a perder do que os operários, a falta de clareza sobre os objetivos de uma greve e o menosprezo pelos riscos. Mas estava imensamente orgulhoso do que os até então pisoteados trabalhadores haviam conquistado; incansável, ele mesmo havia se tornado uma figura da mídia, com fãs em lugares inesperados.[23] A executiva do sindicato tornou-se mais profissional e seus membros largaram os empregos como operários para trabalhar em tempo integral para o sindicato.

Compromissos familiares ficavam inevitavelmente em segundo plano. Exatamente quando a primeira greve irrompeu na Scania, Lula recebeu uma carta de dona Mocinha contando que o pai dele, Aristides, havia morrido. Aposentado, Aristides morava sozinho e era uma sombra do homem que havia aterrorizado os seus filhos. Sofria as consequências físicas do seu alcoolismo e gastava qualquer dinheiro que tivesse com prostitutas. Lula pediu aos irmãos para comparecer ao funeral, mas quando eles chegaram a Santos, Aristides havia sido enterrado doze dias antes como indigente. O pai de Lula tivera pouca influência na vida dele, exceto pelo respeito maior que tivera por sua mãe devido ao modo como ela retribuíra o tratamento que recebera do marido, e Lula estava decidido a ter de fazer algo melhor da sua própria vida.

Em julho, depois que a primeira onda de greves fora estabelecida, Lula e Marisa tiveram seu segundo filho, Sandro Luís. Não houve possibilidade de licença-paternidade. Lula estava a 2.253 quilômetros de distância, numa conferência de petroleiros em Salvador, quando o bebê nasceu. Lula, Marisa e os três filhos estavam agora morando juntos numa pequena casa no Jardim Lavínia, em São Bernardo do Campo. Fora comprada dois anos antes com um empréstimo do BNH. Marisa achava difícil ajustar-se às constantes viagens de Lula. No ano seguinte ela começou a comparecer aos encontros grevistas.

A onda de greves em 1978 teve numerosas consequências maiores, além de dar uma nova direção ao movimento trabalhista. Não era possível classificá-la como resultado de intervenção estrangeira por castristas ou pelos esquerdistas forçados a exilar-se após a derrubada de Goulart em 1964. Ela não era ligada aos pequenos grupos de insurrectos armados, em sua maioria mortos ou aprisionados pelo regime militar. Não podia ser atribuída à agitação de radicais católicos, membros do movimento comunista (agora dividido nas facções pró-soviética e pró-chinesa), nem trotskistas — embora todos esses tenham contribuído. Era uma rebelião predominantemente doméstica e não-ideológica contra o achatamento dos salários no setor manufatureiro avançado.[24]

Por essa razão, era vista como uma ameaça por empregadores e seus aliados no governo militar. Ela desafiava as elevadas taxas de lucro sobre capital investido nos primeiros anos do "milagre" brasileiro, que haviam causado um influxo de dinheiro estrangeiro. Os frutos do crescimento não haviam sido divididos com a classe trabalhadora porque os sindicatos haviam sido decapitados e as greves proibidas. Os empregadores e o governo, pegos desprevenidos pela irrupção de agitação trabalhista iniciada na Scania, resolveram agir diferente no futuro, mobilizando a polícia e outras forças de repressão. Ao mesmo tempo, a animação entre os operários era infecciosa e além da capacidade de Lula e outros líderes de controlar.

O que aconteceu em 1979 foi muito mais sério. Enquanto em 1978 mais de 530 mil operários haviam participado de vinte e quatro greves, no ano seguinte mais de 32 milhões de operários, dos quais mais de um quarto era de metalúrgicos na indústria automobilística, participaram de 113 greves. As lutas trabalhistas, que envolveram dura repressão do governo e fechamento temporário do Sindicato dos Metalúrgicos de São Bernardo, tiveram também desdobramentos políticos. Em 15 de março de 1979, numa cerimônia aparatosa em Brasília, o general Geisel entregou a Presidência ao último dos presidentes militares, João Baptista de Oliveira Figueiredo. Num gesto extraordinariamente ambicioso, Lula quis fazer com que uma greve geral coincidisse com a posse. Era um exemplo da sua autoconfiança crescente, impulsionada por interesse da mídia no que foi apelidado de "república sindical" do ABC; ele mesmo havia agora deixado crescer uma barba para adicionar ao bigode.[25]

De fato, três dias antes da troca de presidentes, Lula e outros líderes sindicais chegaram a um bom acordo com a organização dos empregadores em São Paulo, a Fiesp. Haveria aumento de 63% aos metalúrgicos mais pobres, e 44% aos mais bem pagos. Mas quando Lula tentou convencer seus membros a apoiar o acordo numa grande reunião num estádio de futebol — ele ficou sobre uma mesa no centro e os que estavam perto dele passavam sua mensagem adiante, pois não havia megafones — eles o calaram aos gritos. "Greve, greve, greve", gritaram. Foi um momento constrangedor para Lula. "Então, estamos em greve", respondeu ele. Ele advertiu que talvez durasse muito tempo.

Empregadores e autoridades estatais não puderam dar uma resposta coordenada. O Tribunal Regional do Trabalho — instrumento do sistema trabalhista corporativo — concedeu um aumento de 44%, mas declarou a greve ilegal. A Fiesp ofereceu consideravelmente mais. A polícia militar rompeu um cordão em volta da fábrica da Pirelli e jogou gás lacrimogêneo nos operários fora da fábrica da Volkswagen.

A despeito das propagandas pagas nas rádios que urgiam os grevistas a voltarem ao trabalho, a greve permaneceu firme. Lula disse em reuniões que todo o futuro da classe operária dependia do sucesso dela. Sua retórica era exaltada. "Daremos nossa vida, se necessário", ele disse.[26] Em 21 de março, Lula e outros dois líderes sindicais tiveram uma reunião privada com o novo ministro do Trabalho, Murilo Macedo, e oito empregadores em São Paulo. Embora Lula autorizasse um de seus assessores a fazer um acordo, ele não tentou vendê-lo num comício, que insistiu no prosseguimento da greve. Astutamente, ele pediu um voto de confiança no executivo, mas voltou para casa sentindo-se arrasado, e outros o chamaram de traidor.[27]

Depois disso, o conflito se intensificou. Autoridades fecharam o sindicato de São Bernardo. Lula foi morar com seu sogro. A Igreja Católica lançou um fundo de assistência às famílias dos grevistas, e colocou igrejas à disposição do sindicato para reuniões. Impedidos de usar o estádio de futebol da Vila Euclides, vinte mil metalúrgicos reuniram-se na Praça Samuel Sabatini em São Bernardo, também conhecido como Paço Municipal. Foram confrontados por uma tropa de choque de mil soldados, mais de cem carros blindados, e um veículo que disparava areia e água. Os operários ficaram no lugar.

As tropas de choque jogaram latas de gás lacrimogêneo, que os grevistas jogaram de volta sobre eles. O prefeito e um coronel pediram calma e confiança nas autoridades; os operários cantaram o Hino Nacional e evocaram o nome de Lula. O coronel telefonou ao chefe da polícia militar e obteve permissão para retirar suas forças. O bispo de São Bernardo, dom Cláudio Hummes, conduziu os trabalhadores num pai-nosso, e a multidão se dispersou. Descartada como sem importância pelo governo, foi uma vitória moral para a greve e encorajou os políticos da oposição a criticar a intervenção estatal no sindicato.

Durante a greve de 1979, Lula não esteve sempre na sua melhor forma. Num dado momento foi diretamente prevenido pelo general que comandava o II Exército de que se aparecesse em comícios seria preso. Ele desapareceu por alguns dias, e outros líderes grevistas tentaram representá-lo. Quando uma delegação foi procurá-lo ele foi encontrado em casa, brincando com seus filhos, e uma atriz esquerdista, Lélia Abramo, disse-lhe que ele tinha de aparecer na próxima assembleia e retomar sua liderança.

As greves espalharam-se além de São Paulo e além dos metalúrgicos. Os sindicatos não podiam arcar com pagamentos de greve e houve penúria. A greve dos metalúrgicos só foi suspensa em 12 de maio, dois meses depois de seu início. A maioria dos operários recebeu aumento de 63%, com desconto de 50% pelos dias que não haviam trabalhado e precisaram compensar fazendo horas extras. Num comício, em que lágrimas rolaram, o acordo foi aceito e apoio unânime foi dado a Lula e sua executiva.[28]

Não houve diminuição de conflitos pelo resto de 1979. Montadoras despediam um operário para contratar outro por um salário menor. O Ministério do Trabalho interveio em sindicatos de bancários no Rio de Janeiro, São Paulo e Porto Alegre. Quando os metalúrgicos de São Paulo resolveram em setembro entrar em greve, à revelia do seu presidente, Joaquim dos Santos Andrade, foram reprimidos com violência. Tropas romperam piquetes, igrejas foram invadidas para dispersar reuniões sindicais, e grevistas foram perseguidos em suas cidades. Em um confronto diante dos portões de uma fábrica, um líder sindical católico foi morto com um tiro, fortalecendo o apoio da Igreja aos direitos dos trabalhadores.

A campanha salarial de 1980 para os metalúrgicos de São Bernardo foi ainda mais amarga. A percepção do governo e dos empregadores de que Lula era alguém com quem se podia negociar desaparecera. De ambos os lados havia a sensação de que o movimento sindical estava desafiando o Estado e o regime. Ao mesmo tempo, o governo Figueiredo, patrocinado por Geisel na esperança de que completaria o retorno à democracia, passava por dificuldades. Em agosto de 1979, o governo concordara com uma anistia geral, e exilados célebres, como Leonel Brizola, cunhado de Goulart, Miguel Arraes, ex-governador de Pernambuco, e Luís Carlos Prestes, líder veterano do PCB pró-soviético, voltaram em alguns meses.

Mas a esperança de Figueiredo de que desarmaria a oposição concedendo anistia saiu pela culatra. Em vez disso, a oposição quis mais, e depressa. Militares críticos da democratização exploraram a situação. O maquiavélico general Golbery, que estava tentando manipular uma distensão controlada do serviço de inteligência, foi demitido. Os linhas-duras estavam obtendo posições de poder, e direitistas organizavam atos provocadores de terrorismo para desestabilizar o processo. A economia estava tendo problemas.

Em 1979, Lula já estava planejando um partido para os trabalhadores, cujo nascimento será descrito no próximo capítulo.[29] O seu ato formal de fundação ocorreu a 10 de fevereiro de 1980. Como líder trabalhista, Lula via o aumento de salários como apenas uma das exigências que um sindicato devia fazer. Ele queria uma jornada semanal de quarenta e oito horas e liberdade para os trabalhadores elegerem seus representantes nas fábricas. Ele lutava por segurança no emprego, pelo direito de greve, pela livre negociação coletiva, e o fim da legislação trabalhista corporativista. Tendo feito alianças entre sindicatos de metalúrgicos em várias cidades, e com outros tipos de operários, ele queria o fim da estrutura sindical divisível imposta por Getúlio Vargas e conservada por governos subsequentes.

Ele também percebeu que, no tipo de luta em que os metalúrgicos estavam empenhados, eles precisavam de um novo tipo de organização. Nos dois anos anteriores, eles haviam dependido muito dele e de um punhado de outros líderes. Desde então o sindicato introduziu um sistema de descentralização, uma pirâmide na qual uma executiva se relacionava a uma comissão de 450 pessoas eleitas em reuniões de fábrica, que eram responsáveis pela coordenação no nível de fábrica. Isso significava que, se o sindicato fosse fechado por intervenção estatal e seus líderes fossem presos, uma greve poderia ser mantida.

Em 1º de abril de 1980, os metalúrgicos de São Bernardo fizeram greve outra vez. No dia anterior, sessenta mil deles haviam se reunido no estádio de futebol da Vila Euclides, em apoio à greve e cantando o Hino da Independência do Brasil. A não-violência era uma tática crucial, e uma das razões para o resoluto apoio da Igreja Católica. Embora o governo estivesse pronto para declarar a greve ilegal e ocupar os escritórios do sindicato, o advogado do sindicato, Almir Pazzianotto, conseguiu convencer o Tribunal Regional do Trabalho que ele não tinha competência para decidir sobre a legalidade da greve.

Em 2 de abril, Pazzianotto dirigiu-se a outra vasta multidão na Vila Euclides para explicar a decisão do tribunal, achando que isso permitiria a Lula cancelar a greve. Mas a essa altura dois helicópteros, cada um com oito soldados armados, começaram a sobrevoar baixo o estádio por vinte minutos, numa descarada tentativa de intimidação. O filho adotivo de Lula, Marcos, então com seis anos, agarrou-se à saia da mãe enquanto Lula dizia aos sindicalistas que mantivessem a calma. Um velho general direitista assumira o comando do II Exército e havia ordenado o uso de helicópteros. Mas o efeito foi apenas tornar os grevistas mais determinados a seguir em frente.

A atmosfera estava difícil para os militantes. Uma nova política econômica do governo remediava os aumentos do custo de vida para operários e tornava difícil para empresas conceder aumentos salariais substanciais. Ao mesmo tempo, uma recessão era iminente e empregos tornavam-se cada vez mais escassos. Na vizinha São Caetano, a 9 de abril, um comício de metalúrgicos presidido pelo irmão comunista de Lula, Frei Chico, votou pela volta ao trabalho. Frei Chico disse que os homens voltariam de qualquer forma.

Em 14 de abril, o Tribunal Regional do Trabalho mudou de ideia e declarou a greve ilegal. Cinco dias depois, Lula, doze outros líderes sindicais e alguns advogados, incluindo o presidente da católica Comissão Nacional Justiça e Paz, foram presos. Foram detidos sob a Lei de Segurança Nacional. A greve continuou, coordenada pela organização melhorada e descentralizada do sindicato.

Embora os militares ocupassem boa parte de São Bernardo, arrastando sindicalistas para fora de igrejas, a Igreja Católica defendeu a legitimidade da greve que o governo havia rotulado de "política". A hierarquia foi enfática em seu apoio, com o cardeal Evaristo Arns e os bispos Mauro Morelli e Cláudio Hummes falando abertamente.[30] Voluntários forneceram comida e dinheiro aos grevistas, e havia filas semanais fora das igrejas quando as famílias dos grevistas vinham coletar a comida e o dinheiro.

Lula foi relativamente bem tratado na prisão. Quando teve dor de dente, Romeu Tuma, o diretor-geral do DOPS, a polícia política que o detivera,[31] providenciou para que ele visse um dentista. Marisa visitou-o na cadeia com as crianças, e Fábio Luís, então com cinco anos, disse: "Mamãe, o meu pai está no Hotel do Tuma".[32] Quando Lula soube que sua querida mãe, dona Lindu, fora hospitalizada com câncer no útero, ele obteve permissão para visitá-la. E quando ela morreu a 12 de maio, ele obteve permissão para comparecer ao funeral.

Lula e os outros prisioneiros sindicalistas receberam detenção preventiva e fizeram greve de fome em protesto. Lá fora, a verdadeira greve prosseguia. Mas os grevistas estavam pouco a pouco voltando ao trabalho, e a 11 de maio a greve foi cancelada. Em 20 de maio, após trinta e um dias de prisão, Lula foi libertado junto com os outros sindicalistas. Ao chegar em casa, soltou seus pássaros engaiolados num ato de solidariedade. Em 1979, alguns o haviam chamado de traidor por estar disposto a abandonar a greve tão cedo. Em 1980, ele aguentou firme até o fim.

Menos de uma semana após sua libertação, a 26 de maio, Lula assumiu a liderança da executiva nacional do Partido dos Trabalhadores, o PT, e um novo capítulo foi aberto em sua vida. A intervenção estatal nos eu sindicato terminou, os operários voltaram ao trabalho e Lula concluiu seu segundo mandato como presidente dos metalúrgicos de São Bernardo. Sua autoridade dentro do sindicato foi demonstrada mais uma vez.

Para surpresa geral, ele escolheu Jair Meneghelli, um operário da Ford de trinta e quatro anos, para ser o candidato presidencial da "sua" chapa sindical. Meneghelli era pouco conhecido no sindicato, e como Lula, quando começou a se envolver em assuntos sindicais, tinha mais interesse em futebol do que em detalhes de negociação salarial e movimento trabalhista. Ele tinha de enfrentar candidatos instruídos e bem conhecidos apoiados pelo PCB e pelo MR-8, um dos grupos antimilitares outrora armados. O MR-8 fez uma campanha difamatória, alegando que o grupo de Lula havia roubado o fundo de greve do sindicato.

Meneghelli não desejara ser candidato, e numa coletiva de imprensa com representantes de ambas as chapas, Lula respondeu perguntas em nome dele. Mas quando os resultados foram divulgados, ele havia vencido esmagadoramente, com mais de vinte e sete mil votos, ou 89%. Era um testemunho extraordinário da popularidade de Lula.

A importância real das campanhas industriais encabeçadas pelos metalúrgicos de São Bernardo de 1977 a 1980 esteve no aumento da consciência mais do que no aumento dos salários. Muitos no cinturão industrial de São Paulo eram oriundos, como Lula, de um ambiente rural do Nordeste ou de outras regiões. Política e socialmente eram frequentemente ingênuos, muitos sem educação formal. A sucessão de greves ao longo desses anos, com suas discussões, comícios e adversidade pessoal, forneciam um aprendizado duro e prático. Colocava-os em contato com católicos radicais, estudantes e políticos contrários ao regime militar.

O "novo sindicalismo" desses anos, liderado por operários mais bem pagos nas indústrias mais avançadas, foi afiado em face da constante repressão e da presença de espiões da polícia nas reuniões. Os operários envolvidos sentiam que só podiam contar consigo mesmos. Eles queriam seus próprios representantes. Queriam libertar-se da estreita compartimentalização imposta pela estrutura trabalhista corporativista, nas quais os líderes sindicais conhecidos como pelegos estavam a soldo dos patrões e do governo. Eles reconheciam que liberdade para si mesmos e suas próprias negociações só poderia vir no contexto de um Brasil mais livre e mais democrático.

Em 1980, havia uma aliança crescente entre os sindicatos mais assertivos, os movimentos católicos de origem popular surgidos nos anos 60, mas redivivos na reação à ditadura, a hierarquia eclesiástica, professores e políticos. A inquietação trabalhista havia se espalhado amplamente. Nesse ano houve greves de professores primários e secundaristas em Minas Gerais e no Nordeste. Mais surpreendentemente, 240 mil cortadores de cana, mal pagos nos canaviais de Pernambuco, porém agora vistos pelo regime como provedores de uma fonte de combustível, entraram em greve. Eles sempre haviam sido intimidados no passado, porém nesse ano quarenta e dois sindicatos rurais se uniram, coordenados de maneira eficiente pela Pastoral da Terra da Igreja Católica, para organizar uma greve. Uma demonstração do alcance e capacidade da solidariedade da classe trabalhadora.

A autoconfiança de números cada vez maiores de operários, à medida que o regime militar procurava controlar a hora e o modo de sua própria extinção, era acompanhada pela fermentação de outros tipos de movimento social nas cidades e no campo. Havia um espírito democrático de "faça você mesmo" em muitos desses, embora conflitos ideológicos entre marxistas e católicos radicais não estivessem longe da superfície.

Nas favelas das grandes cidades os moradores estavam se reunindo em organizações locais para exigir serviços básicos — água potável, saneamento, eletricidade, creches e escolas. Havia 1.300 dessas associações na Grande São Paulo, e uma por semana surgia no estado do Rio de Janeiro em 1980. Em 1978, favelados organizados conseguiram colher 1,5 milhão de assinaturas numa petição pelo congelamento de preços dos alimentos básicos.

Na zona rural, onde a Comissão Pastoral da Terra fora formada em 1975 para melhorar a situação dos lavradores, crescia a insatisfação com o conservadorismo da CONTAG, Confederação Nacional dos Trabalhadores na Agricultura. A CONTAG era o velho agrupamento de sindicatos rurais. Clamores por reforma agrária, defendidos por ligas de camponeses quando da aproximação do golpe de 1964 — aliás uma das maiores razões pelas quais a usurpação militar fora apoiada por latifundiários —, estavam despontando outra vez. Em 1979 e 1980 ocorreram ocupações de terra bem-sucedidas nos estados do Rio Grande do Sul, Santa Catarina e São Paulo, que resultaram na desapropriação de algumas propriedades e sua transferência para os sem-terra.

Apesar de alguns desses movimentos sociais serem puramente seculares, muitos foram influenciados pela Igreja Católica. Desde os anos 60, a Igreja estimulara uma rede de comunidades oriundas do povo, as Comunidades Eclesiais de Base (CEBs) envolvidas com ação social e cristianismo prático. Elas eram vistas com desconfiança pelos governos militares, e dom Hélder Câmara, um proeminente defensor e arcebispo do Recife, era visto como um criptocomunista. Mas as CEBs, bem como os bispos brasileiros, tinham sido influenciados pelo ensinamento social do papa João XXIII e do Concílio Vaticano II. Alguns também foram persuadidos pela Teologia da Libertação que era o dever dos cristãos pôr fim à exploração do homem pelo homem.

A posição franca dos bispos católicos em favor dos direitos humanos e contra a crescente desigualdade de renda sob os militares aliava-se à ação local das CEBs, de origem popular. Ambos auxiliaram publicamente os metalúrgicos quando eles estavam em greve, e ambos contribuíam para criar um anseio por mudanças sociais e políticas em muitas partes do Brasil no final da década de 70.

O período de 1976 a 1980 viu Lula transformar-se de um orador tímido, trazido gradualmente ao movimento sindical, em uma figura nacional com milhares de operários que absorviam cada palavra sua. Ele amava o oxigênio da publicidade, os comícios, multidões entusiasmadas gritando o seu nome. Ele não tinha medo.

Mas nas suas atitudes ele ainda era meio ingênuo, ainda absolutamente comprometido com a classe operária, especialmente os metalúrgicos e semelhantes. Ele não era letrado, embora tivesse *Arquipélago Gulag*, de Alexander Soljenitsin, uma biografia de Gandhi, e *Dez dias que abalaram o mundo*, de John Reed, nas prateleiras quando foi entrevistado pela *Playboy* em 1979. Quando lhe perguntaram a quem ele admirava, ele listou Tiradentes, o dentista executado numa prematura tentativa de libertar o Brasil de Portugal, Gandhi, Che Guevara; depois sugeriu Mao Tsé-tung e, surpreendentemente, Adolf Hitler — corrigindo-se rapidamente para explicar que admirava a dedicação de Hitler, não sua ideologia. Na verdade, embora influenciado pelo catolicismo e por alguns esquerdistas conhecidos, Lula não tinha ideologia.

Ele também era apoiado por uma esposa leal. Marisa fora aplaudida na Catedral de São Paulo no domingo de 20 de abril de 1980, quando falou de seu marido aprisionado numa missa assistida por sete mil pessoas, celebrada pelo cardeal dom Paulo Evaristo Arns. Ela havia aparecido na Vila Euclides quando helicópteros tentaram aterrorizar os metalúrgicos. Foi ela que telefonou para a cadeia para contar a Lula que dona Lindu havia morrido.

Mas se Marisa estava tão envolvida na luta quanto o próprio Lula, dona Lindu achava que ele estava completamente enganado. Ele andava tão ocupado que ela não o via com frequência. Ela ficava preocupada ao ver a foto dele nas capas de revistas. Sendo uma pessoa relativamente simples, achava que aquilo tudo só podia representar perigo. Ela rezava para que um anjo da guarda zelasse por ele. Frei Chico fora torturado; e se Lula sofresse o mesmo destino? Desafiar o governo, a polícia e os militares era arriscado demais. Deve ter sido duro para Lula lidar com a desaprovação de sua mãe. Mas ele já ultrapassara as limitações da sua formação familiar.

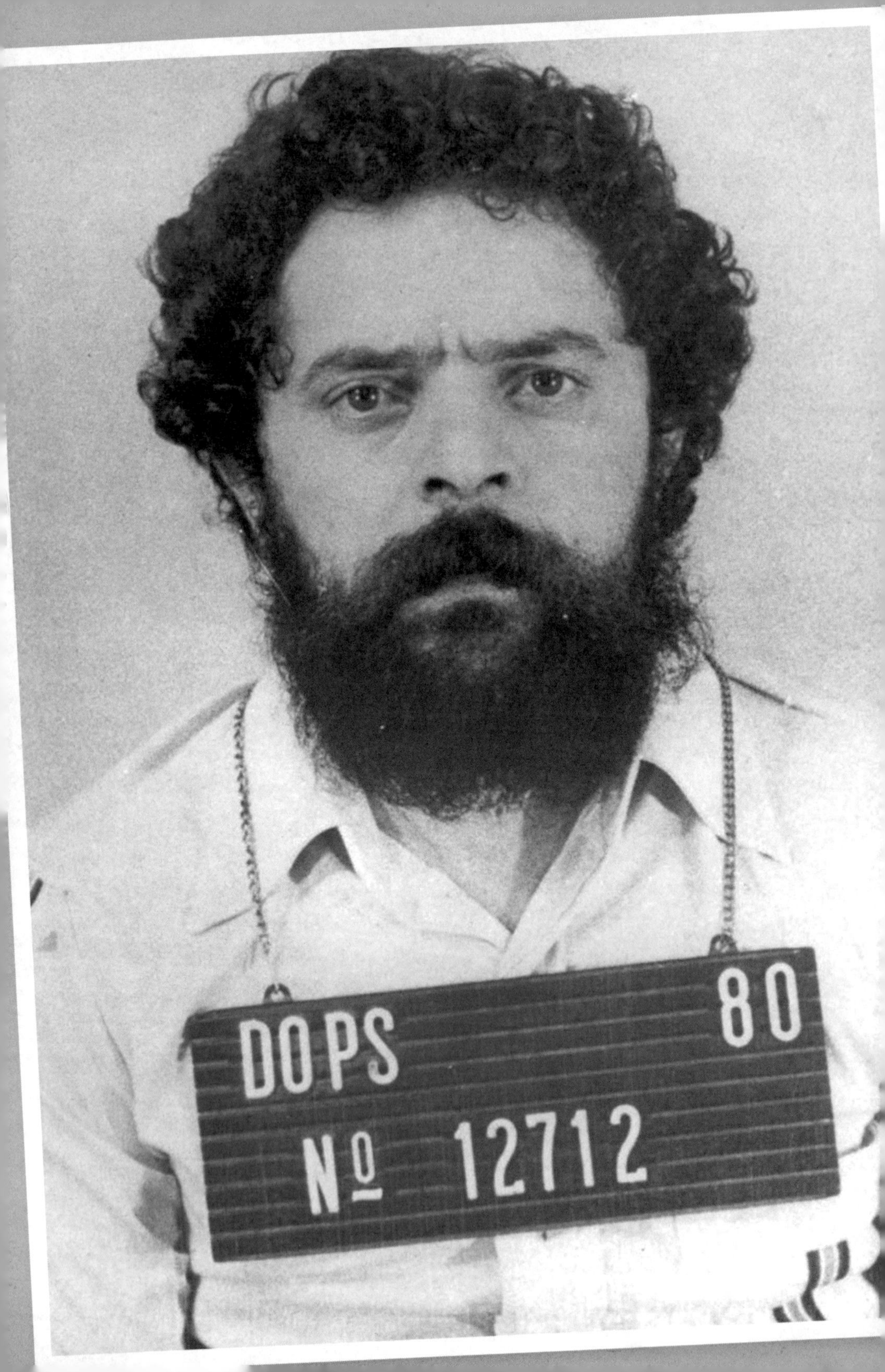
DOPS 80
Nº 12712

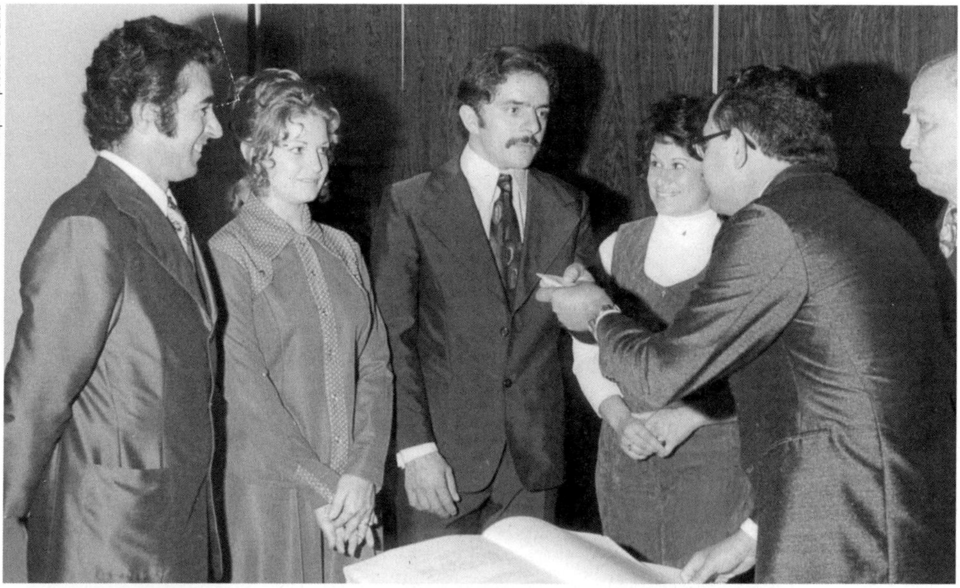

No alto, casamento civil de Lula com Marisa, 1974. Acima, Marisa com seu vestido de noiva.

Lula, Marisa Letícia, familiares dela, Marcos. Fábio Luís e um padre, em 1975.

Lula e a sua diretoria: eleito pela segunda vez presidente do Sindicato.

Primeira assembleia dos metalúrgicos no Estádio de Vila Euclides, 1979.

Lula é carregado pelos trabalhadores depois da Assembleia no Estádio, 1979.

Nas greves de 1980, a polícia reprimiu com violência os metalúrgicos liderados por Lula.

POLICIA
POLICIA

O arcebispo de São Paulo, Dom Paulo Evaristo Arns, e outros membros da Igreja Católica ampararam os metalúrgicos em greve, 1980.

Lula com a camiseta do "João Ferrador", sempre zangado: "Hoje eu não estou bom..."

Lula sai da prisão, após 31 dias encarcerado, 1980...

... e é carregado pelos companheiros quando chega no sindicato.

Lula
PT
Governador nº 3

3

PT, O PARTIDO DOS TRABALHADORES

Em meio ao rebuliço no fim dos anos 70, com uma anistia, greves gerais e a sensação de que a ditadura militar estava nos estertores, uma nota diferente ressoou. Lula e um grupo de outros líderes sindicais mais progressistas clamavam por um partido exclusivamente de trabalhadores — o Partido dos Trabalhadores, PT. Esta era uma ideia discutível, e em muitos círculos da oposição, divisória.

Era divisória porque introduzia abertamente a política classista no Brasil. Isto desgostou muitos na classe média, políticos tradicionais e profissionais liberais que vinham lutando contra os militares através do partido de oposição tolerado — o Movimento Democrático Brasileiro, MDB. Para eles era essencial manter uma frente ampla se a ditadura fosse banida e se uma democracia total — algo que o Brasil jamais tivera — fosse conquistada. Fernando Henrique Cardoso, então um jovem professor retornando do exílio, estava entre os muitos que adotaram esse ponto de vista.

Também era divisória na esquerda. O velho PCB havia rachado, com o PCdoB maoísta recebendo o crédito por ter arregimentado dezenas de milhares de combatentes na guerrilha do Araguaia, embora o PCB detivesse o apoio dos sindicatos. Havia também trotskistas ativos. Alguns marxistas eram críticos da ideia de um partido de trabalhadores porque parecia sem ideologia e preocupado demais com questões mesquinhas como o pão de cada dia. E, como disse um militante do PCB, já havia um partido que lutava pela classe operária no Brasil, e tinha sido fundado havia muito tempo, em 1922.[1] O PCB, que adotara uma estratégia de infiltração nos partidos legais desde antes de 1964, também trabalhava por uma saída negociada do regime militar. Os pequenos grupos trotskistas eram mais simpáticos ao PT.

Lula falou sobre a ideia do PT pela primeira vez, publicamente, em uma conferência com petroleiros na Bahia, em meados de 1978,[2] mas discussões informais sobre o assunto já tinham ocorrido naquele mesmo ano em sindicatos dos grandes centros industriais. Qual era a motivação? Sem dúvida, havia um sentimento de que nenhum dos políticos existentes representava verdadeiramente os trabalhadores. Eles não haviam criticado nem combatido publicamente a erosão do salário mínimo. Trabalhadores que exigiam seus direitos não queriam ser meros bancos de votos para deputados burgueses e oportunistas. Além do mais, a argumentação dos marxistas era um blefe; eles não tinham apoio entre os trabalhadores industriais, e o ateísmo era um anátema para os de tradição católica.

Quando Lula foi a Brasília para tentar obter apoio de deputados do MDB para greves e exigências sindicais, encontrou pouca simpatia. Em setembro de 1978 ele fora com uma delegação de líderes sindicais para persuadi-los a votar contra uma medida do governo Geisel destinada a proibir greves em serviços essenciais como transportes, bancos e petroquímicas. Mas apenas dois deputados do MDB, ambos com alianças ocultas, deram-lhes uma audiência.[3] Lula concluiu que o Congresso existente estava totalmente alinhado com os interesses dos patrões.

Ao mesmo tempo, o movimento sindical estava ganhando confiança. Entre 1960 e 1980, o número de trabalhadores nas indústrias mais avançadas tinha quase quadruplicado, de 2,9 milhões para 10,6 milhões.[4] A onda grevista mostrara que eles estavam preparados para usar seu poder e correr riscos.

Em 1979, o ímpeto de criar novo partido cresceu, estimulado pelo conhecimento de que o regime militar estava preparando uma nova legislação para a formação de partidos. O regime preocupava-se com o fato de que o MDB estava ultrapassando a ARENA, o partido conservador que dava sustentação ao regime. O objetivo da legislação era multiplicar os partidos, para tornar tudo mais nebuloso e mais difícil para um sistema mais democrático desfazer as mudanças econômicas e institucionais, ou levar a uma vingança.

A proposta para um partido de trabalhadores foi oficialmente lançada num congresso de metalúrgicos paulistas em Lins, em janeiro de 1979. Lula não era a única figura sindical envolvida; entre outros estavam aqueles que trabalhavam juntos para coordenar as greves — tais como Jacó Bittar dos petroleiros e Paulo Skromov Matos dos operários da indústria do couro. Entretanto, os principais articuladores cuidaram de manter o planejamento político do partido separado da organização de greves.[5]

Mas o progresso naquele ano foi inconstante, em parte porque um comitê informal que consistia desses entusiastas fez circular uma carta de princípios nos comícios de 1° de maio por todo o Brasil, o que outros consideraram estar indo muito longe e rápido demais. Alguns acharam que os metalúrgicos, ou em geral os trabalhadores de São Paulo, estavam apressando o resto do país. Até Lula, depois de falar com trabalhadores em outra localidade, pediu cautela.

Houve discussões entre sindicalistas, intelectuais e políticos do MDB, e comitês provisórios do PT foram instaurados em alguns estados. Estes podiam ser formados por redes de amigos, esquerdistas ou grupos católicos, ou conexões sindicais mais estruturadas.

Mas até 28 de junho Lula prometia distribuir um programa preliminar, sugerindo que seria decisão dos trabalhadores se eles deveriam ou não ir em frente. Significativamente, ele ampliou o conceito de "trabalhador" para além daqueles que eram sindicalizados e incluiu todos os assalariados e aqueles envolvidos em movimentos como associações de bairro.

Num grande comício no dia 18 de agosto, em São Paulo, organizado por políticos da ala esquerda do MDB, Lula clamou ardorosamente por um partido independente de trabalhadores porque a estrutura sindical, embora modernizada, não podia prover tudo o que os trabalhadores necessitavam. Tal partido deveria acolher políticos do MDB. O partido não deveria ser construído por sindicatos como instituições, pois isso poderia comprometer o próprio trabalho deles. Líderes sindicais poderiam ou não pertencer ao PT. Assim, o PT foi lançado com uma trajetória distinta à do Partido Trabalhista Britânico — fundado no início do século XX como uma ramificação dos sindicatos — e outros partidos semelhantes, como o Partido Social Democrata Alemão.

As últimas peças do quebra-cabeça foram juntadas no fim daquele ano. Numa reunião em um restaurante de São Bernardo, a 14 de outubro, cerca de cem pessoas, incluindo Lula, definiram uma estrutura para o novo partido. Cinco dias depois, o governo mandou ao Congresso a Lei da Reforma Partidária, que aboliu os dois partidos, ARENA e MDB, criados no ano seguinte ao golpe militar. A fundação formal do PT ocorreu em São Paulo, em fevereiro de 1980, em uma reunião de 300 pessoas no auditório do Sindicato dos Jornalistas, batizado com o nome do jornalista morto Vladimir Herzog. O partido adotou uma estrela vermelha de cinco pontas como símbolo, e a esposa de Lula, Marisa, confeccionou um protótipo, utilizando um pano italiano que guardara.

As novas regras deram aos partidos um ano para se organizarem, com o requisito de que realizassem convenções em no mínimo um quinto dos municípios de no mínimo nove estados. Eles também favoreceram partidos que tivessem pelo menos 10% de representação na Câmara dos Deputados e no Senado, e que tivessem herdado uma estrutura; financiamento (subsídio) federal também seria disponibilizado, numa base de 90% sobre o número de representantes que o partido conseguisse eleger para o Congresso.

Tudo isso deu considerável assistência ao conservador PDS (Partido Democrático Social), herdeiro da ARENA, e ao PMDB (Partido do Movimento Democrático Brasileiro), uma continuação do MDB. O PT, que adquiriu um pequeno número de deputados esquerdistas da Assembleia Legislativa de São Paulo, nunca teve apoio significativo do Congresso existente, que não fora livremente eleito. O outro novo partido de "oposição" era o PDT (Partido Democrático Trabalhista), formado por Leonel Brizola, que havia retornado com a anistia aos exilados, mas falhara em recobrar o valioso nome do PTB, que foi ganho pela sobrinha-neta de Getúlio, Yvete Vargas, para o partido que ela encabeçava. Nos dois anos seguintes, os organizadores do PT tiveram que rebater as constantes críticas daqueles que achavam que PMDB, PT e PDT deveriam trabalhar mais próximos uns dos outros, ou se fundir de uma vez.

Alcançar o número exigido de sedes regionais e seguir os novos procedimentos para conseguir o registro demandou um esforço heroico do PT. Dinheiro para viajar pelo país era escasso e os organizadores valorizavam profundamente a participação genuína das camadas mais populares. O sectarismo era um risco constante, embora Lula, talvez por ingenuidade, esperasse que os trabalhadores elegessem seus representantes baseando-se mais no mérito que no rótulo. No dia 22 de outubro, o partido requereu um registro provisório ao Tribunal Superior Eleitoral, mostrando que possuía comissões regionais em dezoito estados e comissões municipais em 647 municípios em treze estados.[6] O PT foi o último dos partidos a obter o registro, embora já em junho de 1981 alegasse possuir cerca de 200 mil membros.

O PT foi criação de um grupo de pessoas que se haviam radicalizado por suas experiências lutando pelos direitos sindicais no fim dos anos 70. Não foi uma criação somente de Lula, embora ele fosse uma figura simbólica e carismática. Era parte de um contexto muito mais amplo de luta por democracia e progresso socioeconômico no ocaso do regime militar.

O fim dos anos 70 e início dos 80 foram uma época turbulenta no Brasil. A tentativa dos militares de assegurar para si uma saída tranquila estava sob constante ameaça de seus próprios conservadores, que não queriam nenhum retrocesso da linha-dura; de um vasto leque de opositores na sociedade civil, que pretendiam construir, pela primeira vez, um estado verdadeiramente democrático; e de eventos que estavam frequentemente fora do controle do governo. Um agressivo movimento grevista ocasionava repressão policial violenta, especialmente em 1980. E a inflação crônica e crescente dependência de empréstimos externos significavam que a economia do país poderia sofrer choques imprevisíveis.

Uma grande campanha estava em curso para conceder anistia aos políticos, artistas e intelectuais que haviam perdido seus direitos civis e políticos. Muitos tinham sido forçados ao exílio. Em agosto de 1979, no primeiro ano do presidente Figueiredo no Planalto, com surpreendente rapidez, o Congresso concedeu a anistia. Por um lado, era uma resposta a essa campanha e parte de uma estratégia do governo para a distensão. Por outro, destinava-se a semear confusão entre os opositores, já que figuras que estavam retornando, como Leonel Brizola, Miguel Arraes[7] e Luís Carlos Prestes, procuravam retomar suas carreiras políticas interrompidas em 1964.

O terrorismo de direita intentava desestabilizar a estratégia de distensão e era um desafio para a segurança pública e para a autoridade do regime militar. Por trás disso estavam torturadores e ideólogos anticomunistas cegos, temerários irresponsáveis que se moviam furtivamente dentro do aparato de segurança. Em 1976, dez ataques a bomba, dos quais a "Aliança Anticomunista do Brasil" reivindicou autoria, chocaram o país; no mesmo ano, o bispo de Nova Iguaçu, no estado do Rio, foi sequestrado. Daí em diante, houve ataques a bomba todos os anos até 1981. Em 1979, por exemplo, uma bomba explodiu em um veículo que pertencia a um colega de Lula, João Pires Vasconcelos, o presidente do Sindicato dos Metalúrgicos de João Monlevade, em Minas Gerais. Era difícil garantir a segurança pessoal de Lula.[8]

O clímax foi na noite de 30 de abril de 1981, quando duas bombas explodiram no centro de convenções Riocentro, no Rio de Janeiro. Lá, vinte mil jovens tinham ido a um concerto para ouvir músicos ligados à oposição. As explosões tinham uma ligação direta com o aparato de segurança do DOI-Codi, como indicou o fato de uma das bombas ter explodido prematuramente em um carro, matando um sargento e um capitão do Exército.

Isto levou a uma crise dentro do regime. O general Golbery do Couto e Silva, figura maquiavélica que tentara conduzir a distensão através de duas presidências, renunciou em protesto contra a perda de controle sobre o aparato de segurança. O presidente Figueiredo, que comandara o SNI, o Serviço Nacional de Inteligência, negociou um acordo dentro do sistema; os responsáveis pelos ataques não seriam julgados, mas a linha-dura teria de aceitar que o governo estava comprometido com eleições mais livres. Em novembro, portanto, o governo baixou um pacote que regulamentaria as eleições de 1982.

A oposição aos militares englobava uma frente ampla e muitas vezes díspar. Havia os profissionais liberais, como advogados e jornalistas, cujo trabalho fora diretamente obstruído pela ditadura em seu apogeu. Em setembro de 1980, por exemplo, uma carta-bomba endereçada ao presidente da OAB (Ordem dos Advogados do Brasil) matou seu secretário. Professores universitários, como o futuro presidente Fernando Henrique Cardoso — que precisara fugir para a Europa via Chile — faziam oposição ao regime. Estudantes, apolíticos nos anos 70, época de expansão universitária, estavam recobrando sua voz de protesto. Artistas e escritores foram maciçamente contra o regime desde o início, e músicos famosos como Gilberto Gil e Chico Buarque tinham estado no exílio.

A Igreja Católica, no fim dos anos 70, também era amplamente contrária à ditadura. Isto não era apenas por questões ideológicas, relacionadas à violação de direitos humanos e à crescente desigualdade entre ricos e pobres. Era também produto do trabalho diário da Igreja com as comunidades eclesiais de base, com trabalhadores envolvidos em greves, e com conflitos de terra em áreas rurais. Em São Bernardo, num caso extremo, os padres trabalhavam lado a lado com as comissões grevistas.

Diversos bispos externavam abertamente suas críticas — o arcebispo dom Hélder Câmara do Recife, dom Cláudio Hummes de São Bernardo e dom Adriano Hypolito de Nova Iguaçu. O cardeal dom Paulo Evaristo Arns, arcebispo de São Paulo, era uma grande liderança na capital de maior crescimento comercial e industrial do país. Ele condenava o aumento da pobreza nas favelas da periferia de São Paulo.

Havia também uma campanha significativa na classe política por democracia e liberdade cívica, que se refletia na mídia. Lula, para quem a principal divisão na sociedade brasileira era entre exploradores e os trabalhadores que eles exploravam, havia pessoalmente apoiado Cardoso como candidato do MDB em uma eleição paulista de 1978. Em 1979, um candidato de "oposição", concorrendo com Figueiredo no colégio eleitoral de senadores e deputados, que escolhiam o novo presidente, conseguiu angariar 266 votos, contra os 335 de Figueiredo.[9] Mas os políticos do MDB não eram nada unidos, sendo alguns mais dispostos que outros a dançar conforme a música do regime autoritário. Ulysses Guimarães, por exemplo, argumentava que o dever deles era recobrar o império da lei no Brasil, e não indicar candidatos à Presidência que estavam fadados a perder.[10]

O ressurgimento da inflação no fim dos anos 70 e a segunda crise do petróleo em 1979 vieram somar-se à impopularidade do regime e às incertezas quanto à sua partida. A taxa de inflação anual subiu de 40% em 1978 para 55% em 1979, 90% em 1980 e cerca de 100% nos dois anos seguintes. Taxas mundiais de juros mais altas e os danos causados à agricultura brasileira pela geada e pela seca também feriram a economia.

Portanto, embora o pacote eleitoral tivesse exigido uma maioria de dois terços do Congresso para mudar a Constituição sob a qual os militares vinham operando, o presidente Figueiredo ainda estava assumindo um risco em permitir eleições gerais em novembro de 1982. Governadores e vice-governadores seriam eleitos diretamente pela primeira vez desde que as eleições haviam sido suspensas pelos militares, em 1966.

Esta foi a primeira prova para o PT. Lula, cuja intenção inicial tinha sido ficar de fora da eleição para promover o partido nacionalmente, estava concorrendo ao governo de seu estado adotivo, São Paulo. No ano anterior ele tivera a precaução de mudar seu nome legalmente para incorporar "Lula", o apelido pelo qual era mais conhecido, para que fosse mais fácil reconhecê-lo em uma cédula.[11]

Muitos dos candidatos do PT eram jovens e novos na política. As regras da eleição, feitas para confundir os menos sofisticados e semianalfabetos, exigiam que o eleitor votasse seis vezes — de presidente até uma cadeira na Câmara dos Vereadores — ou o voto era considerado nulo.

A campanha eleitoral mostrou tanto as forças quanto as fraquezas do PT. Era relativamente forte no cinturão industrial e na grande São Paulo; no cômputo geral, elegeu seis dos possíveis sessenta deputados federais por estado, e nove dos possíveis oitenta e quatro deputados na Assembleia Legislativa. O próprio Lula chegou em quarto na briga pelo governo, com 1,144 milhão de votos, atrás dos candidatos do PDS e do PTB, e de Franco Montoro, o candidato do PMDB, que venceu facilmente com 5,209 milhões de votos.

Para Lula foi um revés pessoal e político. Cinco anos mais tarde, em um discurso no 5º Encontro Nacional do PT, ele refletiu ironicamente sobre uma campanha "na qual o menos perigoso de todos nós tinha sido condenado a noventa anos de prisão". Muitos eleitores ficaram com medo de candidatos que poderiam ser rotulados de presidiários, e ele próprio compreendera de modo equivocado a psicologia dos eleitores da classe operária.

Ele tinha se promovido como "um brasileiro assim como você", um ex-torneiro mecânico e sindicalista. Mas os trabalhadores não queriam necessariamente alguém como eles para governador, embora quisessem um líder sindical. Eles desejavam alguém mais bem-sucedido, com melhor educação, para governador.

Por todo o Brasil, o desempenho do PT foi fraco. Para a grande decepção de seus partidários, não alcançou o requisito mínimo da lei, de 5% dos votos nacionalmente e 3% em cada um dos nove estados; isto teria permitido o financiamento público. Seus melhores resultados foram São Paulo, com 9,9%, e o pequeno estado amazônico do Acre, com 5,4%.

Parecia mesmo ser um partido paulista, e o fato de seu rosto mais conhecido estar ligado à eleição para o governo de São Paulo significava que Lula pouco podia fazer para ajudar candidatos batalhando em outros locais. O grande vencedor foi o PMDB, que se beneficiou de uma oposição ao regime militar que durara quase duas décadas. O PDS, sucessor da pró-regime ARENA, foi bem nos estados conservadores, economicamente atrasados e clientelistas do Nordeste. Em um resultado indicativo de que figuras pré-1964 ainda tinham apoio, Leonel Brizola venceu a eleição para o governo do Rio de Janeiro pelo PDT.

O tema da campanha do PT era "trabalho, terra e liberdade". Queria acabar com a ditadura, com a fome, prover terra e melhores salários aos trabalhadores rurais, promover melhor saúde e menos lucro extraído da doença, definir o acesso à educação e à cultura como um direito, não um privilégio de classe, promover a igualdade e o fim da discriminação, impedir o roubo de dinheiro público, acabar com a exploração de contratos públicos por empresas privadas, e, num floreio retórico, reivindicava "poder para os trabalhadores e para o povo — a luta dos trabalhadores é a mesma no mundo todo — somente o socialismo vai resolver os nossos problemas de uma vez por todas".[12]

Embora o PT tivesse surgido a partir de uma coligação de facções, promovia sua eleição de forma centralizada. A mesma propaganda eleitoral era fornecida a todos os seus candidatos. Daqueles que eram eleitos, esperava-se que dessem 40% de seus salários ao partido.

Houve diversos aspectos desta primeira prova do PT que o partido levou em consideração, mais tarde. Ele se envolveu numa disputa furiosa com o PMDB, que via o PT como um separador, dividindo o voto antigovernista. Os líderes do PMDB, especialmente em São Paulo, defendiam o voto útil: eleitores não deveriam desperdiçar seus votos em partidos com poucas chances de vencer.

Lula via o PMDB como um inimigo, descrevendo-o como hostil à classe trabalhadora, como "farinha do mesmo saco" que o PDS, e adesista ao governo. Ele denunciou o modo como a mídia, que o pintara como um herói três anos antes, agora o atacava. E considerou caluniosa a ideia de que o governo militar não deixaria que ele ou Brizola assumissem seus cargos, caso fossem eleitos.[13]

O PT se deu conta de que era ruim em relações públicas com a mídia e não levava em consideração como sua propaganda seria vista por outros. Limites estreitos na propaganda política significavam que somente fotos e pequenas biografias apareciam na TV; ao mostrar que muitos candidatos do PT haviam sido presos pelo regime, sem querer sugeriam que eles eram criminosos. Também aprendeu que sua capacidade de mobilizar grandes multidões — Lula falou a mais de cem mil pessoas em um comício na capital do estado e a quase um terço da população da pequena cidade de Nova Odessa — tinha pouco a ver com sua habilidade de ganhar os votos delas. Para começar, reclamava que os institutos de pesquisa estavam escondendo os votos ao PT porque as estimativas eleitorais pareciam mínimas, se comparadas ao comparecimento em comícios do partido. Mas as pesquisas estavam certas. Lula era uma celebridade e um orador empolgante, o que não significava que as multidões votariam nele ou no novo partido, ou que os eleitores estavam comparecendo a comícios do PT.

Houve vários pontos positivos, contudo. O primeiro, ligado à performance do próprio Lula. Nesta campanha, no que se tornaria uma crítica constante em suas primeiras campanhas presidenciais, ele foi atacado como ignorante demais para ser um governador digno do estado mais poderoso do Brasil; a acusação era que ele podia ser um bom líder grevista, mas era necessário um aprimoramento maior para governar São Paulo. No entanto, em debates televisivos entre os candidatos ao governo, Lula discutiu as questões em termos de igualdade. Uma pesquisa feita após o primeiro debate, transmitido em 14 de agosto, mostrou que a maioria dos espectadores achou que ele vencera a discussão.

O segundo ponto positivo, que o partido não conseguiu interpretar facilmente, mostrava que ele tinha uma habilidade de ganhar apoio fora do âmbito de operários sindicalizados. Sua base no Acre, onde o PT estava vencendo eleições pelo século XXI adentro, ilustrava esse amplo alcance.[14] E, embora os trabalhadores organizados da grande São Paulo criticassem o apoio ao PT no estado, os deputados que o partido elegeu não eram todos sindicalistas e refletiam os diferentes elementos na constituição do partido. Por exemplo, Eduardo Matarazzo Suplicy, um ex-professor e herdeiro da dinastia Matarazzo, vinha lutando contra a corrupção do MDB antes de ingressar no PT. Irma Passoni era uma ativista católica que havia sido organizadora de um movimento popular contra a alta do custo de vida. Bete Mendes era uma estrela de cinema e de TV. José Genoino Neto era um marxista que fora capturado na guerrilha do Araguaia.

Mesmo assim, a performance fraca do PT nas eleições de 1982 foi um golpe profundo nos militantes. Muitos deles sentiram que era melhor voltar ao trabalho nos sindicatos e nos movimentos sociais que os tinham inspirado nos anos 70. Para o punhado de vereadores e deputados eleitos, havia pouco apoio institucional do partido.

Foi também um golpe pessoal para Lula, que de repente viu-se com um grande vazio em sua vida. Seu sindicato não estava mais sob intervenção estatal e ele o havia passado para Meneghelli. Ele perdera a eleição a que ele próprio se convencera de que tinha uma chance de ganhar. Ele acordaria de manhã sem ter muito que fazer. De fato, ele voltou ao Sindicato dos Metalúrgicos de São Bernardo, tornando-se um diretor no comitê executivo de Meneghelli. Ao mesmo tempo, ele reteve seu cargo de presidente da executiva nacional do PT.

No ano seguinte, Lula promoveu uma greve solidária na região do ABC que levou a outra intervenção em seu sindicato. Em julho de 1983, seus velhos amigos, os petroleiros de Campinas, iniciaram uma greve de protesto a um decreto-lei dos militares que reduzia os direitos de funcionários da iniciativa pública; eles fecharam a refinaria de Paulínia, responsável por um terço da gasolina do país. Lula, que não era nem mesmo um delegado do Congresso de Metalúrgicos em Piracicaba, discursou de improviso urgindo os metalúrgicos a entrarem em greve por solidariedade. O congresso foi suspenso, e Lula foi a Campinas com tanta pressa para contar as novidades aos operários campinenses, que deixou Marisa para trás. Meneghelli teve dificuldades em controlar a greve, e mais uma vez o Ministério do Trabalho assumiu o comando do sindicato.

O conflito rapidamente se intensificou. O governo já havia assumido o comando do Sindicato de Petroleiros de Campinas e Paulínia, expulsando seu presidente, Jacó Bittar, que também era secretário-geral do PT. Trabalhadores de todo o país decidiram decretar uma greve nacional no dia 21 de julho, em protesto contra a política econômica do governo e sua disposição em negociar cortes de gastos com o Fundo Monetário Internacional (FMI).

A greve foi particularmente eficaz em São Paulo, Rio Grande do Sul, Pernambuco e Rio de Janeiro, mas o governo impediu parte da movimentação mobilizando a polícia militar em cada estado. A repressão foi violenta, com a polícia detendo e espancando trabalhadores. Os operários em São Bernardo que tentaram se refugiar na catedral foram arrancados de lá por policiais armados a despeito dos protestos do bispo Hummes.

Alguns atacaram Lula por ser irresponsável, e seu sindicato não recebeu o prédio de volta por um ano. Mas ele argumentou que como as greves de solidariedade ainda eram ilegais, era importante que os trabalhadores dessem apoio uns aos outros se pretendiam construir um forte movimento autônomo. Ele também estava afinado com a maior parte do operariado organizado ao criticar uma política econômica do FMI que levava a cortes em gastos públicos e piorava a recessão. Os eventos demonstraram que, mesmo sem um papel proeminente no sindicato, Lula ainda podia influenciar a opinião pública.

No PT também havia um desenvolvimento organizacional significativo. Lula raramente se interessava por questões organizacionais, mas a "Articulação 113" — um grupo de pressão inicialmente composto por 113 pessoas — foi projetada para trazer disciplina ao partido. Tornou-se a facção dominante do PT nos anos 90, e um de seus principais jogadores foi José Dirceu, ex-líder estudantil que fora para Cuba após a troca pelo sequestro e depois voltara ao Brasil disfarçado. Ele compreendia totalmente a importância de estruturar o partido.

Mas o próprio Lula havia achado uma nova causa — a campanha pelas eleições diretas para a Presidência. Alguns marxistas do PT faziam pouco da democracia burguesa, mas a Articulação e Lula viram isso como um meio de mobilizar apoio. O PT foi o primeiro grande partido a jogar seu peso na campanha e, num encontro na mansão do governador do Rio, em 25 de junho de 1983 — pouco antes da luta solidária de Lula junto aos petroleiros — Lula, Leonel Brizola e Franco Montoro concordaram em trabalhar juntos pelas "Diretas Já". Significativamente, isto uniu o PMDB, o PDT e o PT. Grandes manifestações ocorreram nas principais cidades em 1984 — 800 mil na Candelária, no centro do Rio de Janeiro, e 1,4 milhão no Vale do Anhangabaú, em São Paulo.

O Brasil nunca tinha visto nada assim. Jornais como os do grupo Globo, com sede no Rio, e a *Folha de S. Paulo*, que haviam atacado Lula em 1982, apoiaram o movimento. Lula, respirando o oxigênio da publicidade novamente, era um dos oradores titulares nos comícios. Qualquer orador que parecesse remotamente hesitante em apoiar as eleições diretas era vaiado.

A emenda constitucional, apresentada pelo jovem deputado do PMDB do Mato Grosso, Dante de Oliveira, seria votada em 25 de abril de 1984.[15] A tensão no país era tanta que o presidente Figueiredo declarou estado de emergência em Brasília e nas cidades vizinhas de Goiás seis dias antes da votação; estações de TV foram proibidas de cobrir a sessão; e seis mil soldados ocuparam o coração da cidade no dia do voto. As tropas eram conduzidas pelo general Newton Cruz, montado num cavalo branco, que tentava impedir que os motoristas buzinassem em demonstração de apoio pelas Diretas Já.

A emenda constitucional precisava de uma maioria de dois terços, que por pouco não alcançou. Embora 298 deputados votassem a favor, com apenas sessenta e cinco contra e três abstenções, a aprovação da emenda foi embargada pela ausência de 112 parlamentares.

Com efeito, os ausentes venceram. Isto significava que a tentativa do regime de manter a transferência para um presidente civil, dentro de um sistema de eleições indiretas, que ele teria maiores chances de controlar, teve êxito.

Isto era apenas para fazer vista grossa às habilidades matreiras da classe política brasileira, entretanto. Embora Lula e o PT fossem severos críticos dessa classe — sua elasticidade de princípios, suas inclinações para a elite, seu fisiologismo —, o seu senso de opinião pública tinha sobrevivido a duas décadas de ditadura. Políticos eleitos perceberam que era hora de mudar. O PMDB reuniu uma "Aliança Democrática" com um grupo dissidente de deputados governistas e lançou a campanha para eleger o governador peemedebista de Minas Gerais, Tancredo Neves, como presidente. O outrora governista José Sarney, agora no PMDB, foi seu companheiro de chapa. Mais uma vez houve manifestações públicas gigantescas.

Enquanto o PCdoB juntava-se às manifestações pró-Tancredo, a direção do PT permanecia irredutível: teria que haver eleições diretas, teria que haver uma convenção constitucional; esta era apenas uma "transição conservadora". Lula foi vitriólico. Disse que a eleição de Tancredo não significaria o fim da ditadura e do regime militar. Ainda haveria um regime autoritário, que tentaria persuadir os brasileiros a esquecer os crimes dos últimos vinte anos. Os membros do PT foram diretamente consultados. Solicitou-se que escolhessem entre três opções: se seus deputados deveriam apoiar Tancredo contra o "fascista" Paulo Maluf,[16] se deveriam apoiar Tancredo após um acordo sobre um programa de interesse para os trabalhadores, ou se deveriam boicotar o processo.

Apesar de apenas 7% dos membros do partido terem tomado parte no referendo interno, eles votaram maciçamente por boicotar o processo. Em janeiro de 1985, contudo, Tancredo e Sarney foram eleitos pelo Congresso com 480 votos; três dos oito deputados petistas, inclusive a atriz de cinema Bete Mendes, votaram neles e tiveram que deixar o partido. Tancredo, um político sutil, nomeou um velho amigo de Lula para o Ministério do Trabalho. Era Almir Pazzianotto, um advogado trabalhista que representara os metalúrgicos de São Bernardo. Porém, em uma tragédia que comoveu o país, Tancredo foi hospitalizado na véspera de sua posse e morreu em 21 de abril. Foi sucedido na Presidência por José Sarney.

Em maio, o Congresso finalmente restabeleceu as eleições diretas para presidente da República, dando a vinte milhões de analfabetos o direito de votar — algo que eles não haviam desfrutado antes de 1964 — e legalizando todos os partidos políticos. Também foi convocada uma Assembleia Nacional Constituinte. Embora este não fosse exatamente o formato desejado pelo PT, e a conduta de Sarney na Presidência fosse provavelmente mais conservadora que a de Tancredo se ele tivesse vivido, estas medidas juntas significavam que a era militar havia terminado.

As mudanças políticas que levaram ao estabelecimento da "Nova República" em 1985 tiveram paralelo em importantes mudanças na economia e no movimento trabalhista organizado. O início dos anos 80 testemunhou uma retração na economia brasileira. Em meados de 1981, mais de 900 mil pessoas perderam seus empregos nas seis maiores áreas metropolitanas do Brasil, e em agosto desse ano o desemprego nessas cidades foi estimado em dois milhões.[17] O governo também estava muito preocupado com o crescimento do endividamento brasileiro e estava incentivando empresas estatais a pedir emprestado fora do Brasil para compensar o déficit no balanço de pagamentos. Houve constantes crises de liquidez em 1982 e 1983, e, logo após as eleições de 1982, o governo Figueiredo foi forçado a iniciar negociações com o FMI.

Os planos de previdência social no Brasil foram sempre inadequados e, num tempo de recessão, havia o risco de uma explosão social. De acordo com as estatísticas do próprio governo, cerca de 70% da população tinha um consumo diário mínimo de calorias menor que o necessário para o desenvolvimento humano, e cerca de setenta e um milhões eram definidos como subnutridos.[18] Em 1983, o IBGE calculou que a fome e a subnutrição eram responsáveis por 40% da mortalidade infantil no país. As Forças Armadas estavam, naquele mesmo ano, preocupadas com os padrões de saúde até mesmo nas áreas mais desenvolvidas do país. Eles estavam tendo que rejeitar quase 45% dos recrutas porque os rapazes não atingiam os requisitos mínimos de altura e peso. O salário mínimo simplesmente não conseguia acompanhar a taxa de inflação.

Não foi surpresa, portanto, que um grupo de líderes sindicais progressistas que haviam participado das greves do fim dos anos 70 e estavam envolvidos na criação do PT achassem que deveriam fortalecer o movimento sindical. Era uma parte do espírito de "retorno ao básico" que afetou muitos depois do revés na eleição de 1982. No fim dos anos 70, houvera três tendências entre os sindicalistas mais combativos: as oposições sindicais, que se concentravam em comissões de fábrica e ação num nível local; um grupo chamado Unidade Sindical, próximo ao PCB, que queria assumir o controle do velho sistema corporativista e vencer as eleições em níveis federal, confederativo, estadual e nacional; e os *autênticos*, associados a Lula e a São Bernardo, cujo foco era em patrões e empresas. Tensões entre esses grupos aumentaram quando o cenário político se tornou mais livre e os *autênticos* lideraram o processo de criação do PT.[19]

A primeira oportunidade para um debate em larga escala dessas questões aconteceu durante três dias em agosto de 1981, na Praia Grande, São Paulo, onde 5.247 delegados de 1.126 sindicatos e associações de profissionais se reuniram em uma Conferência Nacional da Classe Trabalhadora (CONCLAT). Lula convenceu esta conferência a considerar a possibilidade de uma greve geral, mas houve divergência na eleição de uma comissão para realizar o trabalho da CONCLAT. O grupo de Lula, que promovia uma forma confrontativa de sindicalismo, tinha apenas uma minoria de assentos nesta comissão. Em agosto de 1983, depois da greve geral, à qual a Unidade Sindical tinha se oposto, os *autênticos* fizeram uma convenção em São Bernardo e criaram a Central Única dos Trabalhadores, CUT. Ela envolvia 5.059 representantes de 665 sindicatos e 247 outras organizações trabalhistas. Três meses depois, o grupo opositor, com 4.254 delegados de 1.258 sindicatos, federações e confederações, criou sua própria CONCLAT, Coordenação Nacional da Classe Trabalhadora.

Foi uma cisão definitiva. Nos dois anos seguintes, contudo, a CUT gradualmente englobou a CONCLAT, à medida que seus membros obtinham melhores acordos em nível de planta. Quando chegou a Nova República e Almir Pazzianotto estava no Ministério do Trabalho, ele indiretamente ajudou a CUT com uma política de não-intervenção, encorajando patrões e sindicatos locais a negociarem seus próprios acordos. Apesar de o grupo da CONCLAT haver tentado assumir uma postura mais militante, rebatizando-se Confederação Geral dos Trabalhadores, faltava-lhe a experiência prática em ação industrial adquirida pelos metalúrgicos, bancários e petroleiros. Ele não tinha a mesma capacidade de conseguir melhores salários e benefícios.

Embora não se exigisse que os líderes da CUT entrassem no PT, vários deles o fizeram em meados da década de 80. Mas para a maioria deles, o trabalho sindical ainda era prioritário. Jacó Bittar, por exemplo, deixou seu cargo de secretário-geral do PT para concorrer à liderança dos petroleiros. Para os "novos sindicalistas", a autonomia trabalhista era crucial; eles rejeitavam o corporativismo de Vargas e a manipulação do PTB e do PCB antes de 1964. Lula disse, na época, que era difícil dividir o esforço e a atenção deles entre o partido e os sindicatos.

A CUT teve um progresso estável nos anos 80, e os líderes sindicais que haviam tido envolvimento com a Unidade Sindical, com o PCB e o PMDB, começaram a ingressar. Ela assegurava recrutas na indústria de serviços — mais importante no Rio de Janeiro que em São Paulo — e entre os sindicatos rurais, no Nordeste, por exemplo.

A CUT era parte de uma sociedade mais democrática e pluralista do que o PT desejaria ver. O PT ainda propugnava ideais socialistas e tinha, em suas fileiras, leninistas ocupando cargos elevados. Mas tentava aceitar outros importantes movimentos sociais. Um dos mais influentes no decorrer da década de 80 foi o Movimento dos Trabalhadores Rurais sem Terra, MST.[20]

O MST partilhava algumas raízes com o novo movimento trabalhista e o PT. Era também um produto do lado negro do "milagre econômico" da ditadura, só que no campo e não nas cidades. O modelo exportador do regime e seus programas grandiosos haviam resultado na eliminação de pequenas fazendas e estabelecimento de ranchos enormes de soja e gado; outras tinham sido desapropriadas por grandes projetos de hidrelétricas, como Itaipu e Tucuruí. Centenas de milhares haviam ficado sem terra.[21] Embora muitos tivessem ido para as cidades procurar trabalho e morar em favelas, um grande número deles preferiu permanecer no campo. Eles olhavam as terras desocupadas dos latifundiários e empresas[22] e achavam que podiam ocupá-las. Uma das promessas do governo Goulart, descartada pelo golpe de 1964, foi a reforma agrária. Nos anos 80, ela tinha se tornado essencial e possível.

Historiadores do MST identificam sua primeira reunião como ocorrida em Medianeira, perto da confluência dos rios Iguaçu e Paraná, em julho de 1982. Poucos anos antes, cerca de dez mil famílias tinham sido expulsas de suas terras nas proximidades para abrir caminho ao gigantesco projeto brasileiro-paraguaio da represa de Itaipu. As ocupações tinham começado no Sul, e no início dos anos 80 se espalhavam por São Paulo e pelo resto do país. Latifundiários reagiram com pistoleiros de aluguel; com o esfacelamento da ditadura, as autoridades estaduais nem sempre sabiam o que fazer. Em setembro de 1983, mil dias após um acampamento do MST ter sido montado na Encruzilhada Natalino para exigir terra no Rio Grande do Sul, um governador recém-eleito[1*] cedeu-a a eles. Em janeiro de 1985, o congresso de fundação do MST ocorreu em Curitiba.[23]

O movimento, como a onda grevista, tinha uma característica popular. Tinha seus líderes e ideólogos, em particular João Pedro Stédile. O MST era muito encorajado pela Igreja Católica, cuja Comissão Pastoral da Terra fora estabelecida originalmente para arbitrar conflitos de terra na Amazônia. Tornou-se muito interessado em educação, na possibilidade de tipos de agricultura ecologicamente menos destrutivos, e na natureza do governo no Brasil. Tinha características radicais, socialistas e alternativas.

Mas como o PT e os novos sindicalistas, o MST manteve-se firmemente independente, beligerante por seus direitos, nada otimista de que a Nova República lhe daria muita ajuda no campo, cético em relação aos velhos sindicatos rurais, mas disposto a trabalhar com aliados. Atraiu considerável atenção da mídia, parte dela hostil. Veio somar-se ao sentimento de euforia social, otimismo e fermentação que engolfava o Brasil desde o fim da ditadura. Lula era solidário, mas o MST não deixava que ele se aproximasse demais.

Enquanto parte da liderança do PT havia retornado ao seu trabalho industrial depois das eleições de 1982, ativistas de todo o país seguiam em frente construindo ramificações e militância do partido. O PT era um novo tipo de partido, mais democrático, mais afinado com aqueles que tinham sido excluídos do sistema no passado. Era atraente, de alcance mais nacional, e foi bem melhor nas eleições majoritárias de 1985, quando conseguiu amealhar sua primeira capital, elegendo Maria Luiza Fontenelle prefeita de Fortaleza, no Ceará. Houve novamente uma rusga com o PMDB

[1*] *Jair Soares, do PDS (N.T.).*

em São Paulo, onde se alegou que os 20% obtidos por Eduardo Suplicy, pelo PT, causaram a derrota do promissor Fernando Henrique Cardoso para o ex-presidente Jânio Quadros, que concorria com uma plataforma direitista.

No fim de 1985, em entrevista à *Folha de S. Paulo*, Lula encrencou-se ao expressar dúvida sobre se o PT poderia alcançar o poder por meio de eleições. Ele disse que o partido estava tentando jogar de acordo com as regras do jogo, mas o Congresso era um meio, não um fim. Se fosse impossível para a classe operária vencer desse modo, "eu assumo a responsabilidade de dizer à classe trabalhadora que ela tem de procurar outra via". Se o PT vencesse e a direita tentasse reter o poder pela força, o PT poderia legitimamente recorrer às armas, como haviam feito as colônias americanas no século XVIII. Isto levou a uma manchete prejudicial: "Lula admite luta armada para garantir o poder".

Lula tentou minimizar o impacto com a imprensa e com as pesquisas, mas seguiram-se dois outros incidentes usados para atacar o partido. Um deles foi a invasão de uma filial do Banco do Brasil em Salvador por militantes de uma facção comunista que também pertencia ao PT, e foram rapidamente expulsos; o outro envolveu mortes e tiroteios entre cortadores de cana em greve no interior de São Paulo, onde a polícia militar alegou que alguns tiros tinham vindo de um carro ocupado pelo deputado petista José Genoino.

A verdade é que a democracia no Brasil, após a saída dos militares, era ainda nervosa e insegura. O poderoso grupo de mídia Globo, sediado no Rio, forte na TV e na imprensa, havia apoiado os militares e não tinha pejos em atacar Lula. Lula respondeu, reclamando que seu partido não recebera nenhuma cobertura justa por parte do que ele acusava de ser um monopólio privado.

Parte do problema de Lula e seu partido era a indefinição deles sobre o que significava o socialismo para o Brasil moderno. Isto foi quatro anos antes da queda do Muro de Berlim, quando o comunismo estatal no Leste Europeu perdera aprovação em toda parte. Na mesma entrevista do fim de 1985 à *Folha*, Lula disse que o grande desafio do socialismo era contemplar uma sociedade em que todos produziam para o benefício de todos, mas a criatividade individual não era restrita. Esta deveria ser uma sociedade que não restringisse a liberdade do espírito ou o desejo de um cidadão de progredir na vida. Lula achava que definir o socialismo meramente em termos de educação, saúde e trabalho era muito limitado.

Não obstante, o *status* nacional do PT recebeu um maior reconhecimento nas eleições legislativas de 1986, quando o PT elegeu dezesseis deputados para um Congresso que também tinha de escrever uma nova Constituição. Esta eleição foi um triunfo para Lula, que recebeu mais votos em São Paulo — 651.763 — do que qualquer outro deputado do país. Vários outros líderes, como o presidente do PT, Olívio Dutra, dos bancários do Rio Grande do Sul, foram eleitos ao mesmo tempo. Mas Lula era o líder do grupo parlamentar.

O PT, mais coeso do que qualquer outro partido político, desempenhou um papel significativo na Assembleia Constituinte. Mas para Lula, pessoalmente, não foi uma experiência satisfatória. Sua própria motivação viera de reuniões em massa e trabalho com grupos de amigos. Os acordos detalhados em Brasília e a atmosfera em que os congressistas, elitistas em sua maioria, olhavam com desprezo ou temiam o ex-torneiro mecânico, eram incômodos para ele. Sem falar que sua esposa e família ainda estavam em São Bernardo.

A Assembleia Constituinte operava com um bloco majoritário, formado por políticos de diversos partidos, conhecido como Centrão. Em comparação com a falta de disciplina partidária demonstrada por outros partidos, que faziam conchavos e barganhas sobre assuntos particulares a mando de indivíduos, o PT demonstrava notável consistência. Seus representantes no Congresso concentravam-se particularmente em questões trabalhistas ou agrárias, mas participavam de tudo.

O próprio Lula, embora tenha tomado parte em 95% das votações, não desempenhou um papel proeminente no Congresso ou na Assembleia Constituinte. Ele votou a favor de limites à propriedade privada; pela legalização do aborto (um gesto corajoso, considerando sua estreita ligação com a Igreja Católica); pelas garantias do emprego e uma jornada de quarenta horas semanais de trabalho; pelo voto aos dezesseis anos; pelo limite de 12% para a taxa de juros;[24] pela legalização do jogo do bicho, muito popular nos bairros mais pobres; e pela expropriação de terras produtivas.[25] Quanto ao sistema de governo, embora Lula tivesse se manifestado favorável a um sistema parlamentarista, acabou votando pelo presidencialismo, pois fora a linha decidida pelo partido, um exemplo da disposição dele de aceitar a disciplina partidária. Ao contrário de outros sistemas presidenciais, o presidente só podia ser eleito para um mandato.

Lula não escondeu seu desagrado com a rotina parlamentar. Dizia que os discursos frequentemente não resolviam nada e os deputados não ouviam o que os outros estavam dizendo; que havia egocentrismo demais, e votos iam numa direção ou outra de acordo com vaidades pessoais; que uns duzentos deputados nunca sequer compareciam aos debates, embora recebessem salários; e que ele mesmo, que falara a multidões, achava maçante falar com cinco outros deputados numa Câmara quase vazia. Em junho de 1987, ele cogitou seriamente renunciar à sua cadeira, mas foi dissuadido com o argumento de que isso pegaria mal se ele pretendesse concorrer à Presidência.

Em Brasília ele conservou velhos hábitos, como jogar futebol em sua hora de almoço. Mas também começou a se preocupar por estar engordando. Havia demasiados jantares de embaixadas e almoços com amigos em churrascarias. Encorajado por outro deputado do PT e seu colega líder sindicalista de São Paulo, Luís Gushiken, Lula começou a fazer caminhadas diárias, parou de fumar e beber, e se tornou um fã da dieta macrobiótica de frutas e legumes. Passou a frequentar o Clube do Congresso. Em maio de 1988, foi levado às pressas ao hospital com uma ruptura do apêndice, e ao longo daquele ano perdeu dez quilos.

De fato, em dezembro de 1987 o Encontro Nacional do PT havia decidido apoiar a candidatura de Lula à Presidência, argumentando que obter o governo por meio de eleições era a abordagem estratégica correta para a "luta pelo socialismo no Brasil". Abriu a porta para alianças com outros partidos de esquerda. Procurou desmentir firmemente qualquer ideia de que o PT sustentava a revolução armada, uma tentativa de difamação que a Globo vinha promovendo.

Todavia, o PT, em sua preocupação com os direitos trabalhistas e valores progressistas, ainda estava descontente com a nova Constituição, que entrou em vigor em 1988. Petistas criticavam-na por não prestar atenção suficiente à reforma agrária e permitir que a elite e o Exército retivessem demasiado poder. Lula disse que não a assinaria, e o PT foi acusado de não ser democrático. No fim, Lula e os outros deputados petistas acabaram assinando.

A transição para fora do regime militar foi, na realidade, um processo gradual que durou uma década, interrompido por contratempos políticos e econômicos. No início dos anos 80 ocorrera uma recessão. Na segunda metade, sob a presidência de Sarney, houve uma sucessão de tentativas de controlar a inflacionária e endividada economia brasileira. A indexação de salários e uma série de minidesvalorizações resultaram num acentuado aumento na inflação em 1985. Em 28 de fevereiro de 1986, Sarney foi à televisão anunciar um tratamento de choque: o seu Plano Cruzado.

O plano, baixado por um decreto-lei à moda dos regimes militares, introduziu um congelamento de preços, um congelamento de salários (que incluía um aumento de 8% sobre a média salarial dos últimos seis meses, e um aumento de 15% no salário mínimo oficial) e a criação de uma nova moeda, o cruzado, que equivalia a mil dos desvalorizados cruzeiros. A ideia era matar a inflação inercial, e funcionou pela maior parte de 1986. Além disso, a produção industrial começou a crescer novamente e uma explosão de consumo sobreveio. Na segunda metade do ano, porém, o superávit na conta corrente entrou em declínio, com uma violenta redução em investimentos estrangeiros no Brasil, e no fim de 1986 a inflação ressuscitou. O plano assistia trabalhadores assalariados mais que outros, e embora o governo tenha tentado baixar um Plano Cruzado 2 modificado, ele teve pouco efeito.

Sarney tentou três diferentes ministros da Fazenda e três programas diferentes de estabilização antes de passar o cargo ao diretamente eleito presidente Collor, mas nenhum deles teve real êxito, e, depois da euforia inicial com o Plano Cruzado, ele perdeu apoio político. De acordo com as regras da transição, cabia ao Congresso eleito em novembro de 1986 determinar a duração do seu mandato; ele já havia exercido a Presidência por mais de um ano à época daquela eleição, e foi mantido pelos cinco anos prescritos pela nova Constituição. Ele teria de transmitir a Presidência em março de 1990.

Aos quarenta e quatro anos em 1989, Lula parecia ser um forte candidato nas eleições presidenciais de outubro daquele ano. Ele era uma figura nacionalmente conhecida, destacando-se por seu radicalismo e sua comprovada experiência entre os vinte e um candidatos que desejavam concorrer no primeiro turno. O Brasil vivia um idílio democrático naquele seu primeiro gostinho por eleições diretas, e as oportunidades para alianças e confusão dos eleitores eram consideráveis.

Lula estava empolgado com o bom desempenho do PT nas eleições municipais de 1988, e o país estava farto do governo Sarney. Um grupo de amigos e colegas havia ganhado prefeituras no fim de 1988, incluindo Olívio Dutra em Porto Alegre — que iniciou ali uma experiência mundialmente reconhecida de orçamento participativo —, Jacó Bittar em Campinas e Maurício Soares, que escreveu o primeiro discurso de Lula para o Sindicato dos Metalúrgicos, em São Bernardo. Celso Daniel, que seria assassinado em circunstâncias sinistras mais tarde, em janeiro de 2002, foi eleito em Santo André, o subúrbio industrial contíguo a São Bernardo.

A vitória mais satisfatória foi em São Paulo mesmo, onde Luiza Erundina, uma ex-professora primária que o PT local havia preferido ao candidato apoiado por Lula, derrotou Paulo Maluf, um ex-governador "biônico" de São Paulo. Maluf, que tinha sido eleito indiretamente durante a era militar, representava tudo que o PT odiava na direita reacionária. Erundina foi ajudada pela reação pública à morte trágica de três operários na siderúrgica de Volta Redonda, assassinados quando soldados invadiram o local para debelar uma greve.

Também, pela primeira vez, o argumento do voto útil funcionou em favor do PT. Um grupo de políticos de mente moderna, economicamente liberais, que haviam se oposto à ditadura militar, romperam com o PMDB para criar o Partido da Social Democracia Brasileira, o PSDB. Como o PT, seu coração estava em São Paulo, e incluía um leque de talentos tais como Fernando Henrique Cardoso, o futuro presidente; Mário Covas, que seria governador; e José Serra, um ministro da Saúde de Cardoso que foi derrotado por Lula na eleição à Presidência em 2002, mas eleito prefeito da cidade em 2004 e governador do estado em 2006. Em 1988, Serra concorreu à prefeitura pelo PSDB e chegou em quarto. Erundina, usando o argumento do voto útil contra Serra, conseguiu vencer Maluf com apenas 30% dos votos.

As mortes em Volta Redonda e os planos econômicos fracassados deram a muitos brasileiros a sensação de que era hora de varrer os detritos da ditadura e partir para um novo começo. Realidades sociais subjacentes justificavam uma mudança drástica. Segundo o IBGE, o número de trabalhadores ganhando menos que um salário mínimo aumentara de 25,7% em 1987 para 29,1% um ano depois; a proporção de estudantes que completavam o primeiro grau em 1988 era de apenas 57%, o nível mais baixo em sete anos.

No início de 1989 Lula fez uma série de viagens ao exterior para dar a si mesmo mais experiência internacional e à sua candidatura mais distinção. Ele se encontrou com líderes social-democratas na Europa; na América Latina, refletindo a simpatia de seus partidários pela esquerda, visitou a Nicarágua, Fidel Castro em Cuba, e um Chile que se libertava da herança ditatorial de Pinochet. Na massa de aspirantes presidenciais, ele parecia um dos mais fortes, junto a Leonel Brizola pelo PDT, Ulysses Guimarães pelo PMDB e Maluf pelo PDS. Ele era apoiado por uma coligação esquerdista que incluía o PCdoB e o Partido Socialista Brasileiro, o partido de Miguel Arraes: foi denominada Frente Brasil Popular. Ele escolheu como companheiro de chapa um advogado do Rio Grande do Sul que tinha sido senador pelo PSDB, José Paulo Bisol.

Suas viagens ao exterior deixaram-no cético com relação às afirmações de que esquerdistas revolucionários podiam alcançar uma vida boa para seus povos. Em Cuba ele observou que o regime de Castro não resolvera o problema da moradia. Na Nicarágua, os sandinistas, sob severa pressão econômica dos Estados Unidos e prestes a ser afastados pelo voto, administravam uma economia que desmoronava a olhos vistos.

Ao mesmo tempo, ele era simpático aos líderes esquerdistas e, num desafio aos brasileiros conservadores, falou a uma plateia nos Estados Unidos que não pagaria a dívida externa de seu país. "Ou dão os anéis, ou vão perder os dedos", colocou ele do seu jeito brusco.[26]

O candidato conservador que ele tinha de vencer era um recém-chegado à política nacional, Fernando Collor de Mello, quarenta anos. Vinha de uma família de políticos do Nordeste, editara um jornal em Maceió, no pequeno estado de Alagoas, e fora eleito seu governador em 1986. Era bem-apessoado, conduzia uma campanha violentamente crítica contra o governo Sarney e ganhou o apoio das poderosas Organizações Globo. Mas ele pertencia a um partido minúsculo, virtualmente novo, o Partido da Reconstrução Nacional, PRN, e portanto tinha que criar uma coligação nacional do zero. Sua trilha não foi facilitada pela existência de Paulo Maluf, candidato da extrema direita, nem pela hostilidade de Sarney, que estava promovendo um sucessor, Sílvio Santos, cuja candidatura foi impugnada apenas no fim do ano, sob a alegação de que seu partido estava, na realidade, moribundo.[27]

A campanha de Lula não decolou de fato até que ele se beneficiou da propaganda gratuita na televisão. Ela demonstrou que ele estava atraindo grandes multidões, e quebrou o boicote que sua campanha vinha sofrendo por parte de grandes grupos de mídia. Em determinado momento ele tinha apenas 2,5% nas pesquisas e pensou seriamente em desistir. Discutiu com seus assessores de imprensa, liderados por Ricardo Kotscho, que começara cobrindo as greves como um jornalista neutro nos anos 70, mas acabara enfeitiçado por Lula e o PT. A campanha era amadora e carecia de dinheiro e suporte técnico, como telefones. Lula viajava pelo país em voos comerciais nem sempre pontuais, enquanto Collor tinha seus jatos particulares.[28]

Havia duas propostas principais no programa de governo do PT: interrupção do pagamento da dívida externa brasileira e reforma agrária. Eram compromissos de uma campanha radical, senão socialista. Lula argumentava que se o Brasil não tivesse pago doze bilhões de dólares em juros da dívida em 1988, teria havido dinheiro suficiente para acabar com o analfabetismo. Com o MST intensificando suas ocupações de terra pelo país, a reforma agrária tornou-se um tópico essencial. Mas cada uma dessas questões assustava a classe média e as forças conservadoras, servindo para mobilizar os conservadores contra Lula do que os partidários dele a seu favor.

A eleição rapidamente se tornou suja. Em abril, o *Jornal do Brasil* publicou um artigo revelando a existência de uma filha ilegítima de Lula, Lurian Cordeiro da Silva, então com quinze anos, produto de sua relação com Miriam Cordeiro. Dizia que ele tentara renegá-la. Este ataque pessoal teve desdobramentos ao longo do ano, com alegações falsas de que Lula quisera que Miriam fizesse um aborto — ainda um motivo de horror para os católicos brasileiros — e indícios de que Miriam estava na folha de pagamento da campanha de Collor.[29] Lurian tentou o suicídio. No fim da campanha, Lula estava profundamente deprimido e desorientado por essas alegações e pela tentativa de suicídio de Lurian, o que afetou sua participação num debate de TV. Collor também afirmou que Lula confiscaria as cadernetas de poupança e confiscaria quartos em casas de classe média para os sem-teto.

Embora Lula adorasse fazer campanha, apertar mãos, ouvir queixas de camelôs e discursar em comícios, ele era também um sentimental homem de família. Gostava da galinha com polenta de Marisa, e de uma cerveja ou cachaça na sua casa em São Bernardo com amigos. Sua família ainda era jovem — Fábio Luís de quase quinze anos, Luís Cláudio chegando aos onze e Sandro Luís, ainda aprendendo a andar, com três. Fábio Luís, mais tarde conhecido como Lulinha, chegou em segundo numa eleição presidencial de brincadeira em sua escola.[30] Do caos de sua própria infância, Lula criara uma fortaleza de segurança doméstica, que o exército de Collor havia bombardeado brutalmente.

Havia também uma batalha feroz se desenrolando entre Lula e Leonel Brizola, o herói da esquerda pré-1964 que fora um governador popular no Rio de Janeiro. O homem do PDT tinha apoio no Rio e no Rio Grande do Sul, estado natal de Brizola, Jango Goulart e Getúlio Vargas. Contra isso, Lula contava com seu núcleo em São Paulo, com o movimento operário e suas credenciais nordestinas no Nordeste. Brizola atacou Bisol, candidato a vice de Lula, dizendo que ele havia utilizado seu *status* de senador para obter um empréstimo de 150 mil dólares para comprar um sítio em

Minas Gerais. O que realmente estava em jogo era qual dos dois candidatos de esquerda chegaria ao segundo turno; a nova Constituição requeria uma maioria absoluta para vencer instantaneamente no primeiro turno, e com tantos candidatos, isso era improvável.

Em 15 de novembro, Collor chegou confortavelmente à frente, com 30,5% dos votos. Lula, com 17,2%, teve apenas 500 mil votos a mais que Brizola. Mas chegara ao final do primeiro turno em segundo lugar, deixando sua casa aberta para jornalistas depois da votação. O segundo turno, disputa entre os dois candidatos mais votados do primeiro, estava agendado para 17 de dezembro. Entrementes, ambos os candidatos se envolveram num período exaustivo e frenético de campanha, repleto de comícios e retórica. Lula acusou a família latifundiária de Collor de matar seus trabalhadores rurais, mal lhes pagando um salário mínimo, continuou criticando os latifúndios e alertou que fundiria os ministérios militares em um único Ministério da Defesa. Collor disse que Lula estava pregando a luta armada e desejava chegar ao poder com derramamento de sangue.

Esta primeira eleição presidencial direta com dois turnos mostrou a importância da construção de alianças. O Brasil conservador, com genuíno medo de Lula e do PT, cerrou fileiras em torno do pouco conhecido Collor. Sua boa aparência apelava a algumas mulheres, ao passo que a imagem de um líder grevista barbudo desgostava muitas outras. Os coordenadores da campanha de Lula tentavam suavizar essa imagem com um *jingle* otimista — "Lula-lá, brilha uma estrela, Lula-lá, cresce a esperança!"

Politicamente, a campanha de Lula não foi tão hábil em sua construção de alianças; embora o PSDB e setores do PMDB tenham aderido, Brizola e o PDT estavam pouco entusiasmados, e Lula cometeu um erro em não cooptar Ulysses Guimarães, o porta-estandarte da oposição parlamentar aos militares, que chegara em um surpreendentemente decepcionante sétimo lugar no primeiro turno. O clero católico progressista continuava a deixar claro seu apoio ao candidato do PT. Um momento que Lula saboreou em retrospecto foi quando Fernando Henrique Cardoso, do PSDB, que o derrotaria duas vezes vezes para a Presidência nos anos 90, apareceu no palanque para apoiá-lo no segundo turno.

De fato, as pesquisas sugeriam que Collor realmente só ultrapassou Lula nos últimos dias da campanha do segundo turno. Mas houve uma porção de incidentes que mostravam as dificuldades que Lula encarava. A momentosa queda do Muro de Berlim, a 10 de novembro, pôs um ponto de interrogação sobre o tipo de socialismo estatal que muitos de seus partidários haviam pregado no passado. No dia anterior à eleição, a polícia de São Paulo resgatou o proeminente empresário sequestrado Abílio Diniz, dono da rede de supermercados Pão de Açúcar. Os sequestradores eram um grupo internacional que angariava fundos para as guerrilhas da Nicarágua, mas a polícia e pessoas da mídia alegaram que eles tinham ligações com o PT, que material petista fora encontrado com eles, e que eles haviam usado um esconderijo alugado por um padre ligado ao PT.

No mesmo dia em que Diniz foi libertado, Lula teve a desagradável experiência de ser vaiado por uma multidão de torcedores no estádio do Morumbi, em São Paulo. Ainda um grande fã de futebol, ele tinha ido assistir à final entre Vasco, um time do Rio, e São Paulo. Na entrada, ele admitiu a repórteres esportivos que, como torcedor do Corinthians — velho time paulista e rival tradicional do São Paulo — ele torceria pelo Vasco. A notícia se espalhou e Lula foi vaiado — disseram-lhe, ofensivamente, que ele deveria se matricular no Movimento Brasileiro de Alfabetização, Mobral — e ele saiu no meio-tempo. No dia seguinte, Collor venceu a eleição com 42,75% contra 37,86%. Lula tinha aumentado sua votação ao longo do último mês, de 11,6 milhões para 31 milhões, mas não foi suficiente.

Lula em campanha para governador, no recém-criado PT, 1982.

Lula, Jacó Bittar e companheiros na fundação do PT, "partido sem patrão", 1980.

RTIDO
TRAO

Fundação da CUT, 1983.

Com Fernando Henrique Cardoso, que ainda não era FHC.

Com o papa João Paulo II, 1980.

Com o senador Ted Kennedy, 1980.

E morre Tancredo Neves, 1984.

À frente das manifestações pelas Diretas, 1984.

EMPREGADOS
DA METROBEL
S.T.I. ENERGIA
DIRETAS

LIÇÕES L RES E DIRETAS
ORDEM E PROGRES

© Arquivo

Militares de direita explodem bomba no Riocentro, 1981

© Homero Sérgio/Folha Imagem

Exército invade Cia. Siderúrgica Nacional e mata operários, 1988.

E Erundina, então no PT, é eleita prefeita da maior capital do País, São Paulo.

LUL
PRESIDENTE
ICE-BISOL

A árdua campanha presidencial de 1989: quase vitória.

Jogando bola com Chico Buarque e
companheiros da campanha de 1989.

© Luiz Novaes-17.dez.89/Folha Imagem

O empresário Abílio Diniz, sequestrado no meio da campanha de 1989.

© Vidal Cava-cante / Folha Imagem

O duro enfrentamento com Fernando Collor, na televisão.

Considerando onde Lula havia começado na vida, aquilo foi, apesar de tudo, uma grande conquista. Lula também tinha conseguido manter os pés no chão, preservar sua vida familiar, ser ele mesmo. Quando os jornalistas visitaram sua casa em São Bernardo durante o primeiro turno, ficaram atônitos com a normalidade de tudo e com a impressão de família aumentada, quando a mãe do primeiro marido assassinado de Marisa apareceu.[31] "A casa de Lula respira a típica atmosfera da classe média emergente", comentou um repórter da *Folha de S. Paulo*, com *videogames* e adesivos do Batman como indício da presença dos filhos.

4

CANDIDATO PERSISTENTE À PRESIDÊNCIA

Lula esteve incrivelmente próximo de vencer a eleição de 1989, mas foi Fernando Collor de Mello que assumiu em março de 1990. Ele foi o primeiro presidente eleito diretamente da nova democracia, mas era um estranho no ninho. Apesar do bombardeio de propaganda, ele era menos conhecido e tinha um histórico mais curto do que muitos dos candidatos que derrotou. Ele era um conservador que concorrera numa plataforma antigovernista.

Por seu partido ser nanico, ele dependia totalmente de alianças provisórias no Congresso. Muitos de seus confidentes, particularmente Paulo César Cavalcanti de Farias, seu coordenador de campanha, conhecido como PC Farias, tinham vindo com ele do pequeno estado de Alagoas. Farias, cujos negócios tinham ido à falência em 1983, e que fora acusado de fraude, falsificação e evasão fiscal dois anos depois, não era figura que inspirasse confiança para lidar com dinheiro.

Em sua campanha, Collor prometera a desregulamentação, a liquidação das estatais e a abertura para o investimento externo. Ele vendeu essas ideias — as mesmas do presidente Ronald Reagan e da primeira-ministra Margaret Thatcher enquanto ruía o Muro de Berlim — como parte de uma modernização do Brasil havia muito necessária. Elas combinavam com seu estilo vigoroso e seu *cooper*; elas atualizariam o Brasil com estardalhaço.

Mas a crise imediata que ele enfrentava era a hiperinflação. A inflação estava em 81% ao mês. Ele imediatamente introduziu um plano surpresa de estabilização. Os depósitos *overnight* e as contas correntes e de poupança com mais que o equivalente a US$1.300,00 foram congeladas por dezoito meses; uma nova moeda, o cruzeiro novo, substituiu o cruzado; uma taxa *one-time* foi imposta para negócios com ações, ouro e títulos financeiros; preços e salários foram congelados; os preços de serviços públicos foram aumentados — o gás subiu 57,8%, a eletricidade 32%; 360 mil servidores e funcionários públicos foram demitidos; e privatizações e a liberação gradual da economia foram prometidas.

O resultado foi uma redução drástica na quantidade de dinheiro circulando na economia, um declínio de 7,8% do produto interno bruto no segundo trimestre de 1990, uma aguda redução nos índices de inflação para apenas um dígito mensal, e uma onda de greves. Mas na segunda metade do ano, a inflação começou a crescer novamente. O problema foi que o tratamento de choque e a recessão provocaram sua própria reação.

A dificuldade foi ilustrada em São Paulo, onde os metalúrgicos de São Bernardo e Diadema estavam envolvidos em uma campanha para compensar a erosão em seus salários pela inflação. Em 30 de maio, eles negociaram um aumento de 166,9% com a Fiesp, a associação dos empregadores; isto era para compensar pela inflação de 94,3% em março e 44,8% em abril. Em julho, os empregadores ofereciam de 51% a 59%. Em novembro, estavam oferecendo aumentos de 160%.[1] O dragão inflacionário não tinha sido morto.

A equipe de Collor apresentou um segundo pacote anti-inflacionário em fevereiro de 1991, que incluía uma tentativa de cortar despesas de empresas estatais e ministérios sociais como os da Saúde e Educação. Mas em maio, antes que se pudesse observar se o pacote tinha melhorado alguma coisa, Collor demitiu a ministra da Fazenda, Zélia Cardoso de Mello, e sua equipe econômica. Eles haviam se tornado profundamente impopulares por seus hábitos autoritários e por terem supostamente "roubado" a poupança do povo. A nova equipe, liderada por Marcílio Marques Moreira, que fora embaixador em Washington, prometeu que não haveria mais táticas de choque.

Enquanto isso, Lula brincava: "Não era eu que ia roubar a poupança do povo?"[2] Apesar de sua decepção, ele voltou a construir o PT. Foi eleito deputado federal no fim de 1990 com uma grande votação, mas nunca assumiu sua cadeira. Ele decidira que o Congresso não era o seu lugar. Em vez disso, ele trabalhou como presidente pago pelo PT, viajando pelo país, dando apoio a candidatos do partido.

A realidade era árdua, nem sempre composta de grandes multidões em estádios de futebol. Um escritor australiano viu Lula falando a uma pequena multidão no Recife, na chuva, em pé na traseira de um caminhão, e depois indo embora correndo, com uma sacola sobre a cabeça, e decidiu que ele se parecia aos "*battlers*", os sofridos e aguerridos proletários australianos que ele conhecia de seu próprio país.[3] Uma das características mais marcantes de Lula era seu poder de resistência e determinação.

Em junho de 1990, na reunião partidária onde Lula retomou a presidência, o PT produziu um longo manifesto explicando seu compromisso com o socialismo. Lula estava algo desconfortável, já que após sua derrota compreendeu que poderia precisar de alianças com o centro e com a direita. Mas nunca tinha ficado claro o que o partido entendia por socialismo. Ideologicamente, o PT fora desde o início, e continuava a ser, uma ampla coalizão — sindicalistas, intelectuais, gente de movimentos sociais, radicais católicos, socialistas e marxistas de diferentes orientações. Facções distintas concorriam nas eleições internas, embora a moderada "Articulação", liderada por Dirceu e Genoino, e próxima a Lula, estivesse na dianteira.

O que estava claro é que o PT tinha uma coerência cada vez maior, e era em parte definido por seus inimigos. Um líder empresarial alertara que 800 mil empresários deixariam o país se Lula vencesse em 1989; as igrejas evangélicas, que cresciam rapidamente, se opunham a um partido que parecia tão próximo à Igreja Católica; as invasões de terra do MST tinham levado Collor a alegar que nenhuma casa de classe média estava a salvo, enquanto Lula dizia que nunca abriria mão da reforma agrária.

A resolução do PT deu valor absoluto a seus compromissos com a democracia plural, e argumentava que o "socialismo existente real" no desmontado bloco soviético não era democrático. O partido tinha apoiado o Solidariedade na Polônia e os manifestantes da Praça da Paz Celestial em Pequim. Mas também atacara o imperialismo dos EUA, que ameaçava Cuba e Granada. Estaria sempre ao lado dos oprimidos — trabalhadores, mulheres e os pobres. Considerava o capitalismo um obstáculo à democracia, que não seria alcançada enquanto o capitalismo não fosse superado. Era veemente em sua oposição ao capitalismo:

> É da opressão capitalista que resulta a miséria absoluta de mais de um terço da humanidade. É ela que impõe à América Latina novas formas de escravização, que reduziram a renda *per capita* em 6,5% nos últimos anos, fazendo vários países regredirem a patamares de vinte anos atrás. É o sistema capitalista, fundado, em última análise, na exploração do homem pelo homem e na brutal mercantilização da vida humana, o responsável por crimes odiosos contra a democracia e os direitos humanos, dos fornos crematórios de Hitler aos recentes genocídios na África do Sul, passando por nossas tristemente célebres câmaras de tortura. É o capitalismo

> brasileiro, com sua dinâmica predatória, o responsável pela fome de milhões, pelo analfabetismo, pela marginalidade, pela violência que se dissemina por todos os planos da vida nacional.[4]

Mas como seria o socialismo petista no Brasil? A resolução reivindicava controle social dos meios de produção, o que não deve ser confundido com controle estatal; isto poderia envolver posse individual, cooperativa ou do estado: a sociedade é que deveria decidir democraticamente. Haveria uma nova organização de trabalho e conselhos de trabalhadores em todas as fábricas. O partido não se envergonhava de aspirar a uma utopia.

Se ainda havia certa confusão no programa do PT — e ideologia nunca foi o forte de Lula[5] — ela era reforçada por experiências empolgantes e diferentes de ativistas. Na Amazônia, Chico Mendes estava promovendo reservas extrativistas para seringueiros, que permitiriam ao povo se sustentar e preservar ecologicamente a floresta. Em Porto Alegre, num empreendimento que atraiu ativistas e especialistas em governos locais do mundo inteiro, um conselho do PT estava introduzindo um processo de "orçamento participativo". A autoridade local estava desmistificando o orçamento da cidade, abrindo-o para que os cidadãos discutissem as prioridades. Esta era a intenção do partido quando falava em compromisso com a democracia, e suas ideias tinham sido alimentadas pela ligação com outros movimentos sociais.

Lula queria transformar o manifesto do PT em algo próximo a um plano de governo. Imitando o Partido Trabalhista do Reino Unido — que por sua vez estava meramente seguindo uma prática dos conservadores quando estiveram na oposição — Lula decidiu estabelecer um "gabinete paralelo". Ele poderia auditar os programas do governo Collor e criar contrapropostas.

Uma das questões pendentes da Constituição de 1988 era uma promessa de realizar um referendo sobre a futura forma de governo do Brasil: o país deveria ter uma presidência executiva, um sistema parlamentarista, ou ainda, em uma volta ao século XIX, uma monarquia ressurrecta? Lula, embora não fosse um fã do Congresso, apoiava o parlamentarismo.

No início dos anos 90, a experiência internacional de Lula era mais ampla, e o PT era membro da Internacional Socialista. Na Inglaterra, ele se encontrara com membros do Partido Trabalhista que estavam batalhando contra os governos conservadores que estavam no poder desde 1979, e havia paralelos superficiais entre as duas situações. Mas o gabinete paralelo de Lula, que nos primeiros seis meses se reuniu cinco vezes e produziu planos para a educação e para o Nordeste, não parecia uma iniciativa que rendesse manchetes.

O que estava rendendo manchetes, em 1991 e 1992, era a extraordinária corrupção em torno do governo Collor. Havia muita, exposta pela imprensa e por uma Comissão Parlamentar de Inquérito na qual dois membros proeminentes do PT, José Dirceu e Eduardo Suplicy, assumiram a liderança. De formas diferentes ela envolvia Zélia Cardoso, que recebera propinas de companhias de transporte rodoviário para burlar o congelamento de preços, e Rosane Collor, esposa do presidente, que estivera desviando dinheiro da Legião Brasileira de Assistência, instituição tradicional de caridade da primeira-dama.

Mas absolutamente fundamental para a sujeira que cercava a panelinha de Alagoas era PC Farias. Eleições no Brasil, na nova era democrática em que os analfabetos podiam votar, requeriam um *marketing* caro e sofisticado — anúncios de qualidade na TV, músicos populares e celebridades nos comícios do partido, e dinheiro para cartazes, viagens, relações públicas e escritórios pelo país todo. O desafio para Farias, que fora coordenador de campanha e tesoureiro de Collor, era tornar nacional uma figura relativamente desconhecida. Para fazer isto, ele precisava explorar o medo de Lula na comunidade empresarial e receber o pagamento adiantado.

Farias angariou em contribuições de campanha bem mais do que precisava para eleger Collor. Ele começou a utilizar o dinheiro excedente para si próprio, abrindo contas no exterior e uma empresa de jatos particulares no Brasil. Ao mesmo tempo, ele e Collor estavam mais unidos que nunca, com PC fornecendo dinheiro à família do presidente. Após um início um tanto lento, a Comissão Paramentar começou a obter provas comprometedoras ligando os dois; um colapso na solidariedade familiar, com o irmão do presidente, Pedro, fornecendo informações adicionais, expôs algumas das contravenções. Em meados de 1992, a imprensa atacava em uníssono, e multidões quase tão vastas quanto as das *Diretas Já* clamavam pelo *impeachment* do presidente.

No final de setembro, o Congresso atingiu mais que os dois terços necessários — votando 441 a 38 para remover o presidente. Collor partiu, para ser sucedido por Itamar Franco, seu vice-presidente do PMDB. Embora algo em torno de 300 milhões e 1 bilhão de dólares furtados por PC Farias (assassinado em 1996 junto à sua amante) nunca tenha sido recuperado, parecia que a democracia brasileira havia marcado um ponto a favor da ética. Ao mesmo tempo, Collor estava sendo punido pela sua política econômica, seus congelamentos e suas privatizações de empresas estatais como a VASP, a companhia aérea de São Paulo. Em ambos os casos, parecia um triunfo para a causa petista.

Itamar Franco herdou uma situação difícil, e Lula e o PT se opuseram ao novo governo. Mas ao mesmo tempo, o presidente tentou expandir sua administração. Ele recrutou Fernando Henrique Cardoso, o sociólogo que era o homem da hora no PSDB, para ser seu ministro das Relações Exteriores. Ele persuadiu Luiza Erundina, a ex-prefeita petista de São Paulo, a dirigir sua Secretaria da Administração Federal; embora houvesse clamores para que Erundina fosse expulsa do partido, Lula providenciou para que ela fosse apenas suspensa. O envolvimento de Cardoso no governo foi um revés para Lula, que estivera discutindo com ele sobre uma frente PT-PSDB de campanha pelo parlamentarismo.

Num nível pessoal, Lula e Itamar mantinham boas relações. Lula deu-lhe um plano nacional para melhorar a nutrição e lidar com a fome, que tinha sido preparado pelo gabinete paralelo do PT. Este foi o precursor do plano "Fome Zero" de 2002. Ele persuadiu Itamar a indicar um conhecido sociólogo, Herbert de Souza, para presidir um conselho nacional de segurança alimentar.

O PT via a si próprio caminhando rumo ao poder, e Ricardo Kotscho estava preparando um plano de governo que duraria dez anos. No começo de 1993, o PT conseguiu eleger cinquenta e dois de seus candidatos a prefeito, alguns em capitais significativas como Belo Horizonte e Porto Alegre. Lula teve uma reunião particular com vinte e cinco banqueiros e industriais em São Paulo a 1° de março para mostrar que ele não era o agitador grevista do passado, mas um homem com quem eles podiam fazer negócio. Ele estava demonstrando um temperamento para acomodar os pontos de vista da esquerda com a realidade do *establishment* econômico brasileiro.

Ele também ficou fora de sintonia com seu partido na questão constitucional do presidencialismo *versus* parlamentarismo. Ele era a favor do sistema parlamentarista, assim como o PSDB, mas o PT era contra. A tradição de um presidente executivo forte remontava a Getúlio Vargas no Brasil e era lugar-comum pelas Américas, ao passo que os pesos e contrapesos de um sistema parlamentarista — sem falar no exotismo de uma monarquia revivida — não eram atraentes para a maioria dos brasileiros. No plebiscito de 21 de abril de 1993, dois terços votaram pela manutenção da República, enquanto uma maioria mais estreita, 55%, quis uma Presidência Executiva.[6] Lula, que estava em um ônibus de Garanhuns para São Paulo — refazendo o trajeto de sua própria migração como parte de sua primeira Caravana da Cidadania — nem sequer votou.

A Caravana da Cidadania refletia a campanha contínua de Lula à Presidência, um foco nas necessidades dos pobres e sua constante indignação pela classe política não estar sintonizada com as necessidades do verdadeiro Brasil. Era uma tática populista que realçava sua própria carreira, um ano antes de outra eleição presidencial. Também lhe deu algo que fazer. A despeito de suas realizações, ele ainda não ocupava o cargo supremo, continuava na oposição e, até certo ponto, frustrado.

A caravana, ou ônibus de campanha, que de Garanhuns levou Lula até Vicente de Carvalho mais uma vez, foi a primeira de catorze. Ao todo Lula viajou a 350 cidades e vilarejos em vinte e três estados, em ônibus de campanha. Estas viagens normalmente duravam quinze dias cada. Ele falou de improviso para grupos pequenos e grandes. Conversando com duzentos empresários em Rondônia em setembro, ele denunciou os deputados, dizendo que pelo menos trezentos eram ladrões — uma alegação que seria lembrada contra ele durante sua própria administração.[7]

Mas Lula ainda lutava contra um preconceito considerável da mídia. Uma repórter da revista semanal *Veja* fora instruída a ridicularizar os ônibus de campanha em sua cobertura — mesmo depois de fazer uma longa entrevista com Lula. Kotscho, como assessor de imprensa de Lula, escreveu um artigo furioso em resposta, intitulado "*Veja* e o *Marketing* da Infâmia".[8]

Em 1993 e já em 1994, parecia que Lula tinha todas as chances de vencer sua segunda eleição presidencial. O *impeachment* de Collor deu a entender que o povo desejava um Brasil mais limpo; até Paulo Maluf, tendo conduzido uma campanha bem-sucedida para se tornar prefeito de São Paulo, com a ajuda do habilidoso publicitário Duda Mendonça,[9] havia renegado Collor. O governo Itamar Franco não era forte. Mas aí algo inesperado aconteceu. O novo ministro da Fazenda, Fernando Henrique Cardoso, apresentou um plano econômico e mais uma nova moeda que pareceram funcionar.

Cardoso, nascido em 1931, veio de uma família de políticos e militares de classe média com tendências progressistas. Seu bisavô fora governador de Goiás, envolvido com a abolição dos escravos e a proclamação da República. Sei pai, Leônidas, tomara parte em várias rebeliões desde os anos 20, chegara a general, e foi um deputado do PTB muito próximo ao Partido Comunista Brasileiro. Fernando Henrique era um acadêmico transformado em político, um professor de sociologia cujo PSDB representava uma reação liberal e modernizante à ditadura que o forçara ao exílio. O próprio PSDB era uma dissidência do PMDB, formada durante os debates da Constituição, em 1988, e iniciada por um talentoso grupo de São Paulo. Eles foram apelidados de "tucanos" pelas cores de seu partido, como as do pássaro.

Cardoso tinha sido eleito senador por São Paulo. Ele adorou ser nomeado ministro das Relações Exteriores por Itamar Franco, mas não estava ansioso por aceitar a Fazenda. Porém, o presidente lhe telefonou em maio de 1993, quando ele estava em uma viagem de trabalho a Nova Iorque, e fez-lhe uma oferta que ele não pôde recusar. O ministro anterior, Eliseu Resende, foi acusado de beneficiar uma empresa de engenharia para a qual vinha trabalhando antes; a inflação estava na casa dos 30% ao mês. Cardoso decidiu que o único meio de quebrar o ciclo de desastres que remontava, no mínimo, até o governo Sarney era aproveitar alguns dos melhores cérebros disponíveis. Curiosamente, o próprio Lula defendera um governo composto dos melhores talentos quando Itamar sucedeu Collor.

Com alguns meses no cargo, Cardoso havia se rodeado de um grupo que incluía Edmar Bacha; André Lara Resende, responsável por renegociar a excessiva dívida externa brasileira; Pedro Malan, que assumiu a presidência do Banco Central; e Pérsio Arida na direção do Banco Nacional de Desenvolvimento, BNDES. Gustavo Franco ficou encarregado das taxas de câmbio no Banco Central.

Alguns destes homens haviam participado do fracassado Plano Cruzado e tinham aprendido algumas lições. Eles estavam decididos de que um novo plano de estabilização e uma nova moeda seriam introduzidos em etapas, com o conhecimento do povo, e se possível, com o apoio do povo. Uma das primeiras medidas seria introduzir uma nova unidade de indexação, igual ao dólar americano, em fevereiro de 1994.

Já em junho de 1993, Cardoso — ou FHC, como foi apelidado — tinha apresentado um plano de ação imediata. Ele cortou gastos públicos em seis bilhões de dólares, aumentou a cobrança de impostos e puniu a evasão, e exigiu aos altamente endividados estados brasileiros que começassem a pagar suas dívidas com o governo federal. Em dezembro ele mandou ao Congresso uma proposta que tinha dois aspectos — um ajuste nos impostos e a introdução do novo índice URV (Unidade Real de Valor), igual ao dólar americano.

As mudanças nas taxas incluíam um aumento geral de 5%; a criação do Fundo Social de Emergência, que tiraria 15% de todos os impostos para suavizar as mudanças e pagar os servidores públicos; e mais cortes em investimentos públicos, pessoal, e estatais no valor de 7 bilhões de dólares. A URV, convertida em cruzeiros, flutuaria diariamente com a taxa de câmbio do dólar; preços oficiais e contratos seriam fixados em URV, e o governo encorajou empresas particulares e pessoas físicas a fazer o mesmo.

Por volta de maio e junho de 1994, mais e mais preços estavam sendo cotados em URV. FHC e sua equipe estavam prontos, em 1° de julho, para introduzir a nova moeda, o real. Era igual a uma URV, ou um dólar americano — ou 2.750 unidades da antiga moeda, o cruzeiro. Ao contrário de Collor, o ministro da Fazenda não tentou congelar preços, embora muitas lojas e supermercados tenham se aproveitado da mudança de moeda para reajustar preços. Ao invés disso, o governo usou sua assessoria para persuadir o povo a boicotar lojas que estivessem especulando, e restringiram o crédito na economia.

Depois de tantas crises e tantas decepções, os brasileiros se entusiasmaram com um plano e uma moeda que de fato funcionavam. De taxas anuais de 2.104% em 1993 e 2.407% em 1994, a taxa da inflação despencou para 68% em 1995 e 9,3% em 1996.[10] Produção industrial e consumo público cresceram. Houve também um importante aumento no poder de compra dos grupos de baixa renda, que haviam sofrido muito com a alta inflação mensal.

Os efeitos colaterais políticos do real foram igualmente dramáticos. Lula e o PT inicialmente minimizaram seus efeitos, vendo apenas os cortes de despesas e julgando que ele tinha tanta chance de êxito quanto seus predecessores. Lula, que ficara satisfeito com o apoio do PSDB no segundo turno em 1989, tinha esperanças de uma aliança com o partido de FHC na eleição de 1994. Entretanto, a esquerda tinha se tornado mais poderosa no partido e desconfiava de alianças com antípodas ideológicos, e afugentara o gênio do *marketing* político Duda Mendonça, que Lula tentara recrutar para sua segunda campanha. Até o fim de 1993, o PT imaginava que Lula concorreria com o odiado direitista Paulo Maluf, e Lula estava bem à frente nas pesquisas até meados de 1994.

Mas FHC era ambicioso. Ele fingiu, quando aceitou o cálice envenenado da Fazenda em 1993, que seu único interesse era solucionar a crise econômica do país. Sua esposa, Ruth, se opôs a que ele fosse candidato presidencial. Mas ele adiantou a introdução do real para que ela precedesse a eleição de 1994, e bem antes da moeda ser trocada estava claro que ele concorreria à Presidência. Outras circunstâncias o ajudaram. Itamar Franco não encontrou um filho favorito para sucedê-lo. Antônio Carlos Magalhães, o astuto manda-chuva da Bahia, do conservador PFL (Partido da Frente Liberal), já tinha escolhido Cardoso como o homem que seu partido apoiaria. Marco Maciel, um nordestino desengonçado porém sagaz do PFL, apelidado de "mapa do Chile", tornou-se companheiro de chapa de Cardoso.

Lula, ainda à frente de FHC nas pesquisas de opinião, por 40 pontos a 17 em junho, véspera da introdução do real, demorou para perceber que um terremoto estava prestes a enterrá-lo. Ele zombou de Cardoso montando em um cavalo com um chapéu de couro no Nordeste, e disse que mulheres operárias não tinham tempo para barganhar ou boicotar lojas que cobravam preços muito altos em reais. Ele recusou um desafio de FHC para debater sobre o real.

O sucessor de Cardoso como ministro da Fazenda, Rubens Ricupero, foi gravado ao fim de uma entrevista, quando pensava que já estava fora do ar, dizendo que não tinha escrúpulos em esconder más notícias. Foi forçado a renunciar, mas nem isso foi suficiente para descarrilar a habilidosa e bem financiada campanha de FHC. Uma vaga insinuação de que Cardoso poderia ser ateu — comentário que fora tóxico numa campanha anterior dele — não fez diferença alguma. Nem tampouco um ataque do PT a Marco Maciel, alegando que ele tinha sido financiado por PC Farias.

Quando a eleição ocorreu no início de outubro de 1994, FHC venceu no primeiro turno, com o dobro de votos que Lula recebera. Ele teve 54,3%, ou 34,3 milhões de votos, contra 27% de Lula, ou 17,1 milhões. Foi uma derrota devastadora para Lula, inconcebível dois anos antes, resultado esmagador do sucesso tangível do Plano Real e da crença do povo de que o Brasil tinha finalmente uma moeda sólida, tão valiosa quanto o dólar. Embora Cardoso tivesse falado em privatizações e ajuda financeira a famílias mais pobres para compensar uma postura econômica por vezes conservadora, foi o real que fez a eleição virar. Sua saudação com os cinco dedos — cada um representando seus compromissos com emprego, saúde, educação, segurança e agricultura — era menos um manifesto do que um contraste com o punho fechado de um grevista.

Lula viajara obstinadamente pelo país com a mesma aliança esquerdista que estivera por trás dele em 1989, e o mesmo companheiro de chapa, José Paulo Bisol. Seu último grande comício, como antes, foi no Rio. Ele fizera o possível para acalmar os empresários. Ele tinha sido fotografado com aquele ícone de reconciliação, Nelson Mandela. Seria compreensível se ele tivesse ficado deprimido ou decidido a largar a política de vez depois dessa fragorosa derrota.

De fato, ele pensou muito nas lições dessa segunda derrota presidencial. Ao contrário de FHC, ele não era um intelectual. Mas era espantosamente intuitivo. Por cerca de quinze anos estivera trabalhando com um grupo de amigos e colegas; ele conhecia bem o Brasil, e o jogo político que emergira da ditadura; tinha boa memória para rostos, nomes e pessoas. Ele levara muito a sério um comentário cínico do economista e velho mestre da esquerda brasileira Celso Furtado. Num almoço em Paris, discutindo a estrutura de partidos, Furtado lhe disse: "Você não deve jamais se livrar de seus radicais. Eles dão vitalidade ao partido, e o mais importante, mostram a você o caminho que você não deve seguir".[11]

Por natureza, especialmente à medida que foi envelhecendo — estava com quase cinquenta anos na sua segunda eleição presidencial —, Lula era um conciliador, um homem que pairava acima de facções, alguém que desejava estender a mão a toda a família brasileira. Sua própria conclusão era que o Brasil não desejava um operário como presidente; queria um presidente de classe média. Além disso, no complexo labirinto da política brasileira, ele tinha que fazer alianças onde pudesse, sem as limitações impostas pelos puristas do PT.

Embora houvesse quatro partidos maiores que todo o resto — o PT, PSDB, PMDB e PFL — havia pelo menos meia dúzia de outros com força em determinadas localidades, com líderes particulares e um eleitorado definido. Num país de tão vasta extensão geográfica, onde a política clientelista era tradicional e a bagagem ideológica tênue, não existia pressão suficiente para criar a estrutura bipartidária familiar aos países anglo-saxões. Com efeito, a estrutura bipartidária que havia sido imposta pelos militares foi rejeitada como antidemocrática. Ademais, um sistema eleitoral nacional sem eleitores locais trabalhava contra a responsabilidade para com os votantes, assim como a volubilidade de políticos proeminentes, que faziam parecer respeitável o trocar de partido como quem troca de roupa.

Acima de tudo, o sistema de voto em dois turnos, para a Presidência e governadores, exigia líderes e partidos que olhassem para o futuro. Era difícil obter maioria absoluta em um primeiro turno com tantos candidatos. Rivais no primeiro turno teriam que resolver suas diferenças para garantir a vitória no segundo.

Lula reparou que sua própria votação em 1994 foi bem maior que a de seu partido; onde fosse necessário, ele deveria se libertar das restrições partidárias. Embora talvez continuasse a crer que havia trezentos ladrões no Congresso, eram ladrões com quem ele teria de trabalhar para conseguir que ele ou o PT chegassem ao governo. Enquanto diferentes questões iam surgindo, senadores e deputados do PT votavam com ou contra diferentes aliados; nos estados, especialmente onde havia eleito governadores ou prefeitos, o PT já estava emaranhado em alianças, mesmo se tivessem base na esquerda.[12]

Embora a questão das alianças causasse contínuas rusgas dentro do PT, era inevitável. Um partido grande, o PMDB, compartilhava alguma história antiditadura com o PT, assim como o mais novo PSDB. Mas o PMDB era, realmente, uma coleção de feudos regionais e pessoais, e não uma formação coerente; havia sempre uma pequena fricção entre esses chefes do PMDB que desejavam estar próximos ao governo em Brasília — frequentemente a maioria — e aqueles que viam mais vantagens em se opor a ele. E muitos dos pequenos partidos, os partidos nanicos, estavam abertamente à venda.

Nos anos 90, após sua primeira derrota para FHC, Lula abraçou de maneira franca a necessidade de alianças, mesmo aquelas aparentemente inadequadas. Isso o perseguiria depois de eleito presidente em 2002. Pode muito bem ser que sua simpatia pela opção parlamentarista derivasse da sua percepção de que o sistema brasileiro requeria alianças. Em sua própria personalidade ele sempre fora, nos sindicatos e no seu trato com os movimentos sociais, um homem de aliança.

Embora Lula criticasse FHC pela quantidade de tempo que despendia fora do Brasil como presidente, ele também gostava de viajar e aprendia rápido. Ele conheceu todo mundo que era alguém — o papa, Nelson Mandela, Bill Clinton, Fidel Castro e outros líderes latino-americanos. Ele se encontrara com o papa pela primeira vez em 1980, durante a visita de João Paulo II ao Brasil, pouco depois de ser libertado da prisão.

Os meados dos anos 90 foram uma época curiosa para o Brasil em assuntos internacionais, com promessas de uma nova ordem mundial, após a Guerra Fria, que foram rapidamente descumpridas. A primeira Guerra do Golfo, a sangrenta partição da Iugoslávia e o genocídio em Ruanda puseram em cheque as esperanças humanitárias de um mundo edificado sobre direitos humanos e as Nações Unidas. O poder da China e da União Europeia parecia crescer; o estado desesperador de grande parte da África, mesmo após o fim do *apartheid*, era uma lembrança de que países em desenvolvimento que fracassaram deixaram o seu povo no fim de todas as filas.

Havia apenas uma superpotência, os Estados Unidos, e apenas uma filosofia econômica predominante — a globalização do fluxo de capital livre e do "Consenso de Washington". Os peronistas na Argentina, tradicionalmente nacionalistas na economia, estavam convertidos em privatistas e adeptos do livre comércio sob Carlos Menem. A esquerda chilena, grata por ver-se livre da ditadura de Pinochet, dera as costas ao radicalismo de Salvador Allende, o presidente socialista martirizado em 1973. Mais distante, o comunismo chinês adotara com deleite a empresa particular, o ministro das Finanças indiano, Manmohan Singh, estava derrubando o "*license raj*" de planejamento e burocracia, e o Congresso Nacional da África jogou fora a maior parte do seu socialismo ao vencer as primeiras eleições democráticas na África do Sul em 1994.

Anglo-americanos moderados de centro-esquerda estavam lutando para que a livre iniciativa fizesse mais pelo bem-estar social, mas sentiam que tinham que conviver com o Consenso de Washington. Nos Estados Unidos, onde Bill Clinton foi presidente de 1993 a 2001, os democratas estavam envolvidos em uma estratégia direitista de "triangulação", procurando um denominador eleitoral comum entre conservadores tradicionais e radicais. No Reino Unido, onde os trabalhistas tinham sido forçados à oposição na mesma época em que a grande onda grevista tornava Lula um nome familiar no Brasil, Tony Blair foi ainda mais drástico. Eleito líder em 1994, ele persuadiu seu partido a livrar-se da Cláusula IV de compromisso com a nacionalização; no lugar dela, encorajou seus batedores a promoverem o "Novo Trabalhismo" e um "Caminho do Meio" que seriam mais amistosos aos negócios e à classe média.

Lula estava, até certo ponto, preso entre a militância ideológica de muitos de seus seguidores e a ordem mundial neoliberal. Ele, pessoalmente, não era um ex-comunista ou marxista, mas era um crítico feroz da "social-democracia" do PSDB. Procurava se concentrar em questões de grande importância para si: fome, pobreza, as regras de comércio mundial (que segundo ele penalizavam o Brasil e outros países em desenvolvimento), e manter a soberania econômica nacional.

Mas o Brasil estava cada vez mais exposto aos fluxos e refluxos das finanças internacionais. Uma fórmula tinha sido inventada a fim de avaliar o "risco Brasil" para credores e investidores de fora; enquanto países em desenvolvimento estavam sendo rebatizados de mercados emergentes, com montes de oportunidades, ainda era o caso de investidores norte-americanos ou europeus poderem retirar seu dinheiro instantaneamente por razões que talvez não tivessem muito a ver com o Brasil.[13]

Para irritação de Lula e do PT, Cardoso chegou à Presidência com considerável boa-vontade — fora do Brasil, onde ele era conhecido como um notável sociólogo,[14] e dentro também. Alain Touraine, um colega sociólogo e amigo na França, celebrou sua eleição como uma vitória do futuro sobre o passado, que possibilitaria ao Brasil tirar proveito dos pontos positivos da globalização.

Por diversas vezes Lula rejeitou aproximações de FHC procurando seu apoio. FHC frequentemente tratava Lula com o respeito por um antigo aliado que tomara um rumo diferente — embora o acadêmico não deixasse de admoestá-lo como a um estudante desobediente. Em uma das visitas de Lula ao Palácio do Planalto em Brasília, FHC chegou a dizer-lhe que aquele palácio seria dele um dia. Cardoso sentia saudade daquele momento no fim dos anos 70 em que ambos estavam juntos na luta contra os militares, e sentia que a divisão dos dois não era natural.

Mas Lula e o PT eram inflexivelmente contrários a muito do que FHC estava fazendo. A briga começou quando Cardoso tomou posse — foi apenas a segunda vez na história do Brasil que um presidente eleito transmitiu o poder para outro em público[15] — e um deputado do PT apresentou uma proposta para aumentar o salário mínimo mensal para cem reais.[16] Cardoso vetou o aumento, o movimento sindical começou a se mobilizar a favor e a questão se misturou com a crise econômica mexicana do início de 1995, quando uma grande quantidade de fundos saiu do Brasil e o governo corajosamente evitou desvalorizar o real. Não obstante, os sindicatos conseguiram seu aumento no salário mínimo.

Lula atacava o governo por estar no bolso de seus aliados conservadores do PFL. Ele também criticava os planos de abrir a economia interna para investidores internacionais. Pouco depois de assumir a Presidência, e menos de sete anos após a Constituição democrática de 1988, Cardoso propôs cinco emendas constitucionais. Elas objetivavam redefinir o que era uma empresa "brasileira", reformar a previdência social e o sistema de pensões, e, o que causou mais controvérsia, acabar com o monopólio estatal da Petrobras sobre o petróleo.

Os governos militares tinham permitido à Petrobras trazer sócios estrangeiros para contratos de risco de exploração. Mas era sintomático de uma onda de nacionalismo econômico que permeou a Constituição de 1988 e um reflexo do enorme simbolismo da Petrobras, remontando aos dias de Getúlio, que o monopólio do combustível tivesse realmente sido incluído na nova Constituição. Os velhos aliados de Lula entre os petroleiros entraram em greve para salvá-la, mas sem sucesso. Cardoso enviou tropas às refinarias e os sindicalistas voltaram ao trabalho após um mês.

Houve outras privatizações significativas durante a era FHC, notadamente a da Telebrás, o ineficiente monopólio estatal das telecomunicações. Como em outros países em desenvolvimento, ele fora frequentemente custoso e lento na instalação de linhas telefônicas no Brasil; na era do *e-mail* e dos telefones celulares, o público rapidamente se apegou aos produtos baratos, recém-disponibilizados. Embora pudessem atacar a possível corrupção ou lucro indébito no processo dessas privatizações, o PT e os sindicatos corriam o perigo de parecer ultrapassados enquanto as gerações mais novas de consumidores agarravam as novas oportunidades. Uma dificuldade fundamental para o PT era que o real continuava popular, especialmente entre grupos de baixa renda, que não precisavam mais se matar por um dinheiro que a inflação reduzia a nada.

Em 1995, Lula entregou a presidência do PT. José Dirceu, o ex-revolucionário e homem da organização que continuava despertando suspeitas na direita, foi eleito em seu lugar. Ele derrotou um adversário mais à esquerda e consolidou o controle do partido nas mãos de uma coalizão moderada. Lula continuou se dedicando à sua campanha permanente à Presidência da República.

A Constituição de 1988 proibia um segundo mandato para presidente, governador ou prefeito. Mas em junho de 1997, o Congresso aprovou uma emenda constitucional, após muita discussão, barganhas e transferência de fundos a alguns deputados. Isto permitiu ao presidente e a estes outros executivos eleitos disputar dois mandatos. Para a surpresa de ninguém, Fernando Henrique Cardoso aceitou concorrer novamente à Presidência em 1998.

Os meados dos anos 90 assistiram a mais ataques pessoais a Lula. Embora não tão violentos quanto a utilização de Lurian contra ele por Collor, nem tão prejudiciais, não foram agradáveis. Ele foi criticado por morar numa casa em São Bernardo paga por um amigo, Roberto Teixeira; foi denunciado pela *Folha de S. Paulo* por aceitar uma pensão decorrente de sua prisão pela ditadura.

Embora o PT fosse agora uma parte regular do sistema político, de Brasília às câmaras municipais, ele continuava a se alimentar de suas ligações com os movimentos sociais que praticavam a democracia participativa. A democracia no Brasil ainda era jovem. Embora houvesse fricções entre o povo e seus representantes eleitos, o PT encapsulava uma aspiração de que o Brasil poderia construir um tipo diferente de democracia. Isto era mais atraente à medida que uma globalização sem alma varria indústrias, a agricultura familiar e um senso de segurança.

O governo do PT em Porto Alegre era considerado um exemplo de como as coisas podiam ser feitas de forma diferente. Porto Alegre, capital do Rio Grande do Sul, com mais de um milhão de habitantes, era relativamente próspera para os padrões nacionais, com altos índices de alfabetização; o próprio estado tinha uma população substancial de descendência alemã e italiana, e uma reputação de radicalismo. No século XIX, Garibaldi havia lutado por ele, Getúlio desencadeara sua revolução de 1930 como seu governador, e, em 1964, o governador Brizola pressionava pela reforma agrária lá quando sobreveio o golpe militar.

Obtendo o poder em Porto Alegre em meados dos anos 80, o PT resolveu compartilhá-lo com as comunidades locais, especialmente pobres, por meio de uma série de reuniões públicas para estabelecer o orçamento. O processo foi em parte inspirado na maneira democrática que a CUT lidava com suas próprias finanças; em parte nas ideias do educador Paulo Freire, que ligava o "aprender fazendo" a uma posse mais profunda da democracia pelo povo; e em parte pelo reconhecimento de que o exercício de escolha financeira é a chave do poder na política.

Ao longo de duas décadas, o PT administrou Porto Alegre e refinou seu sistema de orçamento participativo. Havia um ciclo anual de três tipos de reuniões, plenários regionais e temáticos, fóruns de delegados de dezesseis regiões da cidade, e reuniões de um conselho orçamentário. O processo era real, e envolvia o *feedback* sobre o desempenho: o orçamento, arduamente discutido, ia então ao prefeito para aprovação pela Câmara Municipal. Enquanto apenas 3.700 pessoas da região estiveram envolvidas nos debates em 1991, o número cresceu para quase 40 mil uma década depois. O próprio PT se beneficiou, com o número de membros do partido crescendo de 8.817 em 1990 para 24.033 no início de 2001.[17]

O processo teve benefícios sociais consideráveis, especialmente nas vizinhanças mais pobres, com a construção de cinquenta escolas, melhorias em moradia e um aumento na cobertura do sistema de esgoto de 46% para 86% da cidade em apenas uma década. Os aspectos educacionais e de delegação de poderes do processo tinham benefícios adicionais: a cidade pôde insistir para que o Carrefour, a cadeia francesa de supermercados, empregasse gente jovem e abrisse espaço para quarenta lojas locais; houve até uma queda significativa na falta às aulas.

Embora o PT tivesse outras áreas exemplares de apoio regional, como por exemplo o Acre, na Amazônia, e Santo André, no cinturão industrial em torno de São Paulo, Porto Alegre atraiu mais atenção internacional. Foi em parte por essa razão que em 2001, durante o segundo mandato de FHC, ela sediou o 1° Fórum Social Mundial, organizado para coincidir com e confrontar as ideias do Fórum Econômico Mundial em Davos, na Suíça. Isto forneceu uma oportunidade para debates entre ativistas antiglobalização, a exploração do verde, ideias localistas e socialistas, e alternativas à Organização Mundial do Comércio. Lula foi aplaudido nesses eventos até 2005, quando já era presidente havia três anos e foi vaiado.[18]

Se Porto Alegre ilustrava como o PT estava tentando desenvolver a prática da democracia, o MST, o Movimento dos Sem-Terra, estava tentando suas próprias soluções radicais no campo. A questão da reforma agrária tinha sido reconhecida, mas não resolvida, por décadas antes de o MST existir. Sob o aspecto moral, havia o confisco original, pelos portugueses, das terras usadas pelos índios, que não tinham o conceito europeu de propriedade. Isto foi seguido por um padrão de ocupação pela força e falsificação de escrituras que tornou muitas dessas posses questionáveis. Especulação e drástico desmatamento para plantação de soja, cítricos ou criação de gado haviam expulsado muitos trabalhadores rurais e pequenos fazendeiros no fim do século XX. A modernização estava ocasionando concentrações de riqueza e de terras no campo.

Indo contra a corrente, o MST lançou uma série de ocupações. Em maio de 1986, ele conseguiu realizar o primeiro encontro nacional de seus colonos, para o qual setenta e seis assentamentos em onze estados enviaram delegados. Em 1989, Lula realizou seu comício de maior sucesso fora das cidades, assistido por quarenta mil pessoas, no assentamento do MST em Encruzilhada Natalino, no Rio Grande do Sul. O MST se afastou de sua tutelagem original pela Igreja Católica. Além de enfrentar latifundiários e autoridades, o movimento começou a pressionar por serviços adequados de educação e saúde em seus campos, e se interessou por agricultura orgânica em pequena escala. Era idealista, experimental em vida coletiva e em suas próprias formas de democracia direta.

A batalha no campo era brutal, com latifundiários contratando pistoleiros para defender suas propriedades, mortes e confrontos. Uma das piores atrocidades aconteceu no Pará em abril de 1996, quando pelo menos dezenove colonos, incluindo um punhado de líderes locais, foram mortos pela polícia estadual em conluio com os latifundiários.[19] O lugar, conhecido como Eldorado dos Carajás, não era longe de Marabá na estrada Transamazônica construída pelos militares, mas não era nenhum Eldorado. Era uma área de conflito de terras, influenciada pela grande concessão de ferro da CVRD em Carajás, e quatro anos depois, nenhum policial militar tinha sido julgado.

O entusiasmo neoliberal de Cardoso tendia a intensificar a fricção rural. Enquanto o Brasil ganhava uns cinco bilhões de dólares na exportação de soja em 1999 — e a fronteira da soja no Mato Grosso estimulava o desmatamento —, estava gastando 7,5 bilhões de dólares importando safras de alimentos tradicionais brasileiros como arroz, feijão e milho.[20] Multinacionais estavam colocando as mãos no comércio de grãos e no processamento de alimentos, e uma área quatro vezes maior que a do Reino Unido passou a ser utilizada para agricultura, na maior parte savana e floresta tropical, entre 1992 e 1998.[21] Tudo isso coincidiu com o declínio da força de trabalho na agricultura, e críticos sentiram que FHC parecia não se importar.

Lula, ao contrário, se insurgia contra os aspectos desumanos das forças mercadológicas e a perda da soberania econômica do Brasil. Mas sabia que enfrentaria uma luta difícil com Cardoso na eleição presidencial de 1998. FHC transformara-se na coqueluche dos empresários no mundo desenvolvido, e, embora o déficit comercial tivesse subido de 3,4 bilhões de dólares em 1995 para 6,5 bilhões de dólares em 1998, o Brasil estava nadando em investimentos estrangeiros. Os índices líquidos de investimento estrangeiro direto subiram de 9,6 bilhões de dólares em 1996 para 26,3 bilhões de dólares em 1998.

Cardoso era festejado internacionalmente não apenas por suas privatizações e sua disposição de desafiar o trabalhismo, mas também pela solidez do seu real e por sua Lei Fiscal, que, em termos simples, requeria que o estado não gastasse mais do que arrecadava em impostos. Ele considerava os seus críticos burros e afirmou com franqueza que tudo o que havia dito ou escrito como um jovem e radical sociólogo deveria ser esquecido.

Em 1998, Lula concorreu à Presidência com o veterano Leonel Brizola como companheiro de chapa. Mais uma vez houve uma crise financeira internacional, com o Brasil e outros países latino-americanos obtendo auxílio do FMI e do G7, e uma perda de 30 bilhões de dólares das reservas brasileiras até 30 de setembro. A crise tinha começado no sudeste da Ásia em 1997 e se espalhado com um calote russo em 1998. A Bolsa de Valores de São Paulo, BOVESPA, subia e descia como um ioiô, chegando a 18,6% em um dia quando foi anunciado que a ajuda do FMI estava a caminho.

Lula organizou um conselho consultivo "acima dos partidos", pediu a Cardoso que reconvocasse o Congresso e pediu impostos maiores sobre grandes fortunas e impostos sobre especulação financeira. Ele comparou a abordagem do governo a essa questão com a do técnico brasileiro na Copa Mundial de Paris, a quem ele culpava por não ter substituído um jogador fora de forma, Ronaldo, porque seu uniforme era patrocinado por uma multinacional. Ele tentou construir um novo segmento de apoio e, falando a representantes de igrejas evangélicas em Belém, afirmou que daria prioridade às "causas genuínas da fé". Um "grito dos excluídos" a 7 de setembro, coincidindo com o dia da Independência, tornou-se uma manifestação dos marginalizados e das igrejas a favor da candidatura de Lula.

Mas era difícil para Lula mudar a opinião pública. O mote dos comerciais de TV de FHC era que a escolha era ele ou o caos, e os esforços de Lula para culpá-lo pela crise não funcionaram. Em vez disso, o povo considerou o pai do real um porto na tempestade. Em 6 de setembro, as pesquisas davam a Cardoso uma dianteira de 47% sobre 23% de Lula, e Lula enfrentava o prospecto de ser nocauteado no primeiro turno. Foi exatamente o que aconteceu. Cardoso venceu com 35.923.259 votos contra 21.470.442 dados a Lula; o PT ganhou apenas três governos — no Rio Grande do Sul (com Olívio Dutra), no Mato Grosso do Sul e no Acre.

Em que pé ficava Lula após a sua terceira derrota presidencial? Ele estava prestes a completar cinquenta e três anos em 27 de outubro. Pode-se dizer que ele se saíra melhor na sua primeira campanha, que forçara Collor a um segundo turno, do que em ambas as disputas com FHC. Em uma democracia mais consolidada, seu partido teria certamente desejado substituí-lo, para dar a outro candidato uma chance.

Mas a despeito das conquistas da nova democracia, pela qual Lula, o PT, os sindicatos e os movimentos sociais poderiam se juntar para reivindicar o crédito, a democracia brasileira ainda estava em estágio de desenvolvimento. Lula atraía mais votos que o PT. O PT nunca seria mais que um dos principais partidos políticos, e sua estrutura assumiu a persistência de facções dentro dele. O peso da televisão, da propaganda e da imagem na evolução da sociedade brasileira fazia com que o candidato tivesse mais peso que o seu partido.

Neste contexto, Lula era, à exceção do presidente Cardoso, o político mais conhecido do Brasil. Seu nome vinha sendo familiar havia vinte anos e, como ninguém mais, ele assumira como missão visitar cada esquina do país. Todos os brasileiros sentiam que o conheciam como a outro ser humano. Ele também representava algo, embora vago: um tipo melhor de democracia plural; um Brasil que defendia seus próprios interesses econômicos, junto aos de outros países em desenvolvimento.

A despeito de sua própria pertinácia, seu amor pela ribalta e o apoio de sua esposa e família em qualquer escolha que fizesse, teria sido surpreendente se Lula não tivesse sofrido um momento de dúvida em outubro de 1998. Pouco depois de sua derrota, ele chegou a discutir com seus confidentes mais próximos a possibilidade de o PT e a esquerda brasileira lançarem um candidato diferente em 2002.[22] Ele incentivou Tarso Genro do Rio Grande do Sul; José Genoino, o ex-guerrilheiro; Eduardo Suplicy, um dos intelectuais petistas de São Paulo; e Cristovam Buarque, que se tornaria governador de Brasília, a viajar pelo país e ver se algum deles conseguiria obter o apoio necessário. Mas a resposta foi a de que Lula ainda era a melhor aposta, e numa eleição primária do PT contra Suplicy, venceu com 70% dos votos.

Lula era um homem que mantinha algumas crenças, e seu histórico se mantinha por si só. Mas não resta dúvida de que era uma vítima do que os brasileiros chamam de "a mosca azul" da ambição. Ao decidir que partiria para um quarto desafio pela Presidência, em 2002, jurou que o faria em seus próprios termos. Ele simplesmente *tinha* que vencer da próxima vez. Ele precisava de um trunfo para ganhar uma parte substancial dos 70% de eleitores que já o tinham rejeitado três vezes. Ele faria quaisquer acordos que fossem necessários — em alianças, no programa, na forma de se apresentar. Não havia alternativa. Se idealistas da esquerda ainda o viam como algum tipo de socialista utópico, era uma ilusão deles.

O segundo governo de Cardoso não foi um grande sucesso, e no fim dele o presidente, seu partido e o homem escolhido para sucedê-lo — José Serra, que fora ministro da Saúde — não eram populares. A criminalidade e o desemprego cresceram; as crises financeiras persistiram. A primeira foi precipitada em janeiro de

1999 quando Itamar Franco, o ex-presidente que agora era governador de Minas Gerais pelo PMDB, disse que seu estado suspenderia o pagamento de dívidas ao governo federal, causando uma queda no crédito internacional do Brasil.

Isto desencadeou a desvalorização do real e uma mudança para um regime de flutuação da moeda. FHC designou Armínio Fraga, um rico ex-acadêmico e colega do especulador internacional George Soros, para chefiar o Banco Central.

Lula foi cáustico sobre essa nomeação, e a CUT, em uma declaração oficial em que rejeitava Fraga como um símbolo dos excessos do neoliberalismo, afirmou que era como colocar uma raposa para cuidar do galinheiro. Lula rejeitou convites de Cardoso para que se juntasse a ele em uma resposta nacional à crise econômica. Alguns no PT tentaram iniciar procedimentos de *impeachment* contra o presidente. Em maio de 2001, somando-se à sensação de que a economia não estava sendo bem administrada, houve cortes de energia e a eletricidade teve de ser racionada.

Além da fronteira da Argentina, nos primeiros anos do novo século, houve uma implosão econômica e social; presidentes mudaram em alta velocidade, houve um calote na dívida, indústrias falidas foram ocupadas pelos operários, a classe média estava pauperizada. O calote em títulos da dívida pública por um presidente peronista interino, em dezembro de 2001, causou particular repercussão. Dentro e fora do Brasil havia grande temor de que o Brasil seguisse o mesmo caminho e de que, se eleito, Lula também desse calote.

Em 2002, ano da próxima eleição presidencial, contudo, Lula havia acumulado um grande banco de experiência e contatos. Ele decidira que, para vencer, teria de apresentar uma imagem moderada e atingir a maioria dos eleitores que já o haviam rejeitado três vezes. De certa forma este foi um rumo paralelo ao tomado por Tony Blair e o "Novo Trabalhismo" na Grã-Bretanha, mas as circunstâncias eram diferentes em um sistema presidencial complexo e multipartidário que estava a apenas quinze anos de distância de uma ditadura militar.[23]

A jogada mais audaciosa de Lula foi entregar a publicidade e o *marketing* de sua campanha a Duda Mendonça. Baiano, Mendonça havia trabalhado para diversos indivíduos e partidos desde que ajudara Collor a ser eleito governador em Alagoas. Muitos o consideravam um gênio, embora o tipo de profissional amoral disposto a vender seus serviços a qualquer um que pagasse. Uma de suas mais celebradas campanhas tinha conseguido eleger Paulo Maluf prefeito de São Paulo em 1992. Ele higienizou a imagem deste homem conservador e alvo de muita desconfiança que fora governador de São Paulo durante a era militar. Ele engenhosamente atualizou o *slogan* originalmente dirigido a Adhemar de Barros, um governador paulista dos anos 60, de quem se dizia que "rouba mas faz".

Os militantes do PT haviam conseguido manter Mendonça fora de suas campanhas presidenciais anteriores. Assumindo uma boa dose de autonomia em 2002, ele utilizou grupos de discussão para avaliar os pontos fortes e fracos de Lula, gastou rios de dinheiro em propaganda televisiva e comícios repletos de celebridades, e promoveu a imagem de um esperto e amigável homem do povo — um Lula de paz e amor cuja hora havia chegado. Ele alegava não estar fazendo nada além de projetar aspectos do candidato que sempre haviam estado lá, mas nunca haviam sido claramente apresentados. Um vídeo da campanha de Lula, feito por um cineasta independente, mostra o candidato presidencial submetendo-se ao homem do *marketing*.[24] O que não estava claro, e se transformou em um problema dramático em 2005, era como esta dispendiosa publicidade e propaganda estava sendo paga.

Após sua derrota em 1998, Lula havia utilizado o Instituto da Cidadania e seus grupos de trabalho para planejar ações políticas. Na eleição de 2002, sua promessa social mais atraente foi lançar o Fome Zero, um plano para assegurar que nenhuma família pobre no Brasil passasse fome novamente. Vindo de alguém que passara fome na infância, este era um compromisso que transmitia convicção. Mas numa tentativa deliberada de se afastar do radicalismo do PT, ratificada na conferência nacional do PT em 2001, ele escreveu uma "Carta ao povo brasileiro" em junho de 2002. Nela, ele afirmava que não daria calote na dívida nacional, que todos os contratos seriam honrados, e que a iniciativa privada seria encorajada. Foi uma pílula amarga para muitos no PT, e inicialmente não alcançou o objetivo de acalmar as especulações eleitoreiras contra as finanças do Brasil. José Dirceu acrescentou que o Banco Central receberia autonomia operacional.[25]

Quando o MST ocupou uma fazenda pertencente aos filhos do presidente Cardoso em março de 2002, Lula fez uma declaração de apoio ao presidente e à propriedade privada. Ele não queria que seus adversários o atacassem com a propaganda da expropriação, como o pessoal de Collor fez em 1989, quando ameaçaram proprietários de casas com a ocupação iminente pelos sem-terra.

Lula deu outros passos para ampliar sua base de apoio. Ele recrutou como vice na sua chapa um empresário milionário, José Alencar. Alencar deixara um lar pobre e uma família numerosa aos catorze anos, dormindo em corredores e construindo uma empresa têxtil em Minas Gerais com trabalho árduo. Ele não era um político proeminente e estava ligado a um dos menores partidos de direita, o Partido Liberal; ele era evangélico e seu partido também era apoiado por esse movimento religioso.[26] Lula estava, portanto, mandando duas mensagens ao eleitorado, como alguém cuja própria política estava associada aos pobres e à Igreja Católica. Ele também estava sabotando um rival, Anthony Garotinho, governador do Rio de Janeiro, que também tinha apoio evangélico.

A campanha foi posta nas mãos experientes de Luiz Gushiken, um dos mais antigos colegas sindicalistas de Lula, apelidado "o chinês" por sua aparência. A campanha focalizou as sessenta e duas cidades com as maiores populações, e as alianças do PT foram construídas com quaisquer partidos que pudessem ser recrutados além do tradicional bloco esquerdista. Estes incluíam nacos do PMDB, partidos como o PTB, que queriam estar próximos ao poder e aos empregos que isso poderia proporcionar, e os partidos mínimos, baseados em personalidades, que ainda sujavam a paisagem.[27] Formalmente, Lula estava sendo apoiado por seus habituais quatro partidos na eleição presidencial, mas a aliança no Congresso que era eleito ao mesmo tempo englobava nove partidos.[28]

Lula foi eficaz como sempre, em sua trilha — falando a multidões gigantescas, viajando por todo o Brasil, ocupando-se com os sonhos do povo. Ele atacou Cardoso por tentar "aterrorizar os eleitores" quando disse que o Brasil poderia cair no abismo econômico da Argentina. Deixou claro que não era um entusiasta da ALCA, Área de Livre Comércio das Américas, que estava sendo empurrada pelo presidente George W. Bush. E ele estava, pela primeira vez numa eleição desde antes da introdução do real, à frente nas pesquisas. José Serra, do grupo paulista no topo do PSDB, tinha sido bem cotado como ministro da Saúde, mas não era carismático e a popularidade de FHC havia se esgotado.

Os resultados do primeiro turno, em 1° de outubro, davam a Lula 46% dos votos e a Serra apenas 32%, com mais 29% distribuídos entre dois outros candidatos, Ciro Gomes e Anthony Garotinho. Mas políticos brasileiros experientes viram que estava tudo virtualmente acabado, e pessoas de várias tendências — incluindo Paulo Maluf e Delfim Netto, um ministro da Fazenda dos militares — correram para o que os cínicos descreveram como a "Arca de Noé" de Lula. Muitos no eleitorado esperavam que Lula introduzisse uma mudança profunda e pusesse fim ao sofrimento causado pelo neoliberalismo.

O *Financial Times* de Londres, num editorial escrito a distância, disse que todos os sinais eram de que haveria uma moratória

Fernando Collor venceu, mas teve que renunciar.

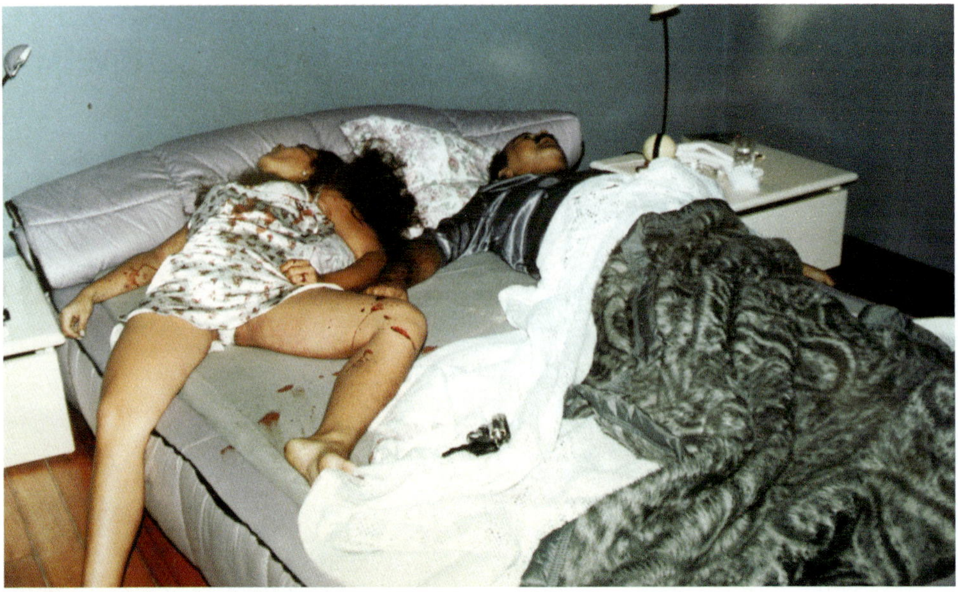

Tragédia pós-Collor: seu amigo PC Farias é brutalmente assassinado.

Itamar Franco, vice de Collor, toma posse e começa a criar o Plano Real.

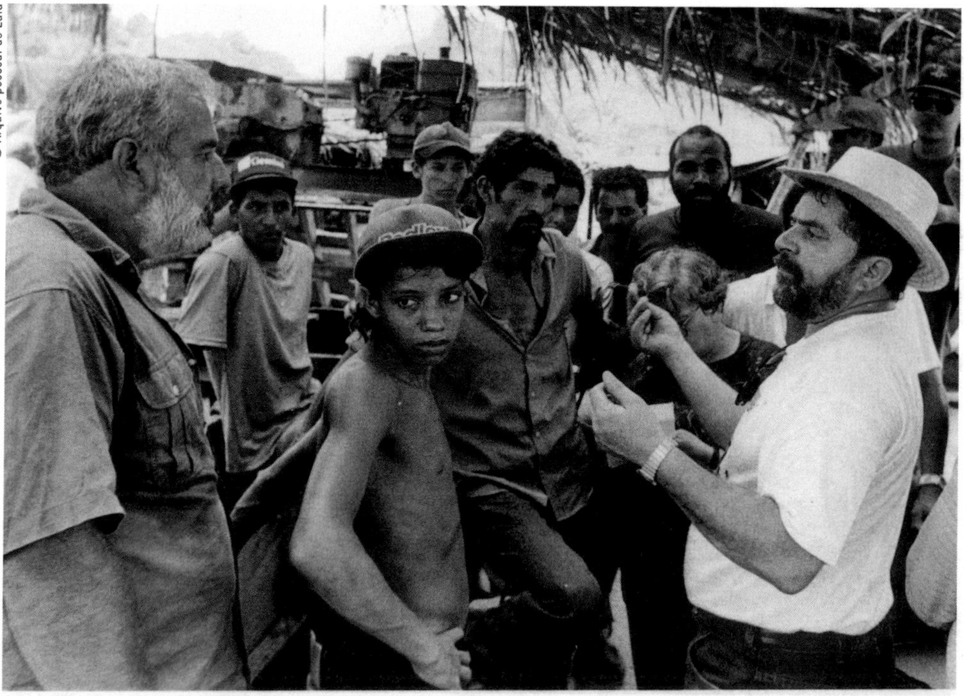

Lula começa a viajar pelo Brasil, na Caravana da Cidadania...

... e pelo planeta, quando conheceu todo mundo que era alguém.

Conhecendo o Brasil, na Caravana da Cidadania.

No Vale da Ribeira, em São Paulo.

Emoção nos fundões do Brasil.

Num garimpo distante.

Com Mario Soares, em Portugal.

Com Nelson Mandela em sua visita ao Brasil.

Com Willy Brandt, na Alemanha.

Com Yasser Arafat, no Oriente Médio.

Campanha de 1994, em São Paulo, com José Dirceu ao lado: a segunda derrota.

Com José Dirceu, mais uma vez, na campanha de 1998: terceira derrota.

Marta
LULA
13
SUPLICY
LULA
13
PRESIDENTE

QUERO

Campanha de 2002 pelas ruas de São Paulo: esta sim, seria vitoriosa.

Posse triunfal em Brasília: a vitória da ambição e da persistência

© Ricardo Stuckert

na dívida, conforme anunciado pelo PT em eleições anteriores, e que Lula deveria acalmar o mercado.[29] Antonio Palocci, o coordenador do programa de governo de Lula e prestes a ser nomeado ministro da Fazenda, disse, no entanto, que o governo de Lula manteria a mesma política de FHC para a tributação; de imediato os títulos brasileiros subiram 5,85%, a Bolsa de Valores pulou para 6,34%, e o chamado Risco Brasil caiu 8,66%.

De fato, Lula vinha sendo coerente, seguindo sua carta ao povo brasileiro. Cardoso, preocupado com a especulação do mercado que derrubou o real assim que a eleição deslanchou, havia convocado os três principais contendores — Lula, Serra e Ciro Gomes — em agosto. O presidente encorajou os três a concordar publicamente que manteriam o atual programa com o FMI, independentemente de quem vencesse.

Depois que Lula chegou à frente ao fim do primeiro turno, o mundo se adaptou à sua iminente vitória. Jornalistas noticiaram que embora Washington não estivesse ansioso para ver uma presidência de Lula, o presidente Bush esperava que ela fosse bem mais amistosa que a presidência de Chávez na Venezuela e freasse o antiamericanismo de esquerda.

No segundo turno, em fins de outubro, Lula finamente venceu. Ele recebeu 52.788.428 votos contra 33.366.430 dados a Serra — ou 61,3% contra 38,7%. Foi definitivo. A empolgação de seus partidários foi enorme. Ainda havia nervosismo entre os ricos. Lula ainda enfrentava preconceito e esnobismo.[30] O segundo turno ocorrera a 27 de outubro, seu 57° aniversário. O primeiro turno, em 6 de outubro, coincidira com a data que seu pai havia registrado equivocadamente como sua data de nascimento.

O médico Antonio Palocci,
no Ministério da Fazenda,
acalmou os mercados.

5 RESUMO DO PRIMEIRO MANDATO

A vitória eleitoral de Lula causou euforia a todos que o haviam apoiado desde o início. Quando o segundo turno confirmou o triunfo dele, a Avenida Paulista, centro da riqueza de São Paulo, irrompeu com bandeiras vermelhas do PT. Assim que ele aceitou a faixa presidencial de Fernando Henrique Cardoso no começo de 2003, houve um carnaval em Brasília; os pobres, operários, estudantes e membros de movimentos sociais lotaram a área em torno do Congresso — a Praça dos Três Poderes — para comemorar e dar demonstração de união.

Não era o homem que mantivera encontros secretos com empresários para tranquilizá-los, nem o homem que fabricara uma imagem de classe média em ternos de bom caimento e gravatas com nó inglês cuja vitória celebravam; era o "presidente operário". Um grupo de dezessete parentes de Lula que moravam nos arredores de Garanhuns foi a Brasília para festejar e ver de perto o milagre. Muitos ainda eram pobres. Se Abraham Lincoln fora para os americanos do século XIX um símbolo de que era possível começar a vida numa cabana de lenhador e terminá-la na Casa Branca, a história de Lula, o imigrante oriundo de um lar desfeito que perdera o dedo num acidente de fábrica parecia igualmente inacreditável e inspiradora.

Para Lula e Marisa isso era um sonho tornado realidade. Sua vitória, na quarta tentativa, viera no seu quinquagésimo sétimo aniversário. No volúvel, egoísta e frequentemente corrupto mundo da política brasileira, ele representava compromisso e pertinácia. Ele desempenhara um papel importante no estabelecimento da democracia, na obtenção de melhores condições para trabalhadores, de um movimento sindical autônomo, e na criação de um partido político ético e democrático. Sua vitória prometia maturidade à nova República do Brasil, e uma tentativa séria de desafiar a desigualdade social e o enraizado conservadorismo do seu país. Agora, por fim, ele era presidente. O que faria?

Suas primeiras medidas tiveram o objetivo de acalmar os que estavam preocupados com a economia, ao mesmo tempo indicando seus partidários que a mudança estava a caminho. O último ano do governo FHC testemunhara outro ataque especulativo, inflação de 20%, e uma situação tão prejudicial ao setor público, que o ministro da Educação de Cardoso não podia pagar uma passagem aérea para Washington.[1]

Em sua primeira grande coletiva de imprensa, Lula anunciou o programa Fome Zero, idealizado para erradicar a fome do Brasil. Mas suas duas principais nomeações, conforme a linha adotada por ele na sua Carta ao Povo Brasileiro, foram as de Antônio Palocci como ministro da Fazenda, e Henrique Meirelles, um ex-banqueiro internacional do Bank Boston, para dirigir o Banco Central. Palocci fora prefeito petista da cidade de Ribeirão Preto, no estado de São Paulo.[2] Trotskista na sua juventude e médico formado, vinha de uma família de classe média. Meirelles acabara de ser eleito deputado do PSDB por Goiás.

Esses dois deixaram claro que não haveria nenhum cancelamento ou renegociação de dívida. Em vez disso, comprometeram-se a adotar uma postura mais conservadora com moeda forte, taxas de juros altas, superávit de exportações, e uma redução gradual do custo da dívida pública. O Brasil não seria a Argentina.

Ao mesmo tempo, Lula pôs seu fiel organizador, José Dirceu, na direção da Casa Civil, o gabinete presidencial que administra boa parte do governo e assuntos partidários em nome do presidente. E demonstrou que falava sério sobre mudanças sociais: Gilberto Gil, o músico popular negro que havia se apresentado nos comícios de Lula, foi nomeado ministro da Cultura; Benedita da Silva, também negra, recebeu a pasta da Ação Social; Olívio Dutra, o outrora líder dos bancários que se tornara governador petista do Rio Grande do Sul, foi feito ministro das Cidades — nas quais a expansão, as favelas e a criminalidade estavam criando uma mistura inflamável de ressentimento. A Cristovam Buarque, que já fora reitor da Universidade de Brasília e depois se tornara governador do Distrito Federal, foi confiada a Educação; ele era um entusiasta apaixonado por elevar os modestos padrões do ensino público, e um admirador de Paulo Freire, o educador iconoclasta.

Mas o governo de Lula abrigava duas coligações, frequentemente em conflito, a ponto de um opositor poder dizer que ele parecia mais liderar uma organização não-governamental rebelde do que um governo.[3] Existiam divisões dentro do PT, que tinha apenas 91 dos 513 deputados na Câmara, e dependia dos seus pequenos aliados para manter sua maioria.[4] E havia divisões dentro dos aliados e entre eles.

Dentro do PT as principais tendências em conflito eram as da direita e esquerda. À esquerda estavam aqueles ligados ao tipo de socialismo que haviam adotado na década de 60, com forte presença do governo na economia, rejeição ao FMI e banqueiros estrangeiros, e séria redistribuição de renda. À direita estavam aqueles como Palocci, que haviam resolvido fazer as pazes com o capitalismo internacional, que acreditavam que o Brasil não deveria de modo algum se divorciar da economia mundial, e que o melhor caminho à frente era manipular o sistema em favor dos pobres e do desenvolvimento nacional.

Existiam rivalidades pessoais entre Dirceu e Palocci, embora ambos pertencessem ao Campo Majoritário, o bloco moderado hegemônico do PT que havia sucedido ao Articulação. À medida que a política de Palocci tranquilizava os mercados internacionais e o crescimento era retomado, sua força no governo se expandia. No final de 2004, o PIB do país crescia a uma taxa anual de 6,1%, o maior pulo em oito anos; o emprego industrial aumentava a uma taxa anual de 5,9%, a maior em treze anos; e as exportações no valor de 95 bilhões de dólares foram um recorde. O poder de Dirceu foi também aparado quando Lula fez de Aldo Rebelo, do seu aliado comunista PCdoB, um coordenador político.

Mas no primeiro ano do governo, alguns membros esquerdistas foram expulsos do PT por causa de uma briga sobre reforma previdenciária que fazia parte das pendências legislativas de FHC. A Previdência Social, que também provia os trabalhadores rurais, remontava a Getúlio Vargas e era ligada ao salário mínimo. Ela dava enormes privilégios a servidores públicos, juízes aposentados e oficiais militares aposentados. Era estruturalmente inviável na medida em que a população brasileira começava a envelhecer, e carregava um déficit crescente nas finanças públicas. Cardoso havia tentado modificar o sistema, e o governo Lula promulgou uma reforma em 2003 que elevou a idade de aposentadoria de funcionários para sessenta anos, e pôde ser vista como envolvendo privatização parcial.[5]

Isso foi duramente criticado por um pequeno grupo de esquerdistas e senadores, que achavam que o PT estava traindo os pobres e seus compromissos básicos. Houve grandes manifestações em Brasília contra essa lei. Entre os membros expulsos, o mais proeminente era a senadora Heloísa Helena, que se tornou uma das críticas mais eficazes da administração quando esta foi acometida pela crise de corrupção de 2005; ela concorreu à Presidência em 2006.

Embora apenas meia dúzia de petistas eleitos do Congresso fossem expulsos do partido, eles faziam objeções a uma grande quantidade de políticas governamentais e resolveram fundar um novo partido, o PSOL – Partido Socialismo e Liberdade. Em dezembro de 2004 haviam obtido as 438 mil assinaturas necessárias para registrar seu partido. Foi uma advertência a Lula, que havia contrariado a esquerda tanto no PT quanto nos sindicatos anteriormente, de que ele teria dificuldade em manter sua imagem como radical.

Na verdade, como na Inglaterra, onde alguns dos tietes do governo "Novo Trabalhismo" de Tony Blair haviam sido marxistas na sua juventude,[6] um punhado de partidários ao redor de Lula, de formação semelhante à dele, tinham aceitado uma conciliação capitalista à medida que envelheciam. Poucos adotavam a ideologia da "terceira via", embora José Genoino, como presidente do PT, chegasse perto disso ao dizer que tanto o estado neoliberal quanto o socialista tradicional haviam falhado: "O PT é pós-comunista e pós-socialdemocrata".[7] Mas esse grupo de liderança estava agora distante das ideias anticapitalistas e antiglobalização dos militantes do MST e do Fórum Social Mundial.

Lula gastou a maior parte do tempo no seu primeiro mandato possibilitando alianças políticas e tentando alcançar os apolíticos. Sua habilidade conciliatória atraiu velhos desafetos, como o ex-presidente José Sarney, sobre quem ele dissera coisas extremamente indelicadas no passado, para dentro de sua maioria congressional. Sarney fazia parte da ala governista do PMDB.

Fiel também aos princípios de inclusão que sustentavam suas próprias ideias e do PT, Lula estabeleceu várias comissões sobre política social e desenvolvimento, idealizadas para atrair mais intervenientes [*stakeholders*].[8] Por exemplo, o seu Conselho de Desenvolvimento Econômico e Social tinha cerca de oitenta membros, oriundos da política, dos negócios e da sociedade em geral. Era o mesmo espírito que o levara a estabelecer o Instituto da Cidadania como um catalisador de ideias que ia além do PT enquanto partido. Algumas pessoas que participaram dessas comissões acharam-nas uma perda de tempo; outras sentiram que estavam ficando mais próximas ao governo.

No final do seu segundo ano no cargo, 2004, o governo Lula enfrentou seu primeiro teste eleitoral, com eleições municipais. Essas eram tradicionalmente decididas por fatores pessoais além de políticos, mas o governo FHC sofrera uma virada antigovernista nas suas eleições de meio de mandato, e Lula e o PT podiam ter esperado o mesmo. Os resultados em 2004, no entanto, mostraram o PT ganhando terreno nas cidades menores. Ele venceu nas capitais Belo Horizonte, Aracaju e Fortaleza, mas perdeu em São Paulo, Porto Alegre e Belém. Não foi um mau resultado.

Tanto São Paulo quanto Porto Alegre haviam sido emblemáticas para o PT, e ilustrava bem a disposição do partido de fazer acordos e esquecer antigos ressentimentos o fato de ele ter aceitado o apoio de Paulo Maluf no segundo turno da eleição em São Paulo. No entanto, sua glamourosa prefeita ali, a petista Marta Suplicy, ex-esposa divorciada do senador petista Eduardo Suplicy, foi derrotada por José Serra, o candidato presidencial do PSDB derrotado por Lula. São Paulo ocupava um lugar especial na história tanto do PT quanto do PSDB.

No Congresso, a maioria governista, embora atacada por seus oponentes do PSDB e PFL, aguentou razoavelmente bem na primeira metade do mandato de Lula. Como em administrações anteriores, Lula recorria muito a medidas provisórias, a ferramenta do Poder Executivo para promulgar leis antes da aprovação pelo Congresso. Henrique Meirelles, o presidente do Banco Central, recebeu *status* ministerial por meio desse procedimento.

No final de 2004, o governo efetivamente obteve apoio do PSDB para uma medida aprovando que parcerias público-privadas pagassem por hospitais, escolas e outras obras governamentais.[9] Houve uma equilibrada renovação na equipe ministerial: entre os que partiram estava Benedita da Silva, por causa de infração financeira; e Cristovam Buarque, que estivera tentando ultrapassar seus limites como ministro da Educação e acabou demitido por Lula pelo telefone. O vice-presidente Alencar foi temporariamente nomeado ministro da Defesa depois que uma confusão sobre fotos do jornalista assassinado Vladimir Herzog forçou a saída de José Viegas.

Foi em fevereiro de 2005, antes mesmo que o grande escândalo de corrupção daquele ano engolisse o governo, que o controle administrativo do Congresso desmoronou. A causa foi a eleição de um novo presidente da Câmara dos Deputados, posição-chave na gerência de qualquer programa legislativo, e constitucionalmente o terceiro na fila para se tornar presidente do Brasil em caso de remoção do presidente e do vice. É um cargo de prestígio; seu ocupante dispõe de uma bela mansão à beira de um lago em Brasília e de um quadro de vinte e um funcionários, incluindo três *chefs* e uma nutricionista. Houve cinco candidatos dessa vez, e alguns estavam gastando de 400 mil a 500 mil reais em suas campanhas.

O problema foi que a própria disciplina do PT entrou em colapso. O candidato petista favorecido por Lula e pelo governo era Luiz Eduardo Greenhalgh. Mas havia também um candidato petista dissidente, Virgílio Guimarães, que dividiu o voto pró-governo. De três candidatos conservadores, o vencedor acabou sendo Severino Cavalcanti, um deputado conhecido como "rei do baixo clero", espécie de organizador sindical para deputados com pouca projeção. Ele venceu Greenhalgh por 300 votos contra 195 na eleição, com apoio dos principais partidos de oposição, o PSDB e o PFL.

Cavalcanti, que tinha setenta e quatro anos e era de Pernambuco, simbolizava tudo o que democratas honestos abominavam a respeito do modo de agir no Congresso. Em uma longa carreira política, iniciada com o partido anti-Vargas União Democrática Nacional (UDN) em 1962, ele conseguira pertencer a sete partidos antes de entrar para o PP (o Partido Popular de Maluf e dos herdeiros mais conservadores do regime militar). Isso foi em 1995. Sua principal plataforma de campanha então foi o aumento de salários dos deputados de 12.847 para 21.500 reais.[10] Quando não conseguiu implementar essa medida descarada de interesse pessoal após vencer a eleição, ele usou sua autoridade administrativa para aumentar em 25% o orçamento disponível para que deputados pagassem seus funcionários. Ele se gabava dos pauzinhos que mexera para ajudar gente de sua cidade natal, João Alfredo, e empregou mais parentes do que qualquer outra pessoa na Câmara.[11]

Para começar, Cavalcanti tentou dificultar a vida para o governo. Mas quando a crise de corrupção estourou no decorrer de 2005, Lula viu-se trabalhando junto com Cavalcanti para tentar frear o impetuoso fluxo de acontecimentos; Cavalcanti tentou proteger Dirceu e outros que estavam na linha de fogo. Mas Lula precisou pagar muito caro por isso, com mais do que a sua reputação e a do PT. Cavalcanti insistiu em nomear um novo ministro das Cidades, Márcio Fortes, para substituir o velho colega sindicalista e petista de Lula, Olívio Dutra.

Severino Cavalcanti não durou além de setembro de 2005: acabou pego em meio ao clamor jornalístico anticorrupção em Brasília, quando se descobriu que ele cobrava mesadas de um dono de restaurante que funcionava na Câmara dos Deputados. Mesmo depois que ele foi obrigado a se demitir, seu apaniguado permaneceu no Ministério das Cidades, e quando a pressão aumentou, Lula deixou claro que não queria que Cavalcanti saísse.

O fato de um personagem tão evidentemente duvidoso ocupar uma posição de poder em Brasília, numa época em que veteranos do PT eram acusados de corrupção, era negativo para o sistema político como um todo. Em quem se podia confiar? Seria verdade, como Lula dissera uma vez na oposição e que agora era repetido por Antônio Carlos Magalhães, o velho mandachuva do PFL baiano, que grande parte dos representantes eleitos do Brasil eram picaretas? Seria esse um dos fatores que retinham o Brasil no *status* de país em desenvolvimento em vez de país desenvolvido?

Quando Severino Cavalcanti foi forçado a sair, Lula e o governo viram-se na necessidade de colocar seu próprio homem de confiança como presidente da Câmara. O interessante foi que eles não recorreram a um deputado do PT, e sim a Aldo Rebelo do PCdoB, que fora coordenador político de Lula e já trocara farpas com Dirceu. Mas Dirceu, a essa altura, perdera seu cargo de ministro (como veremos mais adiante) e estava em apuros. Rebelo, que era de São Paulo, havia sido considerado meio excêntrico no passado, mas conquistara a confiança de Lula. E embora parecesse que alguns dos tradicionais partidos pró-Lula estavam se afastando para apoiar um candidato do PFL,[12] o governo, depois de muita queda de braço, assegurou a vitória de Rebelo.

Foi um momento decisivo para o governo em seu esforço de superar a crise de corrupção, que será descrita por alto neste capítulo e é assunto de outro mais adiante. Depois que Rebelo se tornou presidente da Câmara, o governo Lula ganhou um organizador numa posição-chave para limitar o estrago causado pela crise, para evitar que muitos deputados fossem punidos com a perda de seus direitos políticos, e para começar a neutralizar a péssima publicidade causada pelas CPIs.

A crise de 2005, que danificou gravemente a imagem do PT como um partido ético e levou alguns a clamar pelo *impeachment* de Lula, começou com um vídeo. Fotos de cenas desse vídeo apareceram na edição da revista *Veja* de 18 de maio de 2005.[13] A manchete da exclusiva divulgada na capa anunciava "o vídeo da corrupção em Brasília — a incrível sequência do dinheiro saindo das mãos do corruptor para o bolso do corrupto". As fotos mostravam Maurício Marinho, chefe de um departamento dos Correios, recebendo uma propina de três mil reais.

Mas o que Marinho disse nessa gravação secreta foi muito mais explosivo. Ele explicou que o PTB, um dos aliados não-ideológicos do governo,[14] vinha tendo a prerrogativa de nomear os diretores dos Correios e de uma grande empresa do setor elétrico, a Eletronorte, como recompensa política. O PTB estava recebendo propinas dessas empresas estatais de modo sistemático; em um caso citado pela *Veja*, a empresa era obrigada a pagar 400 mil reais por mês ao partido.[15]

O PTB não era mais o partido trabalhista de Getúlio Vargas. Ele havia caído nas mãos de um deputado oportunista, Roberto Jefferson, que apoiara Collor e cuja estratégia principal era estar próximo ao governo da hora para desfrutar suas benesses. Uma das críticas a Lula, por parte dos membros mais idealistas do PT, era que ele optara por recrutar sua maioria de partidos pequenos como o PTB, que essencialmente estavam à venda. Ele havia rejeitado o conselho de Dirceu, na corrida à eleição de 2002, de aliar-se ao grande e dividido PMDB, que tinha ao menos alguma história autêntica de oposição aos militares.

Quando Jefferson, uma figura histriônica, viu seus espólios ameaçados — Maurício Marinho fora demitido quando da divulgação do vídeo —, achou que a melhor defesa era o ataque. Ele revelou que um grande número de deputados constava ilicitamente na folha de pagamentos do governo, recebendo mesadas oriundas de fundos não-declarados do PT e do governo.

Isso precipitou o escândalo do mensalão.

Uma CPI foi instaurada para examinar as declarações de Jefferson. Noite após noite, os brasileiros assistiam perplexos na TV ao desenrolar da chamada "crise em Brasília". Ela foi se espalhando cada vez mais enquanto jornalistas, a Polícia Federal e investigadores parlamentares revelavam informações sobre contas bancárias no estrangeiro para financiar campanhas petistas, contratos com a jogatina, e o tenebroso assassinato de um popular prefeito petista de Santo André, Celso Daniel.

As principais baixas políticas ocorreram na cúpula do PT, a começar por José Dirceu, presidente do partido. Considerado o articulador do mensalão, Dirceu foi forçado a se demitir como ministro da Casa Civil do presidente, e depois, como Jefferson, teve seus direitos políticos como deputado suspensos pela Câmara dos Deputados. Dois funcionários do partido também caíram: Sílvio Pereira, o secretário-geral; e Delúbio Soares, tesoureiro do PT. Descobriu-se que Duda Mendonça, o gênio do *marketing* que havia tornado tanto Maluf quanto Lula elegíveis, vinha sendo ilegalmente pago pela campanha presidencial de Lula através de contas bancárias no exterior.

O escândalo foi um golpe duro para o PT, mas também afetou Lula. Os índices de aprovação despencaram no segundo semestre de 2005. Inevitavelmente, as pessoas perguntavam quanto ele sabia. Se ele sabia, então era um cúmplice; se não sabia, era um administrador negligente. Alguns adversários e a Ordem dos Advogados do Brasil cogitaram um pedido de *impeachment*, como ocorrera com Collor. Mas havia falta de provas que implicassem Lula diretamente, bem como falta de entusiasmo à ideia de Alencar ou Cavalcanti se tornarem presidentes. Além disso, outros partidos arriscavam-se a sofrer danos. Esse assunto foi mais protelado que arquivado.

Sempre emotivo, Lula ficou profundamente deprimido. Em agosto de 2005, quando o escândalo estava no auge, um grupo de velhos amigos seus do sindicato reuniu-se em São Bernardo para oferecer-lhe uma boa refeição e animá-lo. Gijó (Juno Rodrigues Silva), outrora membro da executiva do Sindicato dos Metalúrgicos e agora proprietário de um restaurante em São Bernardo, providenciou tudo. Os amigos de Lula queriam lembrá-lo que ainda acreditavam nele.

É virtualmente impossível dizer o quanto Lula sabia. No seu sindicato ele fora muito severo em ocasionais episódios de corrupção, e não há provas de enriquecimento pessoal durante o tempo em que foi presidente.[16] Mas ele não era o tipo de líder que apreciava administração detalhada, da qual normalmente incumbia outros, e sabia muito bem que o clientelismo dominava o sistema político brasileiro. Em suas respostas públicas à prolongada crise ele parecia atrapalhado, ora clamando que os malfeitores fossem levados à justiça, ora dando a entender que todos os partidos brasileiros tinham contas fantasmas, e sugerindo que isso não importava muito.[17]

Mas o governo de Lula e o próprio Lula tinham uma imagem diferente em 2006 comparada com a do início de 2005. Eles não mais pareciam apartados de tudo na política brasileira como antes. O próprio PT não era mais um partido superior, ético, embora seus membros se aferrassem a isso, e o Campo Majoritário tivesse perdido parte do seu controle para esquerdistas nas eleições internas no final de 2005. Mas para eleitores pobres, a questão da ética era menos importante que a disponibilidade de empregos e os pagamentos do Bolsa Família. Tais diferenças de percepção tornaram-se mais importantes na corrida às eleições de 2006.

Lula, com seus discursos em mau português e suas metáforas futebolísticas — ele continuava sendo um torcedor ferrenho do Corinthians — dava a impressão de um populista nacionalista, mas também de um amigo sincero dos pobres. Ele inspirou dois *slogans* de propaganda do governo: "A melhor coisa do Brasil é o brasileiro" e "Brasil, um país de todos". Numa entrevista para a agência de notícias Reuters em julho de 2006, quando lhe perguntaram se ainda se considerava de esquerda, ele respondeu firmemente: "Eu nunca fui de esquerda".[18]

Ele usava seu amor por viagens e por encontros com pessoas — sua crença na diplomacia *tête-à-tête* — para tentar posicionar o

Brasil como um forte país em desenvolvimento, num papel de liderança na América Latina. Fez cinco viagens à África, pedindo desculpas pela escravidão no Senegal e mencionando por alto direitos humanos e casos de corrupção de alguns de seus anfitriões, como o presidente Bongo do Gabão, que em 2005 havia governado seu país por trinta e oito anos. Vicentinho, um deputado petista negro que fora presidente dos metalúrgicos de São Bernardo, acompanhou Lula em algumas dessas viagens africanas, que tiveram importante publicidade no Brasil.

A campanha internacional de Lula para obter um assento no Conselho de Segurança da ONU não teve sucesso no seu primeiro mandato, mas os esforços dele e de conselheiros como Marco Aurélio Garcia no sentido de revigorar a diplomacia brasileira tiveram um impacto significativo. O ministro das Relações Exteriores de Lula, Celso Amorim, descreveu Lula como "nosso guia", provocando risos irônicos entre os profissionais.

Contudo, Lula deu mesmo ênfases diferentes ao modo como o interesse nacional deveria ser visto numa era de globalização. Ele fez amizade com países árabes ricos em petróleo. Promoveu alguns fóruns específicos para propósitos específicos, como o IBAS (Índia, Brasil e África do Sul) e o BRICS (Brasil, Índia, China e África do Sul) para as negociações de comércio mundial da Rodada de Doha, e uma aliança com a Índia, Alemanha e Japão, que, como o Brasil, estavam todos atrás de vagas no Conselho de Segurança. O Brasil foi ativo no G20, o grupo dos vinte principais países em desenvolvimento, e, ao contrário de Hugo Chávez, Lula teve o cuidado de não fazer de George W. Bush e dos Estados Unidos seus inimigos.

O resultado de todos esses esforços foi que o Brasil começou a ser levado mais a sério. Lula, com os líderes da China e da Índia, havia estado em posição precária nos encontros G8 das mais poderosas economias do mundo em 2003, 2004 e 2005. No encontro do G8 em São Petersburgo em julho de 2006, do qual ele também participou, foi formalmente proposto que o G8 deveria ser expandido para G13, a fim de incluir o Brasil, o México, a Índia, a China e a África do Sul, num gesto de reconhecimento ao peso econômico e político desses países.[19]

Mas a própria personalidade de Lula transparecia na maior parte dessa atividade internacional. Como contribuição à manutenção da paz no sofrido estado caribenho do Haiti — e incidentalmente um gesto de campanha pela vaga no Conselho de Segurança da ONU — o Brasil ofereceu liderar uma tropa de capacetes azuis da ONU. Mas foi ideia de Lula enviar em seguida a seleção brasileira de futebol numa turnê para alegrar os empobrecidos haitianos.

Lula havia criticado severamente a invasão do Iraque liderada pelos EUA em 2003. E quando Sérgio Vieira de Mello, o diplomata brasileiro na ONU, foi assassinado em Bagdá a 19 de agosto daquele ano quando a sede das Nações Unidas foi destruída numa explosão, foi Lula que insistiu que seu corpo fosse trazido de volta para receber um funeral de estado.[20]

Houve gafes ocasionais, e muitos jornalistas que cobriam as viagens dele estavam interessados apenas nelas.[21] Ao dar as boas-vindas ao presidente Obasanjo da Nigéria no Ministério das Relações Exteriores em setembro de 2005, ele disse que "Nigéria e Brasil são os dois países com a maior população negra no mundo". Como muitos rapidamente observaram, havia uma grande diferença entre ser africano e afrodescendente. Uma das maiores dificuldades no Brasil, que gerou a controvérsia sobre cotas raciais para universidades, era definir quem era e quem não era negro.

Lula nutria uma ambição por projeção mundial que remontava aos positivistas do século XIX, às esperanças de Vargas e às declarações dos presidentes militares. "Nós poderemos fazer do século XXI o século do Brasil", teria dito ele no início de 2005, antes que irrompesse o grande escândalo de corrupção.[22] Era uma pretensão que propagandistas do poder estadunidense haviam feito no século XIX e que só se tornara realidade na segunda metade do século XX.

Mas nem todo mundo na América Latina estava apaixonado por Lula, e importantes objeções durante seu primeiro mandato foram a desconfiança da Argentina com relação a ele, seu relacionamento complexo com o radical antiamericano Hugo Chávez, e a reação latino-americana contra Chávez e seu aliado Evo Morales da Bolívia, que ficou óbvia quando candidatos conservadores ganharam as eleições no Peru e no México em 2006.

Era inevitável que Nestor Kirchner, o presidente peronista da Argentina, olhasse de soslaio para o desejo brasileiro de ser o líder regional de países com uma cultura diferente e de língua espanhola. A economia muito mais poderosa do Brasil[23] e sua reação suave ao ataque especulativo de 2002-3 tomaram a direção contrária da moratória argentina. A Argentina fizera o que muitos radicais petistas queriam ter feito, mas que Lula e Palocci impediram.

No entusiasmo pela eleição de Lula, pensou-se que ele e Chávez se tornariam aliados numa coligação da esquerda sul-americana. Jornalistas conservadores no Brasil tentaram associar apoio de Cuba e das guerrilhas FARC da Colômbia ao PT, e atacar Lula por causa de uma suposta conexão Chávez. Mas quatro anos depois, era óbvio que Lula e Chávez às vezes concordavam em discordar.

Esquerdistas do PT talvez vissem Chávez como o líder que não tinham, a administração Bush talvez esperasse que Lula aplacasse Chávez, mas o grosso da opinião brasileira via Chávez como um caudilho temporariamente rico por causa do petróleo, cuja "revolução" bolivariana conflitava com as próprias ambições nacionais deles. Simón Bolívar foi o grande libertador dos Andes e do que é hoje a Colômbia e a Venezuela. Ele nunca libertou o Brasil.

Esse atrito com Chávez, ao qual os diplomatas brasileiros sempre procuraram não dar importância, ficou mais aparente depois que o seu amigo Evo Morales, um líder indígena, foi eleito presidente da Bolívia em dezembro de 2005. Sua retórica anticapitalista era parecida a discursos feitos por Lula nos anos 80. Sua formação era diferente, pois ele representava uma maioria indígena que fora oprimida por 400 anos e plantadores de coca hostis ao programa de erradicação apoiado pelos EUA.

Em maio de 2006, Morales procedeu à nacionalização de campos de petróleo e gás natural, imediatamente entrando em conflito com a Petrobras, o maior investidor externo em gás boliviano; as reservas de gás boliviano eram agora vitais à indústria na região Centro-Sul do Brasil. Em meados de 2006, o Brasil também preveniu contra a interferência com o Mercosul, essa agremiação algo ineficaz cujo quadro incluía a Bolívia apenas como membro associado.

De fato, Lula sentia-se mais à vontade com as administrações de centro-esquerda do Chile e do Uruguai, embora o Chile fizesse um acordo comercial bilateral com os Estados Unidos, o que era bem mais longe do que o Brasil gostaria de ir. Depois da própria reeleição de Lula, outros dois líderes de centro-esquerda foram eleitos: Daniel Ortega, na Nicarágua; e Rafael Correa, no Equador. Ambos haviam sido apoiados por Chávez, mas nenhum deles era um clone do venezuelano.

Lula adotara como princípio de política externa matar a ALCA, e não queria países latino-americanos escolhidos um por um em acordos bilaterais. Ao invés, ele empregou considerável energia em fazer da Rodada de Doha de comércio mundial um sucesso para países em desenvolvimento,[24] usando suas habilidades como mediador para encontrar um caminho entre os subsídios agrícolas dos EUA e da Europa e a má vontade dos países desenvolvidos em remover toda proteção às suas fábricas e serviços.

O ano de 2006 testemunhou uma reviravolta na sorte de Lula. Não ficou imediatamente claro o porquê disso. Em janeiro, num discurso a reitores de universidades, ele disse que "em 2007 eu não estarei mais aqui".[25] Enquanto o PT começava a se aquecer para a reeleição dele, ele mesmo pareceu inseguro por um ou dois meses. Em março ele fez uma visita de estado à Inglaterra, onde foi recebido pela rainha Elizabeth II, embora tivesse dito antes a diplomatas em Brasília que limitaria suas viagens internacionais se decidisse concorrer à reeleição. A visão de um ex-torneiro mecânico sentado ao lado da herdeira de uma monarquia com séculos de existência foi uma poderosa campanha de TV para seus eleitores mais pobres, que se julgavam testemunhos e participantes de um conto de fadas.

Num encontro particular antes de voltar para casa, ele empregou seu notável talento interpessoal para acalmar os indignados membros da família de Jean Charles de Menezes, o eletricista brasileiro identificado por engano como um terrorista suicida e morto pela polícia de Londres. No Brasil, mortes de pessoas pobres nas mãos da polícia quase não eram notadas; no Reino Unido, essa foi assunto de inquérito independente e controvérsia pública. Quando, um ano depois, foi decidido que nenhum policial iria a julgamento, mas que a Polícia Metropolitana seria processada por negligência para com a segurança e o bem-estar da população, foi algo semelhante ao julgamento de Al Capone, o gângster de Chicago, por sonegação fiscal.

As pesquisas começaram a favorecer Lula, dando a entender que ele seria reeleito; em meados de 2006, elas indicavam que ele poderia vencer a 1º de outubro no primeiro turno. A virada ficou clara em março e abril, quando a campanha anticorrupção perdeu força e o governo aguentou bem a saída de Antônio Palocci. Num esforço escandaloso para proteger Palocci, o sigilo bancário do caseiro de um edifício em Brasília — que havia testemunhado obscenas idas e vindas do ministro da Fazenda e seus amigos de Ribeirão Preto — foi ilegalmente quebrado. As elevadas taxas de juros do Brasil baixaram levemente e não houve ataque especulativo algum ao real ligado à substituição de Palocci por Guido Mantega.

Entre setembro de 2005 e setembro de 2006, a taxa básica de juros caiu mais de cinco pontos percentuais, de 19,75% para 14,25%. Embora ainda elevado, foi o nível mais baixo desde 2001. Ele refletia a confiança internacional na administração econômica da equipe de Lula, e o presidente fez da economia forte um dos itens mais importantes do seu apelo ao eleitorado brasileiro mais vasto, não-petista.

O aparente esgotamento do tema da corrupção foi ilustrado pelo fato de que cinco deputados que poderiam ter perdido seus direitos políticos foram absolvidos pela Câmara dos Deputados no final de março. Uma deputada do PT, Ângela Guadagnin, fez uma pequena dança de comemoração em plena Câmara quando um de seus amigos, o deputado petista João Magno — acusado de receber mais de 400 mil reais no escândalo — foi absolvido. Deputados estavam deixando de comparecer para votar pelas expulsões. A despeito de um caso bastante sólido contra um deputado petista de São Paulo — cuja esposa sacara 50 mil reais de uma conta bancária de Brasília pertencente ao empresário do mensalão Marcos Valério — a proposta da cassação de João Paulo Cunha foi rejeitada por 256 votos contra 209.

Dos parlamentares acusados de envolvimento no escândalo do mensalão, apenas três haviam perdido seus direitos políticos, quatro haviam renunciado mas estavam livres para concorrer de novo em eleições, e oito tinham sido absolvidos. Na fase inicial da presidência de Lula houvera desentendimento dentro do PT com relação a questões políticas, e isso foi intensificado com a exposição da corrupção sistemática em 2005. Deputados haviam saído para juntar-se ao PSOL; Fernando Gabeira entrara para o Partido Verde; Cristovam Buarque migrara para o PDT, pelo qual concorria como candidato presidencial em 2006. Em 2005, um dos fundadores do PT, Eduardo Suplicy, votara a favor de inquéritos parlamentares sobre os escândalos.

Mas em abril de 2006, todos os políticos estavam começando a se posicionar para a eleição iminente. Em particular o PT, ameaçado de vingança por eleitores desiludidos, fez um esforço de cooperação em Brasília. O procurador-geral da República Antonio Fernando de Souza indiciou quarenta pessoas que haviam sido subornadas, e falou em "uma organização criminosa instalada no governo". Esses indiciamentos tiveram, inicialmente, menos impacto do que se esperaria. Uma CPI, investigando o superfaturamento de ambulâncias, que envolvera propinas a deputados dos pequenos partidos da maioria governamental, tampouco conseguiu atingir Lula, ou mesmo o PT exclusivamente.

De que modo Lula conseguiu renascer das cinzas? Era um enigma. Mas as melhores explicações tinham a ver com a oposição, com a índole do povo brasileiro, e com o próprio Lula. Muitos dentro do PSDB e PFL pararam de fazer alarde sobre os escândalos de corrupção. Embora o ex-presidente Cardoso falasse contra Lula, outros na oposição conservadora temiam que um ataque em grande escala contra a corrupção pudesse expor suas próprias irregularidades. Eles viam com clareza o quão seriamente as revelações de 2005 haviam prejudicado a classe política como um todo. Isso permitiu que as críticas mais consistentes e desinteressadas viessem de Heloísa Helena do PSOL e de Fernando Gabeira, agora no Partido Verde, que não faziam parte da corrente oposicionista principal.

A oposição do PSDB-PFL também tinha a desvantagem de não contar com um candidato presidencial conhecido e popular para a eleição de 2006. Ela escolheu Geraldo Alckmin, do PSDB, governador de São Paulo cujo vice era do PFL. Alckmin fizera um trabalho perfeitamente razoável como governador, apoiado por Serra como prefeito da capital, mas não tinha carisma algum e era pouco conhecido fora do seu estado. Dizia-se que era irritadiço em suas relações pessoais.

Durante boa parte de 2006, Lula teve as vantagens promocionais e incontestes da incumbência. Ele viajou pelo Brasil, inaugurou obras públicas, inspecionou outras que já funcionavam, e conversou sobre planos para o futuro. E também desfrutou de sua genuína e contínua popularidade. Cerca de doze milhões de famílias estavam agora recebendo o Bolsa Família, programa de assistência aos mais pobres que substituiu o Fome Zero do seu primeiro ano. Para muitos eleitores brasileiros que de qualquer jeito tinham uma má opinião dos políticos, dinheiro na mão e uma moeda sólida contavam mais do que corrupção em Brasília.

Além disso, sua postura acima de partidos, distanciando-se do PT quando lhe convinha, também era atraente. Entretanto, ele havia correspondido ao sentimento nacionalista. Dera muita importância ao pagamento adiantado ao FMI em 2005, e à autossuficiência em derivados do petróleo um ano depois, o que foi seguido de uma campanha publicitária agressiva da Petrobras; ele pusera fim à estratégia de privatizações de FHC, que haviam fortalecido a penetração de multinacionais no Brasil. Contudo, ele não era um esquerdista assustador como Chávez, que teria preocupado a classe média. Se o Brasil era agora um país para todos, isso também era a aspiração do seu presidente.

Para Lula a vida familiar sempre fora agitada e apressada, desde seus dias de líder grevista na década de 70. Como presidente ele estava constantemente recebendo pessoas, viajando e dando conferências. Sua própria vida mudara, talvez, menos que a de sua esposa. Marisa assumiu o papel de primeira-dama com graça e confiança, acompanhando Lula em muitas de suas viagens internacionais e distribuindo medicamentos ao círculo de jornalistas que os acompanhavam. No Brasil, tradicionalmente, a função de primeira-dama relacionava-se a obras de caridade, e Ruth Cardoso administrara uma ONG. Em vez disso, Marisa dedicava seu tempo e atenção em prover o marido com o apoio emocional e político que vinha sendo uma característica de sua vida juntos.

Eles passavam pouco tempo no Palácio da Alvorada, um dos belos, mas pouco práticos edifícios governamentais de Oscar Niemeyer no centro de Brasília. Tinha mais de quarenta anos e, na maior parte do primeiro mandato de Lula, sofreu reformas para se tornar mais familiar e adequado a propósitos presidenciais no século XXI.

Ao invés, Lula e Marisa moravam na Granja do Torto, a cerca de 32 quilômetros ao norte de Brasília. Essa era uma das diversas fazendas fora de Brasília que, no projeto original da cidade feito por Lúcio Costa no fim da década de 50, teriam fornecido alimento fresco aos escritórios governamentais na nova capital. Mas as granjas haviam sido tomadas por burocratas para ser usadas como retiros de fim de semana.

A Granja do Torto foi usada primeiro pelos presidentes militares, e o presidente Figueiredo criava cavalos ali. É simples, aconchegante e confortável, um lugar onde um presidente pode relaxar, nadar, fazer churrascos e jogar futebol. É afastado dos olhares espreitadores de jornalistas e seguro contra terroristas. Para Lula e Marisa, que vinham e iam de helicóptero, era um local de descanso e trabalho. Dignitários estrangeiros e políticos brasileiros os encontravam lá. Cada ano o casal dava uma grande festa para comemorar seu aniversário de casamento.

Lula divertia-se no trabalho a maior parte do tempo. Ele conversou com um astronauta brasileiro no espaço. Falou em videoconferência com a seleção brasileira durante a malsucedida, para o Brasil, Copa do Mundo na Alemanha, reclamando que Ronaldo estava gordo, observação que o jogador espertamente reverteu contra o presidente. Um comentário do correspondente do *New York Times*, Larry Rohter, de que Lula bebia muito causou uma rusga temporária, que também teve o efeito de matar um plano do PT para um conselho federal de jornalismo, que a empresários da mídia cheirava a censura estatal.

Embora não houvesse dúvida de que Lula gostava de um trago — agora mais provavelmente uísque do que cerveja ou cachaça — não havia muitos indícios de excesso alcoólico. Cínicos diziam que Marisa procurava mantê-lo sob controle. Mas após quase quatro anos como presidente, ele estava em boa forma. Uma dieta no início de 2006, que só lhe permitia beber Coca Diet, fez com que perdesse bastante peso e descobrisse que ternos que usara na campanha de 2002 estavam grandes demais para ele.

Mais perturbador que o efeito da Presidência sobre o casal foi o impacto sobre a família de Lula. Existem algumas tradições perigosas no Brasil, como a de que política é negócio, e que um político tem direito de usar sua posição para favorecer sua família. O PT, tentando promover os interesses de brasileiros pobres, fora extremamente crítico desses velhos hábitos quando estivera na oposição. Daí o partido ter clamado com tanta veemência pelo afastamento de Collor. Tais práticas estavam profundamente enraizadas no Nordeste, de onde os Silvas eram originários, e Severino Cavalcanti as personificava como ninguém.

Seria a família do presidente atingida por esse tipo de escândalo? Não há dúvida que esforços foram feitos para tirar proveito da boa sorte de Lula. Gijó, o *restaurateur* de São Bernardo que fora um camarada na executiva do Sindicato dos Metalúrgicos, contou-me em setembro de 2005 que havia um pequeno, mas persistente grupo de pessoas que lhe pediam para recomendá-las ao presidente.

Mas o próprio Lula era cuidadoso ao prover assistência geral em vez de particular. Assim, ele seria fotografado com cinquenta primos em Garanhuns, abriria um ramo da Universidade de Pernambuco na cidade, e patrocinaria um projeto longamente discutido para desviar água do rio São Francisco, a fim de beneficiar boa parte do árido Nordeste; mas não forneceria qualquer tipo de pagamento direto aos seus parentes.

Alguns deles continuaram a trabalhar em circunstâncias humildes. Sua irmã Tiana, por exemplo, era faxineira de uma escola numa perigosa favela. Na verdade, de acordo com sua biógrafa brasileira Denise Paraná, alguns o criticaram por ele não fazer mais pela sua família. Ele procurou, no entanto, prover assistência médica aos seus parentes mais próximos, caso adoecessem.[26] Lurian, sua primeira filha com Miriam Cordeiro, trabalhava modestamente para o PT.

Ataques por explorar sua posição concentravam-se principalmente no seu filho mais velho, conhecido como Lulinha, e seu irmão Vavá. Fábio Luís da Silva, filho mais velho de Lula, nascera nove meses e vinte dias depois que seus pais se casaram. Ele estava com vinte e sete anos quando seu pai foi eleito presidente. Ele era formado em biologia, mas não tinha uma carreira e foi descrito num artigo crítico da *Veja* como "subempregado".[27] Ele dava aulas de inglês e informática. Tudo isso mudou em dezembro de 2003, quando ele entrou no ramo de publicidade e propaganda junto com dois filhos de um velho colega de Lula do sindicato e do PT, Jacó Bittar.

A história era complexa, mas tinha a ver com a abertura de uma sucessão de empresas — G4, depois BR4 (aberta em outubro de 2004 com capital de 2,7 milhões de reais), e então, poucos meses depois, uma firma chamada Gamecorp. A Gamecorp, projetada para fornecer videogames para celulares, foi substancialmente financiada pela Telemar, uma grande empresa brasileira de telecomunicações. Um quarto das ações da Telemar pertence ao BNDES, e outros 19% pertencem a fundos de pensão, alguns deles ligados ao Banco do Brasil e à Petrobras.

O principal jogador nesse processo, cujo nome não aparecera antes da matéria da *Veja*, era Kalil Bittar; ele e o irmão Fernando tinham sido amigos de infância de Lulinha. A Telemar pagou para Kalil e Lulinha visitarem os EUA, Coreia do Sul e Japão em 2005, na mesma época em que o presidente Lula lá estava em visita oficial; a tarefa deles era conversar com empresas que fabricavam *games* para celulares e lidavam com telefonia de terceira geração.

Veja, que expôs a história do enriquecimento de Lulinha, afirmou que na realidade ele não havia investido um centavo do seu próprio bolso na criação dessas empresas. Ela alegou que o financiamento do filho do presidente por empresas estatais constituía abuso, pois envolvia conflito de interesses. No entanto, como saíram logo na sequência do desmascaramento do politicamente prejudicial mensalão, essas revelações não refletiram negativamente sobre a família do presidente; apenas intensificaram a sensação do público de que todo político é ladrão.[28]

A alegação contra Vavá — irmão mais velho de Lula, Genival Inácio da Silva — foi que ele estabelecera uma consultoria para traficar influência. Ele havia sido operário e, como Lula, um metalúrgico, antes de se aposentar de um emprego modesto como servidor público. Em 2005, ele abriu em São Bernardo um escritório que oferecia um serviço a empresas que desejassem negociar com ministérios federais, empresas estatais e cidades controladas por prefeitos petistas. A ideia era que, com o seu nome, ele podia fazer contatos com o governo que outras consultorias não podiam.

De novo a história foi publicada pela *Veja*, que não morria de amores pela administração Lula, e não ficou claro quão bem-sucedido foi o esquema de Vavá. Ele disse a jornalistas que conseguira arranjar uma reunião para a Federação Brasileira de Hospitais com um assessor da Presidência. A FBH estava envolvida numa disputa financeira com o governo. Mas os resultados não tinham sido satisfatórios. Vavá também estava sendo contatado por ONGs, ansiosas por acessar financiamentos de diferentes agências governamentais.

Embora a história de Vavá circulasse por alguns dias e Lula dissesse que nada sabia sobre as atividades do irmão, a coisa pareceu menos grave e mais difícil de associar ao presidente do que as atividades de Lulinha. Exceto pelo fato de Vavá não ser muito competente, o que ele estava fazendo não era tão diferente do trabalho de consultores de assuntos públicos em muitas democracias. Em algumas dessas é considerado apropriado que parentes de ministros trabalhem como lobistas.[29]

Em junho de 2006, pouco depois que o PSDB lançou Geraldo Alckmin como seu candidato à Presidência, o PT fez o mesmo por Lula. O horário eleitoral gratuito na TV para todos os candidatos deveria começar em agosto, e o PT já estava planejando grandes manifestações nas grandes cidades onde o presidente poderia discursar. Como reação modesta aos escândalos de financiamento eleitoral ilegal em 2002, a Comissão Eleitoral estava banindo os *showmícios*, bem como a venda de broches e camisetas.

A permanente capacidade do PT e seus amigos de fazer pessoas saírem às ruas fora demonstrada em 1º de maio, quando a CUT reunira cerca de um milhão de partidários na Avenida Paulista para escutar discursos pró-Lula. O movimento rival Força Sindical, no entanto, arrebanhou 1,5 milhão na Zona Norte da cidade, onde seu presidente, Paulo Pereira da Silva, perguntou: "Quem de nós não tem um amigo ou parente desempregado?" O próprio Lula assistiu a uma missa especial com Marisa e partidários próximos, como Marta Suplicy, Aloizio Mercadante e Luiz Marinho, seu ministro do Trabalho, na mesma igreja de São Bernardo que oferecera refúgio durante as greves, Nossa Senhora da Boa Viagem.

De certa forma Lula, depois de todas as dificuldades, estava tentando recuperar o contato com as suas raízes. Ele foi ao Nordeste. A 13 de julho iniciou formalmente sua campanha para reeleição num encontro com três mil membros do PT e aliados em São Bernardo. Houve um ressurgimento da criminalidade em São Paulo, onde uma máfia criminosa controlada da prisão esteve de novo incendiando ônibus e matando gente. Um aliado pefelista de Alckmin, Cláudio Lembo, o estava substituindo como governador, e tanto o governo quanto a oposição lançaram a culpa um no outro pela insurreição. As autoridades paulistas recusaram a oferta de ajuda de Brasília. Lula atacou-as por sua "frivolidade" quando elas sugeriram que os criminosos estavam assim agindo para dar apoio à eleição dele.

A escalada da violência, lançada por uma quadrilha autointitulada Primeiro Comando da Capital (PCC) foi assustadora e pegou todo mundo de surpresa. A transferência de seus líderes entre presídios provocou ataques armados do PCC a delegacias, ônibus, e até escolas em São Paulo no mês de maio. Houve 299 incidentes violentos, 82 rebeliões em presídios, e pelo menos 36 policiais foram mortos; isso foi seguido por uma represália policial em que 126 pessoas morreram, 75 delas exibindo sinais de tortura. Uma segunda onda de violência do PCC, entre 11 e 16 de julho, foi menos grave, mas fez lembrar ao país do poder de criminosos armados.

Quais eram os temas, e qual era o terreno eleitoral, na quinta campanha presidencial de Lula? Para Lula, energizado com comícios e oportunidades de encontrar-se com pessoas, os temas eram claros. Seu governo estava construindo um estado de bem-estar social. Havia rompido com ao menos alguns aspectos do programa neoliberal de FHC, especialmente suas privatizações. Estava ajudando a construir uma comunidade sul-americana de nações baseada no Mercosul, que acabara de admitir a Venezuela e de fazer um acordo comercial com Cuba em desafio aos Estados Unidos. Estava conquistando respeito pela soberania nacional brasileira. Fizera mais em quase quatro anos do que FHC fizera em oito.

Um livro propagandístico de Aloizio Mercadante — *Brasil: Primeiro tempo* — expõe fatos e cifras para dar suporte à pretensão de que Lula teve um desempenho significativamente melhor que o de

FHC.[30] Isso tornou-se um ponto fundamental no apelo de Lula pela reeleição. Para observadores do outro lado do Atlântico, fazia lembrar um pouco a campanha inglesa de Tony Blair para reeleição em 2005, quando muitos eleitores do Partido Trabalhista, desiludidos com a Guerra do Iraque, eram lembrados dos outros triunfos do governo. Os eleitores do PT estavam sendo lembrados de que, independentemente de escândalos, o governo concretizara seus programas sociais.

Lula também encontrou meios de lidar com a crise de corrupção de 2005. Um deles foi denunciá-la como um ataque da elite brasileira com o propósito de desestabilizar o primeiro governo popular em quarenta anos; ele, e o PT no seu programa eleitoral,[31] compararam essa experiência à crise que resultara no suicídio de Getúlio e nas ameaças militares contra Juscelino e Jango.

De modo mais positivo, porém um tanto vago, Lula argumentava que era necessário haver uma reforma política para lidar com problemas sistêmicos, do contrário escândalos de corrupção continuariam ocorrendo pelos próximos vinte anos. Em Olinda, a 23 de julho de 2006, ele falou da necessidade de reformar estruturas partidárias, os mandatos de deputados e o próprio Congresso. Ele fez distinção entre partidos de aluguel e partidos genuínos, culpou o Congresso por ser dilatório em votar o Orçamento da União, e deu a entender que as reformas ocorreriam se ele obtivesse um segundo mandato.[32]

Embora alguns talvez estivessem decepcionados com Lula pessoalmente, ou com alguma medida do governo, era difícil imaginar que ele pudesse ser derrotado. De fato, em meados de 2006, parecia que ele venceria direto no primeiro turno a 1º de outubro, embora essa esperança tenha sido gradualmente abandonada. As pesquisas haviam demonstrado um fortalecimento do apoio entre os brasileiros mais pobres. O PT sugeriu em seu programa que trinta milhões haviam sido beneficiados pelo Bolsa Família, que agora estava indo para doze milhões de famílias; mas houve muitos outros programas sociais, que abrangiam desde saúde a eletrificação rural (Luz para Todos) e reforma agrária, e alcançavam muita gente. Milhões viam-no como um pai dos pobres.

Um fator decisivo a favor de Lula era a fraqueza da oposição, embora apenas em nível presidencial. Geraldo Alckmin simplesmente não era uma figura nacional comparável a Lula. Ele fora escolhido pela aliança PSDB/PFL em preferência a Serra, que ainda não perdera em 2002, porém era mais intimamente associado ao governo FHC, alvo constante de comparação de Lula. As explosões de criminalidade em São Paulo, em maio e julho de 2006, não refletiram bem sobre a administração das prisões superlotadas e anárquicas do governo estadual de Alckmin. Embora atacasse a corrupção sob Lula, Alckmin não oferecia um programa suficientemente atraente ou diferente. Ele alegava que os índices de crescimento do Brasil eram muito lentos e suas taxas de juros muito altas, mas que ele daria continuidade ao Bolsa Família. Lula e seus estrategistas de campanha não pareciam ter muito com que se preocupar.

Os outros candidatos presidenciais eram periféricos à luta principal, mas potencialmente prejudiciais à imagem de Lula. Tanto Heloísa Helena, do PSOL quanto Cristovam Buarque, do PDT, eram ex-membros indignados do PT que poderiam atrair alguns de seus partidários ideológicos. Ambos criticavam a corrupção do governo e, mais especificamente a senadora Helena, a aparente traição de Lula à esquerda. Embora Helena não se dispusesse a apoiar campanhas pró-aborto e, portanto, não fosse vista como uma feminista avançada, ela também se beneficiava do fato de ser a primeira mulher séria candidata à Presidência. Pesquisas indicando que o apoio a Helena acusava crescimento de dois dígitos em julho, mesmo antes da propaganda gratuita para candidatos na TV, bastaram para sugerir que Lula talvez fosse obrigado a enfrentar um segundo turno.

A batalha era essencialmente entre Lula e Alckmin, mas ao todo os candidatos eram oito. Além de Helena e Buarque, havia quatro relativas nulidades: Ana Maria Rangel, José Maria Eymael, Luciano Bivar e Rui Pimenta.

Questões técnicas afetariam a eleição, particularmente para governos estaduais e para o Congresso, onde não se esperava que o desempenho do PT fosse muito bom. Depois de alguma discussão, o Congresso mantivera sua regra de "verticalização", segundo a qual as alianças para a Presidência precisavam ser reproduzidas nas eleições estaduais. Isso significava, por exemplo, que o PSDB e o PFL precisavam trabalhar juntos até o fim, o que causou conflito onde os partidos locais eram hostis ou julgavam ter iguais chances de ganhar um governo ou uma cadeira no Congresso.

Mas o efeito no lado do governo foi surpreendente. Pela primeira vez desde que Lula concorrera em 1989, o PT estava fazendo campanha quase sozinho, apoiado somente pelo PCdoB e pelo partido nanico do vice-presidente Alencar, o PRB.[33] É quase certo que isso foi porque aliados de outrora, como o PDT, viam o PT como um risco depois da crise de 2005. Houve um impacto importante, portanto, na propaganda eleitoral gratuita disponível aos candidatos presidenciais. A Comissão Eleitoral determinou que Alckmin, apoiado pelo PSDB e PFL, receberia 10 minutos e 22 segundos de propaganda gratuita diária na TV, enquanto Lula receberia apenas sete minutos e 21 segundos. Para os publicitários das campanhas, cada segundo era essencial.

De outras formas, no entanto, a força de Lula nas pesquisas de opinião ajudava a compensar tais dificuldades. Seu primeiro triunfo foi impedir que o PMDB concorresse com candidato próprio. Se o partido o tivesse feito, teria quase certamente forçado Lula a um segundo turno e, possivelmente, a uma derrota.

O PMDB era o desajeitado colosso da política brasileira, uma série de feudos regionais, poderoso nos estados e com chances de sair-se bem nas eleições de 2006. Mas estava dividido em facções pró-Lula e anti-Lula, e a única pessoa seriamente interessada em ser seu candidato presidencial era o trocador de partidos Anthony Garotinho, ex-governador do Rio de Janeiro, sobre o qual pesavam muitas suspeitas. Lula falou com o PMDB; este, olhando para o futuro, resolveu que seria mais sábio não competir formalmente com o presidente, pois assim poderia fazer acordos locais vantajosos sem estar nacionalmente ligado nem ao PSDB/PFL, nem ao PT.

A popularidade obstinada de Lula foi demonstrada por alianças multilaterais nos estados: por exemplo, havia um comitê por Aécio Neves,[34] o governador tucano de Minas Gerais em busca da reeleição, que também estava trabalhando para Lula — um comitê Aécio-Lula. Grupos semelhantes estavam ativos em outros lugares onde, independentemente de legendas partidárias, eleitores desejavam associar candidatos ao trio elétrico de Lula. Um grupo de empresários, não tão grande quanto em 2002, também arregimentou um comitê de campanha pró-Lula. No outro lado do espectro, o MST, o Movimento dos Sem-Terra, também lhe oferecia seu apoio.

A impressão, portanto, era que Lula parecia certo de que ganharia um segundo mandato, mas o partido que ele fundara em 1980 poderia ser menos importante nesse segundo governo. Ele provavelmente necessitaria do apoio do PMDB no Congresso; poderia formar um gabinete de "todos os talentos", sem dar muita atenção a rótulos partidários. Talvez houvesse mais atrito entre os governos federal e estadual, embora eles precisem uns dos outros no sistema brasileiro.

Talvez em tom de brincadeira, o PT deu a Lula uma lista de "dez mandamentos" sobre como ele deveria se comportar durante a campanha. O partido, que conhecia as fraquezas dele, aconselhou-o a ter cuidado com debates frontais com seus adversários ou coletivas de imprensa. Sugeriu-lhe ainda que evitasse improvisações, coisa tão do estilo dele e que causara tantos dissabores no passado.

Ao invés disso, ele deveria se limitar a ler os seus discursos, e tentar esfriar a campanha, aparecendo sempre como presidente e não como candidato.

Lula, acostumado a ignorar o PT quando queria, brincou que nessas condições era melhor ele não fazer coisa alguma. Os que o conheciam bem tinham confiança de que ele violaria mais de um desses mandamentos.[35]

© Ricardo Stuckert

6

POLÍTICA INTERNA

A experiência pessoal de Lula como criança faminta inspirou a promessa mais atraente de seu governo na campanha de 2002. Seria estabelecido um programa chamado "Fome Zero" destinado a abolir a inanição. Num país com milhões de pobres, isto era tão atraente quanto o "Sanduíche Mandela" na África do Sul — a garantia da democracia pós-*apartheid* de que toda criança deveria ter pelo menos uma refeição completa por dia. Embora críticos tenham observado, mais à frente em seu mandato, que o Brasil sofria maiores problemas de saúde com a obesidade do que com a desnutrição, este foi um programa determinante do governo de Lula.

O Fome Zero reunia diversas ideias. Seria uma maneira de organizar os pobres em grupos de vizinhanças às quais indivíduos teriam que pertencer para fazer jus ao benefício. Alimentação seria fornecida pelos assentamentos da reforma agrária. Haveria "restaurantes do povo" baratos;[1] bancos de alimentos para manter suprimentos, e cartões alimentação para as famílias mais pobres; apoio direto para agricultura familiar; acesso de todos os trabalhadores da família aos benefícios da previdência social, tanto no setor formal quanto no grande setor informal; e garantias de renda para as crianças das famílias mais pobres, além de incentivos para colocá-las na escola.[2]

O programa estava ligado a uma garantia de renda mínima e a prometidos aumentos de salário mínimo. Foi criada uma política antipobreza projetada para compensar as gigantescas desigualdades de renda no Brasil. O plano completo tinha matizes utópicos e exigia muito da burocracia não muito eficaz do país e da nova coalizão governamental de Lula. Requeria que funcionários federais, estaduais e municipais trabalhassem juntos, e em 2003 e 2004 esbarrou com críticas da mídia e desilusão dos petistas do povo. As reclamações eram de que o programa era mal administrado e não estava alcançando muitas pessoas necessitadas. Depois de tanto tempo na oposição preparando políticas alternativas, esperava-se mais de um governo do PT.

Inicialmente a ideia do Fome Zero era que as famílias pobres receberiam cupons no valor de até 250 reais, que poderiam ser trocados por comida em determinadas lojas. Mas isto não funcionou. Em janeiro de 2004 o Fome Zero foi eficazmente incorporado como uma estratégia de transferência de fundos aos mais pobres pelo Bolsa Família. Construído sobre o Fome Zero e a mesada educacional do governo FHC (Bolsa Escola), esse programa objetivava prover benefícios financeiros aos brasileiros pobres de um modo mais simples e coordenado.

O Bolsa Família reuniu programas existentes, incluindo a exigência de que filhos de famílias que recebiam benefícios da previdência social deveriam ir à escola. Ele foi administrado de forma muito mais eficiente, e o número de famílias que se beneficiaram cresceu rapidamente de 3,6 milhões em 2003 para 11 a 12 milhões em 2006. Nessa base, entre 50 e 60 milhões de brasileiros teriam sido tirados da pobreza, definida como sobreviver com menos de um dólar por dia.

A renda dos trabalhadores tinha sido espremida durante a segunda administração de Cardoso, e levou um tempo para que o piso salarial aumentasse. As políticas neoliberais de FHC tinham resultado em uma redução aguda dos empregos em produção, inclusive na terra natal do PT, São Paulo. Nos primeiros dois anos da administração Lula, o presidente e Antonio Palocci limitaram-se a políticas monetárias e fiscais apertadas, para satisfazer o FMI e os investidores estrangeiros, bem como a desconfiada classe média brasileira. Em parte porque as taxas de juros estavam altas, o valor do real foi mantido.

No fim de 2004, os níveis de emprego estavam subindo e era possível aumentar o salário mínimo em termos reais. Em 2005, ele subiu 8% para 300 reais mensais, e em abril de 2006 subiu de novo a 350 reais, o que o ministro do Trabalho estimou ser um ganho de 13% sobre a inflação. Embora Lula tivesse originalmente clamado pela duplicação do salário mínimo na sua campanha de 2002, o aumento de 2006 era substancial, veio um mês antes que de costume e beneficiou diretamente quarenta milhões de eleitores tradicionais de Lula em um ano eleitoral.

Mas os programas sociais fizeram alguma diferença na chocante desigualdade da distribuição de renda?[3] Ou seriam apenas cosméticos, para que o eleitorado operário de Lula se sentisse melhor, mas pouco fazendo para mudar a natureza profundamente conservadora e economicamente injusta da sociedade brasileira? Estatísticas de riqueza e pobreza nunca são totalmente confiáveis, mas perto do fim dos quatro anos do primeiro mandato de Lula, suas políticas sociais pareciam ser mais melhorativas do que dramaticamente redistribuidoras.

Críticos reclamaram que o auxílio era assistencialista, promovendo a dependência, ao invés de enfatizar empregos e treinamento. Mas, como será considerado depois, a economia brasileira não estava crescendo nem de longe com a rapidez de países em desenvolvimento como a China ou a Índia, e sua base industrial estava sob ataque.

Em agosto de 2006, após o início formal da campanha eleitoral, a Volkswagen anunciou que cortaria mais de onze mil empregos de suas fábricas no cinturão industrial do ABC, em São Paulo. O Sindicato dos Metalúrgicos que Lula costumava liderar entrou em greve, mas Luiz Marinho, chamado por Lula da presidência da CUT para assumir como ministro do Trabalho, recusou-se a intervir. No final, apenas três mil empregos foram perdidos logo de cara, e o governo colocou dinheiro para compensar os que perderam seus empregos.

Por trás de grande parte da desigualdade social no Brasil havia outro aspecto: raça. Muitos dos pobres eram negros, ou de aparência mais escura. A maioria da classe média, e praticamente todos os ricos, à exceção de grupos seletos de jogadores de futebol e estrelas do entretenimento, eram brancos. Foi um grande mérito de Lula que seu governo tenha tentado confrontar o que por tanto tempo foi um assunto tabu no Brasil.

Na década de 30 tivera lugar um compromisso nacional para "branquear" a população. Daí em diante, por boa parte do século XX houve uma visão complacente, que refletia o alto grau de casamentos inter-raciais e a miscigenação ao longo dos séculos, de que raça não era um problema. Mesmo assim, esnobismo, discriminação e diferenças acentuadas e objetivas baseadas na cor da pele persistiam. Movimentos pelos direitos dos negros e pela igualdade, em parte inspirados na campanha pelos direitos civis nos Estados Unidos nos anos 60, cresceram nos anos 80.

Lula criou a Secretaria Especial de Políticas de Promoção de Igualdade Racial em Brasília. Ela lidava com pesquisa, com o controverso programa de cotas raciais para admissão nas universidades, e apoio e reconhecimento para dois mil quilombos, os assentamentos para escravos fugitivos dos séculos XVII até XIX que eram símbolos da sobrevivência da cultura africana (frequentemente ioruba) no Brasil. Alguns assentamentos urbanos de negros, bem mais recentes que as históricas vilas rurais de escravos fugidos, receberam o *status* de quilombo.

De fato, o governo se baseava em movimentos esclarecidos no setor privado,[4] e em alguma ação do governo FHC para aumentar o recrutamento para o serviço público. Isto já havia resultado na redução da diferença de salários entre aqueles que se descreviam como negros, por volta de 48%–49% da população, e aqueles que se descreviam como brancos, uma maioria estreita.

As diferenças ainda eram grandes — em geral os brancos tinham duas vezes a renda dos negros, e metade dos negros estavam desempregados — mas elas estavam lentamente diminuindo. Um estudo publicado em setembro de 2005 mostrou que em 1990, um trabalhador branco de 48 a 50 anos ganhava em média 130% a mais que um negro da mesma idade. Já em 2002, essa diferença havia caído para 90%. Entre os trabalhadores mais jovens, de 24 a 26 anos, a diferença em favor dos brancos caíra só um pouco, de 62% para 55%.

Muito na diferença de salários era explicado por disparidades em educação, a região em que as pessoas moravam, suas ocupações e empregos. Mas, de acordo com a idade, a discriminação ainda explicava 25% a 29% da variação. Uma reportagem sobre o estudo, na *Folha de S. Paulo*, destacou uma mulher bem qualificada, 33 anos, de uma família pobre do Rio de Janeiro. Ela tinha um MBA em *marketing* da PUC do Rio e falava cinco línguas. Ela fora rejeitada em vários empregos e pelo menos um de seus entrevistadores admitiu que ela não estava sendo contratada porque era negra. Ela acabou como vendedora em uma loja canadense de cosméticos na elegante Ipanema.

O governo Lula procurou combater a discriminação como parte de sua postura antirracista e antipobreza. Matilde Ribeiro, a ministra da Igualdade Racial, comentou essa reportagem. "Há vinte anos, esta diferença [em níveis de pagamento] teria sido negada. Hoje ela é evidente. Os melhoramentos são o fruto de duas décadas de luta do movimento negro, mas ainda há muito a fazer".[5]

Outra pesquisa, contudo, apontou a fraqueza do ensino público no Brasil como uma grande desvantagem para famílias negras e outros brasileiros pobres,[6] embora a Conferência das Nações Unidas contra o Racismo de 2001 tenha gerado alguma melhora para brasileiros negros e mulatos. Na campanha presidencial de 2006, Lula prometeu dar mais prioridade à educação.

A transparente desigualdade da sociedade brasileira teria sido difícil para o governo mais radical reverter, dada a herança de disparidades na riqueza e na educação, os juros constantemente altos e as distorções nos impostos e pensões. Mas um estudo do Banco Mundial, lançado no fim de 2005, mostrou o Brasil como o país mais desigual da América Latina, e ultrapassado somente por quatro países africanos: Namíbia, Botswana, a República Centro-Africana e Swazilândia.[7] O Banco afirmou que havia muito pouca interação entre ricos e pobres no Brasil, que apesar do Bolsa Família ser útil não ia longe o suficiente, e que grupos como parlamentares e juízes estavam mais preocupados em acumular dinheiro.

O problema era que o governo Lula não estava conduzindo uma campanha total contra a desigualdade, a despeito do que o presidente dissera em batalhas eleitorais anteriores. Era limitada não apenas por políticas econômicas relativamente ortodoxas, mas também por uma indisposição para desafiar os interesses de quem se beneficiava do *status quo*. Alguns desses eram aliados eleitorais tradicionais, como professores universitários e o trabalho organizado. Subsídios às universidades públicas, que tinham mantido seu prestígio e o duramente competitivo recrutamento contra o desafio das universidades particulares, eram, na verdade, um subsídio à classe média alta, que podia pagar boas escolas secundárias particulares.

De modo que o governo recorreu a grandes gestos, como batidas a empregadores que estavam contratando trabalho escravo. A perversa tradição de trabalho forçado para pagamento de dívidas por parte de operários agrícolas a fazendeiros ou produtores de carvão para gusa no leste da Amazônia havia adentrado o século XXI. Era uma contínua exploração da pobreza no Nordeste. Homens desesperados da região eram contratados por capatazes chamados "gatos", postos em caminhões, levados por centenas de quilômetros, e colocados para trabalhar longas horas em péssimas condições, com alimentação e moradia inadequadas. Era quase impossível pagar o empréstimo que tinham feito para chegar lá. Todos os anos sob Lula, muitos milhares desses homens foram libertados, com publicidade, após batidas de inspetores federais ou da polícia em seus locais de trabalho.[8]

Este era também um aspecto da tentativa do governo de fortalecer os direitos humanos no Brasil. A despeito de uma vigorosa campanha para aumentar a consciência de organizações da sociedade civil, e os aspectos progressistas da Constituição de 1988, os direitos humanos ainda tinham dificuldade em ganhar o apoio público. Procedimentos legais eram lentos. Havia muita corrupção em níveis estaduais e locais. Era particularmente difícil para semianalfabetos obterem justiça. Muitas pessoas denegriam o movimento de direitos humanos como defensores dos criminosos e não das vítimas — uma posição que levou à derrota da tentativa de banir a venda de armas em um plebiscito de 2005.

A Secretaria Especial dos Direitos Humanos de Lula lançou um serviço telefônico para permitir que vítimas e testemunhas denunciassem abusos. Inicialmente em Brasília, mas para ser propagado por todo o país, reservava o número 100 para um serviço confidencial gratuito que contataria uma equipe de conselheiros e advogados no Disque-Direitos Humanos.

O ministro Nilmário Miranda reconheceu que eles receberiam ligações de toda parte. Ele esperava denúncias de racismo, tortura, esquadrões da morte e todos os tipos de violência, incluindo agressões a mulheres, crianças e homossexuais. Miranda considerava este um elemento-chave num sistema nacional de direitos humanos, mas reconhecia que o verdadeiro desafio seria fazer com que as denúncias fossem seguidas de ação, pelo Ministério Público, pelas CPIs ou por agências especiais.

A imagem dos programas sociais — que também incluíam esforços para a igualdade da mulher, para o microcrédito, e contra a violência doméstica[9] — era de que a intenção era boa, fazia boa propaganda, mas talvez não fizesse grande diferença. Havia também a sensação de que Lula, que vivera em favelas ao chegar ainda garoto do Nordeste, não tinha atacado os problemas do crime e da imundície nas favelas.

Sob o sistema federativo brasileiro, a grande responsabilidade pelo crime e o meio ambiente urbano recaía nos estados e prefeituras. Mas o crime relacionado a tráfico de drogas, corrupção policial e o estado atroz das prisões, gerava manchetes e uma razão para que turistas evitassem certas partes do Brasil. Partidários de longa data achavam que a pior decisão de Lula, manobrando sua coligação governamental durante a crise política de 2005, foi a demissão de seu velho amigo Olívio Dutra do Ministério das Cidades. Um apaniguado de Severino Cavalcanti foi posto em seu lugar.

Periodicamente, o crime nas favelas ou as práticas de "atirar para matar" da polícia ou de policiais fora de serviço em esquadrões da morte chocavam o país. Este era o caso, em particular, quando a violência ocorria em capitais da mídia como São Paulo e Rio. Os números ocultos eram sérios, trágicos e pouco alterados pela chegada de Lula à Presidência. No primeiro ano dele como presidente, 2003, a polícia do Rio matou mil pessoas. A taxa de homicídios, um ano depois, nos subúrbios mais pobres da cidade, estava estimada em 76 por 100 mil, metade a mais do que na área metropolitana do Rio, a Baixada Fluminense, que tem uma das taxas mais altas do mundo.

Cidade de Deus, o romance de Paulo Lins baseado em estudo antropológico numa favela do Rio, chamou atenção internacional para a vida sem lei de um pobre subúrbio ao tornar-se um premiado filme de mesmo nome.[10] Revelava o poder dos chefes do tráfico, a juventude destes criminosos armados e intimidadores, e a guerra declarada que existia com a polícia. Está estimado que no Rio existam entre 600 e 750 favelas, habitadas por 20% da população, e a reação das autoridades oscilava entre demolição, relocação e assistência a favelados para que construíssem seus barracos de modo mais estável.

Em março de 2006, Lula anunciou um programa de moradia com investimento direto de um bilhão de reais e incentivos fiscais de valor dezoito vezes maior, pagáveis por meio de bancos estatais. Enquanto se estimava que o país precisasse de oito milhões de novas casas, o Congresso vinha estudando havia doze anos propostas para um grande plano habitacional. Mas o programa de Lula foi criticado como manobra eleitoral, que auxiliaria mais as classes médias do que as mais pobres. Para as favelas, a ideia era que os moradores conseguiriam financiamento do material para reconstruir suas casas. Em seu programa de rádio semanal, *Café com o Presidente*, Lula disse que cada brasileiro teria sua casa própria.

Pela natureza do sistema federativo, frequentemente havia desentendimentos entre o governo em Brasília e os estados e municípios quando crimes à mão armada se tornavam manchetes. Foi o caso em São Paulo em meados de 2006, quando bandidos, de dentro da prisão, orquestraram uma extraordinária orgia de violência e destruição — assassinatos de policiais, incêndios de ônibus, lojas e edifícios públicos. Nunca se vira nada igual. Rebeliões em presídios, causadas por superlotação e pela baixa qualidade do sistema carcerário, haviam ocorrido de tempos em tempos ao longo da breve era democrática brasileira. Mas a matança em São Paulo, ocorrida em três ondas e ultrapassando os limites da capital, parecia conjurar algo mais alarmante. Era a visão de um estado em que bandidos assumiam o controle após uma guerra civil — precisamente o que tantos favelados viviam diariamente.

A sequência de eventos foi a seguinte. Em 22 de maio estourou uma rebelião após um ladrão de bancos chamado Marcos Camacho, vulgo Marcola, ser ameaçado de ser transferido para uma prisão de segurança máxima, Artur Bernardes. Ele controlava o PCC (Primeiro Comando da Capital), a maior facção criminosa do estado de São Paulo.[11] Ao mesmo tempo, 765 presidiários ligados ao PCC seriam transferidos para a prisão de Presidente Venceslau, onde também enfrentariam disciplina mais rígida. Marcola, que introduzira a gangue ao negócio das drogas, usou um telefone celular de dentro da prisão para ordenar uma insurreição maciça de seus membros de dentro e de fora. Centenas de carcereiros foram mantidos reféns. Do lado de fora, por um período de cem horas que trouxe terror aos cidadãos da metrópole de São Paulo, o PCC organizou 299 ataques que levaram a 152 mortes entre a polícia, criminosos e cidadãos comuns. Mais 126 pessoas morreram nos dias subsequentes, supostamente em confrontos com a polícia, originando acusações de que a polícia estava operando como esquadrões da morte.

Uma segunda onda de ataques começou a 11 de julho e envolveu 106 ataques espalhados em cinco dias, com danos consideráveis a propriedades, mas apenas oito mortes. Os alvos dos ataques a tiros e bombas eram edifícios públicos e particulares, bancos, lojas, ônibus e a polícia.

A terceira onda teve lugar em 10 e 11 de agosto, quando o PCC lançou uma centena de ataques em dezoito cidades e pequenas localidades do estado de São Paulo, embora não na capital. O próprio Lula viajou à cidade para urgir o envio de tropas federais — algo que havia acontecido em ondas anteriores de crime no Rio.

Em 13 de agosto, a TV Globo transmitiu um DVD de três minutos e trinta e seis segundos por exigência do PCC, que havia sequestrado e ameaçava de morte um de seus jornalistas, Guilherme de Azevedo Portanova. Na gravação, o PCC reclamava do sistema penitenciário e do regime disciplinar diferenciado para os criminosos mais perigosos.

Inevitavelmente, uma irrupção criminosa tão dramática e bem divulgada alimentou a campanha eleitoral. São Paulo era controlada pela oposição. Alckmin fora o governador. Após entrar na contenda presidencial, ele havia sido substituído por seu vice-governador do PFL, Cláudio Lembo, cuja ascendência política datava à pró-militar ARENA dos anos 70. O homem que liderava as pesquisas de opinião para o governo era agora José Serra, o prefeito do PSDB e candidato derrotado por Lula em 2002. Lembo falou grosso e disse que as forças de segurança de São Paulo podiam lidar com a crise. O candidato a governador do PT, Mercadante, pediu tropas federais e destacou as perdas financeiras que o estado vinha sofrendo.

Uma coisa demonstrada pela crise é que os criminosos não tinham problemas em conseguir armamento. Contudo, no ano anterior, na ocasião de um plebiscito sobre venda de armas, houvera uma notável mudança na opinião pública, induzida pela mídia. Foi uma história que ilustrou o conservadorismo social subjacente no Brasil, a volubilidade da opinião pública e o poder do dinheiro para mudar o modo de votar das pessoas.

O pano de fundo era que o Brasil tinha um histórico espantoso de crimes à mão armada, um dos piores do mundo. Em 2004, cerca de 34 mil pessoas foram mortas com armas, e em outros anos a taxa de assassinatos fora ainda maior. Isto resultava em cem mortes por dia, ou aproximadamente vinte e duas mortes por cem mil habitantes anualmente; estimou-se que mais de 9% dos cidadãos possuíam armas.

ONGs locais e outras, apoiadas pela IANSA (Rede Internacional de Ação contra Armas de Pequeno Porte) vinham desafiando essa situação. Numa anistia de dois anos, coincidindo com o início do mandato de Lula, cerca de 440 mil armas foram devolvidas. O governo também negociou um acordo com seu vizinho Paraguai, a fonte de muitos itens contrabandeados, numa tentativa de prevenir a importação de armas ilícitas. Muitas das armas utilizadas nos assassinatos do Rio, entretanto, tinham sido licenciadas, ou roubadas de policiais e soldados, ou mesmo vendidas por eles.

Em 2003, as leis sobre armas foram reformadas para restringir as vendas legítimas. Elas caíram 92% entre 2003 e 2005, e o número de lojas autorizadas foi drasticamente reduzido, de 1.730 para 120. Com a anistia e consciência maior do público, a taxa de assassinatos caiu 8,2% em 2004.

Como parte deste ataque contra os crimes à mão armada, parlamentares no Congresso tiveram êxito na votação em favor de um plebiscito pela proibição total da venda de armas. O plebiscito, como uma ferramenta da democracia, era permitido pela Constituição de 1988, mas nunca fora ativado antes. Esta não era uma campanha exclusiva do PT no Congresso, nem no país, onde o plebiscito foi marcado para outubro de 2005. De fato, ONGs sentiram que o governo poderia ter ajudado mais.

Enquanto o próprio Lula votou pela proibição, o mesmo fez seu velho adversário José Serra do PSDB, então prefeito de São Paulo. Serra escreveu um artigo na *Folha de S. Paulo* intitulado "Eu digo sim ao Sim".[12] Marisa, esposa de Lula, fez seu único gesto político em todo o período que ele foi presidente ao indicar que ela também votaria no Sim.[13]

O plebiscito foi conduzido sob as leis da Comissão Eleitoral, com voto obrigatório para aqueles entre dezoito e setenta anos de idade, e cada lado recebeu tempo gratuito na televisão e no rádio. Os favoráveis à proibição total mostravam imagens lacrimejantes de viúvas e mães enlutadas. Os contrários à proibição igualavam a proposta a uma ameaça nazista ao direito de cidadãos honestos de se defenderem.

O extraordinário, entretanto, foi a reviravolta na opinião pública. No início de 2005, quase 70% dos votantes eram a favor da proibição. Mas o lado do Não venceu com 64% dos votos em outubro. Muito dessa mudança ocorreu no fim da campanha quando o *lobby* das armas gastou fartamente, e os órgãos mais poderosos da mídia ficaram do seu lado.

Veja, a revista semanal mais vendida com um público de classe média, produziu uma reportagem de capa em 5 de outubro intitulada "Sete razões para votar Não". Argumentava que países que proibiram a venda de armas testemunharam um aumento na criminalidade e crueldade dos bandidos; que a vitória do Sim não tiraria as armas de circulação; que desarmar os cidadãos era um dos pilares do totalitarismo; que a polícia brasileira não podia garantir a segurança; que a proibição estimularia o comércio ilegal; que os criminosos não obedeceriam à proibição; e que o plebiscito desviava a atenção da necessidade de sanear a polícia, o sistema judiciário e as prisões.[14]

Nem todos esses argumentos eram bem fundamentados, e na realidade apenas 10% das mortes por arma de fogo em São Paulo, por exemplo, foram resultado de disparos de criminosos; a grande maioria tinha uma variedade de causas incluindo brigas de bar, comportamento agressivo no trânsito, e conflitos domésticos ou familiares onde a presença de armas transformava uma discussão em um assassinato.

Para ativistas brasileiros e a campanha internacional de controle de armas, este, o resultado do primeiro plebiscito nacional sobre armas em qualquer lugar no mundo, foi um grande revés. A explicação para ele foi a insegurança do público e a falta de confiança na polícia. Acreditava-se também que eleitores menos instruídos podem ter votado por engano, achando que estavam votando Não às armas, em vez de Não à proibição da venda de armas. Ativistas também suspeitavam do pesado dispêndio da indústria de armas, acreditando que pode ter recebido ajuda do poderoso *lobby* de armas estadunidense.

O resultado não foi apenas uma crítica implícita à política de lei e ordem de Lula, mas também refletia o fato de que a ainda jovem democracia brasileira falhara em fornecer policiamento eficiente e incorrupto que servisse a todas as comunidades igualmente, e não apenas aos ricos. O voto também pode ter sido resultado de uma irritação com o governo numa época em que a crise do mensalão vinha dominando a mídia: havia um medo generalizado de que a corrupção seria acobertada — "vai tudo acabar em pizza", para usar a expressão popular.[15] O eleitorado estava descontando em cima de alguns do *establishment* político.

O que o governo Lula faria sobre a inflamada questão das terras no Brasil? A injustiça da posse de terras no Brasil fora tema de reformistas por meio século, mas o relacionamento entre Lula e o MST tivera seus altos e baixos. Embora tanto o partido quanto o Movimento dos Sem-Terra tivessem recebido estímulo dos progressistas da Igreja Católica na empolgante era de transição nos anos 80, os dois corpos estavam agora apartados e por vezes em conflito. Membros do MST não gostavam de política eleitoral, e políticos eleitos pelo PT temiam que o radicalismo do MST afastasse os eleitores. O governo FHC, com suas ligações com latifundiários entre seus aliados do PFL, fora particularmente duro com o MST, embora alguma reforma agrária tivesse ocorrido. Líderes do MST haviam reagido apoiando Lula em 2002.[16]

Mas do ponto de vista do governo, até mesmo um liderado pelo PT, a questão dos sem-terra e dos latifúndios improdutivos era apenas uma das muitas envolvendo o uso da terra. Outras envolviam agricultura familiar de um lado, e do outro a necessidade brasileira da renda de exportação, o toque de clarim da poderosa agroindústria, que estava exportando soja, cítricos e carne; contenciosas questões ambientais, que haviam suscitado preocupação internacional sobre o desmatamento da Amazônia, mas que também emergiram quando Lula desengavetou um esquema muito discutido de desvio do rio São Francisco, no Nordeste; e a contínua controvérsia sobre o direito dos índios — 460 mil a 735 mil — à terra.[17]

Apologistas do governo, como o íntimo colega de Lula, Aloizio Mercadante, que escreveu um livro em 2005 comparando o governo de Lula favoravelmente com seu antecessor FHC, declarou que uma média de aproximadamente oitenta e duas mil famílias estavam sendo assentadas anualmente. Isto, disse ele, era 21% a mais do que a média de Cardoso.[18] Ele argumentou que uma reforma agrária desse tipo, que trazia mais dinheiro para o campo e ligava os pequenos produtores a grandes projetos como o programa brasileiro de biodiesel, era uma contribuição à regeneração rural e um freio na urbanização apressada. O governo estava procurando levar seus serviços aos assentamentos do MST e fornecer mais apoio aos assentamentos federais organizados no passado pelo INCRA, o Instituto Nacional de Colonização e Reforma Agrária.

Mas o MST não via as coisas da mesma forma que o governo. Estava impaciente com o ritmo lento da reforma no primeiro ano de Lula, 2003, quando apenas catorze mil famílias foram assentadas. João Pedro Stédile, o líder do MST, ameaçou promover tumultos — o que produziu uma promessa do governo de que 400 mil famílias seriam assentadas até 2006. As ocupações continuaram. Em setembro de 2005, Stédile disse que o governo estava "acabado" — e criticou sua política econômica conservadora e sua dependência de figuras como Severino Cavalcanti, Renan Calheiros (então presidente do Senado) e José Sarney.[19]

Seguidores do MST estavam desenvolvendo uma cultura própria em seus acampamentos — radical, democrática, explorando o feminismo e a agricultura biológica, e frequentemente hostil às instituições do estado. Sua diretriz continuou a ser de confronto. Em abril de 2004, eles invadiram propriedades pertencentes à Klabin, grande fabricante de papel. Em setembro de 2005, ocuparam uma fazenda em Paranapanema que pertencia ao presidente nacional da conservadora corporação de latifundiários, a União Democrática Ruralista; no mesmo mês, seus membros ocuparam os escritórios do INCRA em vários estados.

Uma ramificação extremista do MST, o MLST (Movimento de Libertação dos Sem-Terra), tinha sido fundada em 1997. Era ainda mais impaciente que o MST. Em abril de 2005, cerca de mil e duzentos de seus membros invadiram o Ministério da Fazenda em Brasília para reclamar de cortes no orçamento da reforma agrária. Em junho de 2006, seus sectários invadiram a Câmara dos Deputados e se envolveram em brigas com deputados e a polícia. A polícia foi chamada por Aldo Rebelo, que estava presidindo a Câmara; 497 membros do MLST foram presos, dano considerável foi feito, e quarenta e uma pessoas foram feridas.

Críticos do governo lembraram que em 2004 os líderes do MLST tinham visitado Lula no Palácio do Planalto. Ele tinha sido fotografado usando um de seus bonés e autorizara uma subvenção do governo de nove milhões de reais para a organização. Mas a reação do governo à invasão da Câmara, dois anos depois, foi intransigente.

A dificuldade do governo em policiar a gigantesca extensão do Brasil, com seus muitos conflitos de terra específicos, foi ilustrada pelo assassinato, em fevereiro de 2005, da freira norte-americana Dorothy Stang, que vinha trabalhando com a Comissão Pastoral da Terra (CPT) para acabar com a violência contra camponeses na Amazônia. Ela foi assassinada perto da estrada Transamazônica no estado do Pará, onde já haviam ocorrido mais de um terço das 1.349 mortes em conflitos de terras no Brasil entre 1985 e 2003. Por ser muito benquista por ali e norte-americana, houve publicidade nacional e internacional. Em compensação, Brasília protegia quatro milhões de hectares ricos em biodiversidade em duas áreas de conservação no Pará. Ainda assim, impedir conflitos de terra potencialmente fatais foi tão difícil para o governo Lula quanto para seus antecessores.

Além do assentamento dos sem-terra, o governo deu apoio à chamada agricultura familiar — pequenos fazendeiros, que não cultivavam muito mais do que precisavam para a subsistência e que no sul do país haviam sido quase eliminados com o crescimento das grandes fazendas. Era exatamente dessa cultura que viera a própria família de Lula, no Nordeste.

Em 2003, seu governo renegociou as dívidas de cerca de 825 mil famílias fazendeiras, organizou um programa nacional para o fortalecimento da agricultura familiar, que emprestou cerca de nove bilhões de reais para as safras de 2005-6 e foi ativo em mais de cinco mil distritos, a maioria no Norte e no Nordeste. Programas de extensão rural foram ressuscitados, e a Petrobras comprou biodiesel (rotulado "combustível social") de pequenos produtores.[20] Também de importância, no campo, foi um programa de eletrificação rural, "Luz para todos", que era extensão de um projeto de FHC.

Mas de certa forma esta atividade, como o assentamento dos sem-terra, era periférica ao grande caso da agricultura. O Brasil de Lula estava se tornando mais dependente da agricultura de exportação em larga escala, com seu impacto impiedoso no frágil meio ambiente dos cerrados e da floresta amazônica. No fim de 2004, o então ministro da Agricultura, Roberto Rodrigues, disse francamente: "Não vamos misturar as coisas. O agronegócio é o negócio mais importante do país. Representa 34% do PIB nacional, gera 37% de empregos, é responsável por 42% das exportações brasileiras. É o setor superavitário na balança comercial, que garante o superávit nacional como um todo".[21]

O agronegócio era uma tradição brasileira. Açúcar e café entrelaçavam-se com a história do país havia mais de duzentos anos. A diferença agora era o poder das grandes fortunas e máquinas sofisticadas para atacar o meio ambiente, e o leque de produtos e mercados exportadores envolvidos. Soja estava indo para a China, suco de laranja para os Estados Unidos, carne para a Europa —

com algumas variações segundo o estado de preocupação com a doença da vaca louca. O café ainda era importante. A cana-de-açúcar tornara-se fonte de combustível etanol.

O poder era exibido em fazendas gigantes mecanizadas, sobretudo no estado do Mato Grosso, no Centro-Oeste. Ele se tornou epicentro da mais nova revolução em agronegócio — o maior estado do Brasil na produção de soja, algodão e carne, e o segundo estado para o arroz, alimento básico na dieta nacional. Muito disso estava sendo comandado por empreendedores agrícolas do sul do Brasil e, quando Lula foi eleito presidente, o mais rico de todos, Blairo Maggi, foi eleito governador do Mato Grosso, nomeando sua esposa como secretária do Trabalho.[22]

O grupo Maggi foi fundado pelo pai de Blairo, André, que se mudou do Rio Grande do Sul para o Paraná nos anos 50, e decidiu investir nos cerrados do Mato Grosso na década de 70. O grupo então se mudou para as áreas florestais do estado, na borda da Amazônia, convertendo-as para o plantio de soja. No começo do século XXI, a empresa era a maior produtora de soja do mundo. O Brasil, sozinho, estava produzindo quase um quarto da produção global de soja em 2005, ganhando mais de dez bilhões de dólares, e seis milhões de hectares do Mato Grosso estavam sendo usados para esse propósito.

De acordo com o Greenpeace, Maggi tinha recebido empréstimos do Banco Mundial no valor de trinta milhões de dólares para abrir um terço desta terra.[23] Maggi usou sua posição como governador para melhorar as estradas e a infraestrutura no estado, e promoveu impiedosamente o desmatamento e a expansão da agricultura.[24]

Inevitavelmente, Maggi ficou na linha de fogo dos ambientalistas, que protestavam que o Mato Grosso sozinho era responsável por 48% da destruição da Amazônia em 2004 e 2005. O nível de desmatamento em 2004 — 25.000 km² — levou sete deputados do Partido Verde a retirarem seu apoio a Lula em maio de 2005, pouco antes de estourar o escândalo do mensalão. O ministro da Cultura, Gilberto Gil, formalmente um verde, não deixou o governo, contudo.

Nesta questão, como em outras, Lula estava tentando apaziguar opostos. Por um lado, ele sabia a importância das exportações para a economia brasileira e a necessidade de um superávit na balança comercial a fim de pagar a dívida interna. Por outro lado, ele estava tentando mostrar algum compromisso com a sustentabilidade no processo de desenvolvimento. Afinal, o Brasil fora anfitrião da Eco-92 no Rio de Janeiro; seu crescente movimento ambientalista havia tocado o próprio PT, que não era mais um partido urbano e sim ligado a movimentos sociais no campo e aos seringueiros na floresta, para quem Chico Mendes era um mártir.[25] A ideia que dominara quase todo o século XX de que as terras brasileiras constituíam um bem gratuito e inexaurível, não era mais viável.

Lula tendia a deixar as partes contrárias brigarem, criando áreas de conservação e reservas indígenas em um momento, enquanto se gabava do lucro na exportação de agricultura e matérias-primas em outro. O conflito chegou ao núcleo do governo. Roberto Rodrigues, como ministro da Agricultura, era na verdade um grande cultivador de soja no Maranhão. Marina Silva, a respeitada ministra do Meio Ambiente de Lula, em pelo menos uma ocasião foi levada às lágrimas pela atitude do seu presidente, quando ele autorizou experiências em colheitas modificadas geneticamente.[26]

A opinião internacional, e a do consumidor em particular, podia às vezes fazer mais do que Lula e seus ministros. Ironicamente, uma razão pela qual a soja de Maggi havia se tornado tão predominante, especialmente na Europa, era o fato de não ser geneticamente modificada. Em julho de 2006, Maggi e multinacionais estadunidenses reagiram à preocupação dos consumidores com o desmatamento, depois de investigadores terem mostrado aos supermercados europeus que a soja cultivada na Amazônia estava alimentando as galinhas que eles vendiam. Os grandes grupos produtores prometeram não utilizar soja cultivada em terras abertas ilegalmente. Monitorar tais empreendimentos, porém, continuava tão complicado quanto com as leis de conservação existentes.[27]

Lula não era avesso a grandes gestos desenvolvimentistas; ao contrário, ele os apreciava muito. Um desses foi o custoso projeto do governo de desviar o rio São Francisco, no Nordeste assolado pela seca, para fornecer água e irrigação para terras de cultivo. Quando o autor estava conversando com primos Silva perto de Garanhuns em 2005, ficou claro que esta era uma decisão popular e foi uma das muitas razões pelas quais Lula parecia imbatível nas pesquisas nos estados do Nordeste na eleição de 2006. Mesmo assim, houve oposição de alguns por razões ecológicas; um bispo entrou em greve de fome.

Lula também estava disposto a fazer propaganda do programa brasileiro de biodiesel, desenvolvido ao longo de várias décadas no século XX por diferentes governos. Uma parte importante envolvia a produção de álcool a partir de cana-de-açúcar para abastecer automóveis. Foi uma salvação para a indústria nordestina do açúcar, que, na metade do século XX, parecia ultrapassada e não-competitiva.

A controvérsia sobre a derrubada de árvores na Amazônia permaneceu inalterada ao longo do mandato governamental, dentro e fora do Brasil. A redução da cobertura florestal — particularmente devido a queimadas no norte do Mato Grosso, mas com derrubadas e queimadas por todo o perímetro da floresta — continuou, apesar da inspeção de satélites e de um plano de ação envolvendo treze ministérios e vários governadores estaduais. A destruição de mais de 25.000 km^2 no primeiro ano completo de Lula, 2003-4, foi a segunda pior desde 1977; cerca de 18.000 km^2 de bosques desapareceram em 2004-5.

No fim de 2006, um grupo ambientalista, o Instituto Socioambiental, alegava que houvera mais desmatamento na era Lula do que em qualquer quatriênio desde 1988.[28] Mas o último ano do primeiro mandato de Lula viu um declínio acentuado dessa taxa, particularmente no estado do Amazonas, onde o governo estadual estava transferindo seu apoio do desmatamento à conservação. Problemas de corrupção na agência de silvicultura, IBAMA, somaram à dificuldade de aplicar a lei sobre áreas gigantescas pouquíssimo habitadas, e até funcionários do PT em um estado foram acusados de serem beneficiários de derrubadas ilegais.

Desde que o regime militar de Médici no início dos anos 70 lançara seu programa transamazônico de estradas, ecologistas internacionalmente tinham estado em alerta vermelho sobre o perigo contra uma das maiores florestas do mundo. Muitas outras florestas tropicais, como as do oeste da África e Indonésia, tinham sido dizimadas. Crescente entendimento da extraordinária biodiversidade da floresta e dos efeitos de seu desaparecimento sobre o clima não havia, infelizmente, sido acompanhado de qualquer impedimento ao desmatamento predatório, nem da capacidade de deter completamente a destruição.

A conscientização de que a perda de cobertura florestal estava tendo resultados dramáticos foi despertada nos brasileiros pelas graves secas na Amazônia em 2005 e 2006. Começando no Acre, estas secas afetaram a capital fluvial de Manaus na região central, matando peixes, interrompendo o transporte fluvial e isolando cidades fluviais. Também deram a Marina Silva, a ministra do Meio Ambiente, um pretexto com o qual fortalecer seus poderes reguladores, e em um ano houve trezentas prisões, mil e quinhentas firmas foram fechadas e 600.000 m^3 de madeira ilegal, quase sempre mogno, foram confiscados.[29] A classe média, especialmente, estava acordando para a realidade do aquecimento global.[30]

Interligado ao futuro da Amazônia estava, claro, o futuro do povo indígena brasileiro, embora os índios estejam, de fato, espalhados pelo país. Por volta do ano 2000, 11% das terras do Brasil estavam reservadas aos índios, considerados os melhores curadores da ecologia do país.[31] De fato, um respeitado instituto ambientalista demonstrou que apenas 1,14% da floresta tinha sido derrubada em terras indígenas, comparado aos 18,96% em outros lugares.[32]

Tradicionalmente, o PT fora solidário com os índios, encarando-os como parte dos pobres excluídos. Havia fricções, no entanto, entre grupos indígenas, camponeses pobres e seringueiros, que também eram parte da coligação petista.

Os índios eram ameaçados pelo avanço dos madeireiros, fazendeiros e cultivadores de soja, que via de regra tinham o governo estadual a seu lado. Lula adquiriu algum crédito em 2005 transformando em lei a ratificação da terra ocupada por quinze mil índios, muitos deles macuxis, em Roraima, na fronteira brasileira ao norte.[33] Os que celebraram este ato na região foram interrompidos, porém, quando cultivadores de arroz que se opunham a esta decisão destruíram duas pontes; os cultivadores em solo indígena teriam que ser relocados. A delimitação e proteção desta área, conhecida como Raposa-Serra do Sol, tinha sido remanescente dos anos 90 e assunto de uma grande campanha internacional de apoio liderada pela Survival, a ONG sediada no Reino Unido. Os índios ainda estavam insatisfeitos após o problema ter sido teoricamente resolvido.

Os índios tinham adquirido visibilidade crescente nos últimos anos, e a partir de 1991, mais e mais pessoas estavam se descrevendo como "indígenas" no censo nacional. Mas mesmo sob Lula, as somas destinadas à sua saúde não estavam chegando a eles, e foi calculado que cerca de metade das tribos e grupos étnicos tinham menos que quinhentas pessoas. Pelo menos doze, que possuíam entre cinco e quarenta indivíduos, provavelmente desapareceriam.[34]

De todas as áreas sociais com as quais qualquer governo se preocupa, a que causava mais irritação e ansiedade ao brasileiro comum era possivelmente a educação. O sistema público de educação no país era e é totalmente inadequado para um país que busca *status* de primeiro mundo. Comparações com países da Ásia que estavam se desenvolvendo mais depressa que o Brasil, como Coreia do Sul, China, Malásia ou Singapura, sempre voltavam à alta prioridade que eles haviam dado à educação de seus cidadãos. Reconhecendo isso, Lula prometeu na eleição de 2006 que colocaria muito mais esforço e recursos neste campo.

Mas muitos achavam que, em seus longos anos na trilha da campanha, Lula deveria ter dado um exemplo pessoal melhor; enquanto outros sindicalistas proeminentes haviam arrumado tempo para tirar diplomas ou qualificações legais, Lula nunca se incomodara com isso. Ao contrário de Nelson Mandela, por exemplo, que tinha estudado para graduação a distância enquanto estava na prisão, e encorajado sul-africanos pobres e negros a voltarem à escola quando foi presidente, Lula parecia ufanar-se em jogar na cara de brasileiros mais instruídos tudo que ele havia conseguido com apenas um curso vocacional no SENAI.

Não havia muita dúvida em relação ao atraso brasileiro. Um estudo com crianças de quinze anos feito pela Organização para Cooperação e Desenvolvimento Econômico (OECD) mostrou que, de quarenta e um países comparados, o Brasil chegou em 40° lugar em matemática e ciências, e 37° em padrões de leitura. O México e a Indonésia estavam na frente em matemática e ciências, e os sul-coreanos estavam entre os quatro primeiros nas três matérias.[35]

Outras análises foram também preocupantes. Pais que podiam pagar estavam evitando a educação pública e, em 2005, a Fundação Getúlio Vargas descobriu que mais de dez milhões de estudantes estavam em escolas privadas, as quais custavam 13,6% da renda de suas famílias. Nas escolas estaduais, mais da metade dos reitores e diretores estavam sendo nomeados por apadrinhamento político.

Os anos 90 deveriam ter visto um progresso real; foi uma das promessas do programa de governo dos cinco dedos de FHC na eleição de 1994. Quando Lula foi finalmente eleito presidente em 2002, muitas das zombarias feitas à sua modesta experiência educacional tinham acabado, e de um governo do PT, elevado ao poder por tantos professores e acadêmicos, esperava-se que alcançasse muita coisa.

O governo Lula lançou uma chuva de iniciativas, entre as quais o requisito de que crianças começassem a escola aos seis anos, e de que o ensino básico fosse estendido de oito para nove anos. O sistema de merenda gratuita foi ampliado para atingir trinta e sete milhões de alunos, e melhor comunicação foi exigida para assegurar que as famílias receptoras do Bolsa Família mandassem seus filhos à escola. Pesquisas comprovaram que o Bolsa Família era particularmente eficaz com crianças de até treze anos.[36] Novos programas foram iniciados para crianças pequenas, pela melhora da qualidade dos professores, e para os trinta e três milhões de adultos definidos como funcionalmente analfabetos.

As universidades não foram ignoradas e o governo começou um programa chamado ProUni (Programa Universidade para Todos), que pretendia fornecer quitação parcial ou integral das taxas estudantis para estudantes de baixa renda. Bolsas integrais foram pagas para estudantes de famílias cuja renda era menor do que 1,5 vezes o salário mínimo, e no primeiro semestre de 2006 havia 800 mil alunos inscritos nesse programa; 200 mil alunos em universidades particulares se beneficiaram. Lula inaugurou dez universidades federais, algumas das quais sediadas em faculdades já existentes.[37] A expansão do setor universitário foi acompanhada pela recomendação às instituições de que fornecessem cotas mínimas aos estudantes negros, aos mais pobres, e aos índios.

Alguns acadêmicos reclamaram de empobrecimento intelectual e destacaram a experiência infeliz das cotas raciais nos Estados Unidos e a dificuldade real de definir raça no Brasil. O empurrão definitivo da política educacional — complementada pela estratégia do Ministério da Cultura de trazer computadores e tecnologia da informática às favelas — foi aliar um esforço por justiça social a um esforço por padrões educacionais mais altos. Cristovam Buarque, ex-ministro da Educação e membro do PT demitido por Lula, fez da educação a plataforma de sua campanha presidencial pelo PDT, em 2006.[38] Ele afirmou que o governo Lula simplesmente não estava fazendo o suficiente. Lula tivera três ministros da Educação em quatro anos.

O sistema educacional do Brasil era socialmente distorcido,[39] e os professores do sistema público não eram bem pagos. Numa federação, estados e prefeituras detêm grande parte do poder. Outros países democráticos, tão diferentes quanto os Estados Unidos, o Reino Unido e os estados do Leste Europeu emergidos do comunismo depois de 1989, também estavam enfrentando dificuldades em modernizar sua educação. O melhor que pode ser dito a favor de Lula é que ele fez um começo; sistemas de educação não podem ser mudados da noite para o dia, e seria mais fácil verificar o quanto os seus governos alcançaram no fim de seu segundo mandato.

E o setor da saúde? Nos níveis mais caros, a medicina particular e os hospitais mais bem equipados estavam entre os melhores de qualquer lugar. Em um país onde a aparência de uma mulher era motivo de ansiedade permanente e a cirurgia plástica um assunto dos mais discutidos, não era de surpreender que cirurgias para melhorar a aparência do corpo estivessem na vanguarda da medicina global. Tanto Marisa quanto Lula parecem ter recebido injeções de botox para remover rugas indesejáveis. Mas o Brasil também estava entre os primeiros em imunologia.

Porém, isto estava a um mundo de distância dos serviços de saúde disponíveis nas favelas ou cidades esquecidas do interior, ou da experiência do próprio Lula com doenças intestinais quando criança ou um dedo amputado quando jovem. Assistência médica para brasileiros pobres ainda era pouco subvencionada, ou de baixa qualidade, no início do século XXI.

A Constituição de 1988 marcara um avanço real. Com o apoio do PT, tinha criado um sistema único de saúde projetado para atingir todos os brasileiros. Até 1988, estimava-se que 30% dos brasileiros estavam excluídos de qualquer assistência médica. O SUS — Sistema Único de Saúde — foi criado para ser inclusivo, semelhante ao Serviço Nacional de Saúde Britânico, iniciado quarenta anos antes. O novo serviço já havia atravessado várias crises financeiras, entretanto, e pagar médicos bons para trabalhar nesse sistema era caro.

O governo Lula buscou coordenar a federação, estados e municípios de maneira mais eficaz, para investir em medicina preventiva e se concentrar em prioridades como mortalidade infantil e materna, serviços de ambulância, remédios mais baratos — onde o governo uniu esforços com a África do Sul em batalhas vitoriosas contra as empresas de remédios para tornar os genéricos disponíveis — e assistência odontológica. Esta não podia ser menosprezada num país em que dez milhões de pessoas não tinham nem dentes nem dentaduras.

O governo teve alguns êxitos, especialmente na mortalidade infantil e maternal. Cerca de metade da população estava coberta pelo Programa de Saúde da Família (PSF), e nos dois primeiros anos, de 2002 a 2004, a mortalidade infantil nos distritos com o PSF caiu de 31,3 mortes por mil nascimentos para 26,7. O investimento em saúde bucal subiu mais que seis vezes entre 2003 e 2006. A luta contra a AIDS, tuberculose e malária foi intensificada. A população idosa brasileira recebeu mais atenção, e uma campanha de vacinação para aqueles acima dos sessenta, em abril de 2005, atingiu quase 84% deste grupo etário.

As estratégias do Brasil para o controle e redução do HIV/AIDS vinham sendo admiradas há alguns anos. Quando em 2005-6 houve preocupação internacional com uma possível pandemia de gripe aviária, o governo aumentou a vigilância; a gripe era sempre um problema, causando a perda de dias de trabalho. O governo instalou unidades investigativas nos estados para monitorar os tipos de vírus da gripe e a disseminação da doença.

Mas assim como na Educação, era impossível afirmar que enormes avanços tinham sido feitos em quatro anos, embora claramente a saúde dos brasileiros pobres, e do eleitorado tradicional do PT, estivesse recebendo atenção. Aloizio Mercadante, colega íntimo de Lula, foi franco: "Os desafios da saúde pública no Brasil ainda são enormes, como resultado da persistência da desigualdade social, da tendência dos custos médicos a subir, da mudança demográfica com o envelhecimento da população, e da falta de cooperação entre elementos no sistema federal".[40]

A Cultura era uma área em que o governo queria ser visto como quem está fazendo algo diferente. Lula tivera por muitos anos o apoio pessoal de artistas e intelectuais como o cantor, compositor e romancista Chico Buarque. Embora Lula reconhecesse as limitações daquilo que anos antes fora apelidado de "esquerda festiva", ele era grato pela presença de artistas populares nos grandes comícios, uma mistura de entretenimento e política, que eram uma atração de todas as suas campanhas anteriores a 2006.

Ele nomeou Gilberto Gil ministro da Cultura. Gil era um cantor negro nascido na Bahia, integrante do movimento tropicalista nos anos 60 e 70, que havia tornado o samba conhecido ao redor do mundo. Embora tecnicamente um Verde, Gil professava discretamente sua filiação partidária e era pessoalmente comprometido com Lula. Ele permaneceu no governo quando os verdes retiraram seu apoio, e organizou um encontro do presidente com artistas no Rio em agosto de 2006, no começo da campanha eleitoral. Mas não pôde trazer todos os artistas consigo: o cantor Caetano Veloso, por exemplo, recusou-se a votar em Lula, argumentando que era contra presidentes terem um segundo mandato.

Dentro do Brasil, Gil lançou vários programas para trazer arte, filmes e tecnologia da informática ao povo. Ele apoiou esforços para acabar com a exportação ilegal de produtos culturais, e a restauração de museus para a qual ele triplicou a despesa ao longo de três anos. Utilizando investimentos liberados pelo governo e por empresas com incentivo fiscal, ele destinou dinheiro extra para regiões que tinham sido negligenciadas no passado: o Norte (Amazônia), o Nordeste e o Centro-Oeste.

Ele também promoveu uma vigorosa política cultural internacionalmente, construindo parcerias com a China e realizando um "Ano Brasileiro" na França em 2005 e uma "Copa Cultural" na Alemanha para coincidir com a Copa Mundial. Em julho de 2006, os governos do Brasil e do Chile uniram-se para apoiar uma conferência regional para as Américas sobre discriminação, intolerância e xenofobia, cinco anos depois da conferência mundial das Nações Unidas sobre esses mesmos temas, em Durban. O Ministério da Cultura foi um dos ministérios brasileiros envolvidos.

Mas Gil foi alvo de críticas porque às vezes misturava seus interesses particulares como artista com suas visitas ministeriais ao exterior. Em um artigo hostil, a revista *Veja* sugeriu que sua carreira como cantor estivera estagnada antes de seu cargo como ministro, mas que agora ele podia aumentar o cachê de seu *show* de 70 mil reais para 200 mil reais.[41] Sem dúvida seus anfitriões e parceiros fora do Brasil queriam ouvi-lo tocar e ele nem sempre cobrava deles. Seu próprio prestígio como artista era, na verdade, um benefício para seu país, e seus *shows* podem ter sido em dias de folga de seus compromissos oficiais. Não obstante, havia uma área cinzenta ali, explorada pelos inimigos do governo.

E a religião? Não havia dúvida de que Lula era um católico fervoroso, e o clero progressista e a laicidade tinham ajudado a construir o PT desde o começo. Os protestantes evangélicos haviam se tornado mais poderosos, inclusive entre os brasileiros mais pobres, no fim do século XX. O vice-presidente Alencar era evangélico. Espiritismo e crenças tradicionais ainda eram importantes entre os afro-brasileiros. Havia correntes de secularismo e catolicismo carismático se infiltrando na sociedade.

A Igreja Católica havia muito estava dividida em facções, e dom Eusébio Scheid, o cardeal arcebispo do Rio de Janeiro, um dos críticos do presidente, disse que ele não era católico, e sim "caótico". Ao mesmo tempo, Lula era suspeito de ajudar seu amigo cardeal Cláudio Hummes nos bastidores na corrida para se tornar papa depois da morte de João Paulo II. Ele viajou a Roma para o funeral do papa com três ex-presidentes — José Sarney, Itamar Franco e Fernando Henrique Cardoso.

O aborto era a única área em que o catolicismo de Lula parecia influenciar sua política mais obviamente. Em agosto de 2005, Lula escreveu a dom Geraldo Majella durante a Assembleia Geral da CNBB para reafirmar sua posição de "defender a vida em todos os seus aspectos e extensão". Isto efetivamente acabou com uma proposta de legalizar o aborto, que fora apresentada por grupos feministas e alguns deputados do PT e do PCdoB. Um ano depois houve a possibilidade de a ala progressista do catolicismo prejudicar alguns dos ex-aliados de Lula, quando bispos intimaram eleitores a não votarem em deputados envolvidos com corrupção.

O maior fator político na cultura brasileira e, discutivelmente, na sociedade, era o domínio da mídia privada. O PT sempre suspeitara da concentração de poder, particularmente na concessão televisiva. O próprio Lula às vezes fora ferido por ataques, sobretudo em sua campanha presidencial de 1989. Se na oposição ele se colocara prontamente à disposição da imprensa, no governo evitava dar coletivas à imprensa.

Mas a mídia estava operando num ambiente competitivo, sujeito a mudanças. Um jornal que tinha sido da maior qualidade nos anos 60 e 70, o *Jornal do Brasil* do Rio, era uma pálida lembrança de seu passado no início do século XXI. O grupo Globo, combinando televisão e imprensa, tinha construído uma posição forte em todo o país no fim do século XX. *Sites*, *blogs* e a internet haviam todos se tornado importantes, especialmente para os grupos instruídos e profissionais, na época da presidência de Lula.

O PT na oposição tinha desejado estabelecer um conselho nacional de jornalismo para licenciar jornalistas. Argumentava que queria profissionalizar e elevar os padrões da mídia. Mas houvera uma longa história de fricção entre o PT e os grandes grupos de mídia, que viram nisso uma tentativa de censura proveniente de autoritários irrecuperáveis no partido.

O esquema foi descartado após uma tentativa fracassada de expulsar um jornalista do *New York Times*. Em vez disso, Lula assinou a Declaração de Chapultepec, um documento redigido pela Associação Interamericana de Imprensa que reafirma a liberdade de imprensa. Mesmo assim, no início das eleições de 2006, o PT ainda estava tentando quebrar concentrações de poder da mídia. Comparado a outros países democráticos, era difícil concluir que a mídia tratava o governo brasileiro de maneira particularmente injusta.

Finalmente, vale a pena dizer algo sobre o universo mais amplo de movimentos sociais e a sociedade civil. Eles tinham fornecido o meio ambiente onde Lula construíra um autêntico movimento sindical e haviam ajudado a construir o PT. Eles tinham crescido juntos na luta para democratizar o Brasil. Ao mesmo tempo, todos eles valorizavam sua independência, assim como Lula e seus amigos mantiveram o PT separado dos sindicatos. No governo, Lula e seus ministros afirmaram consultar os movimentos sociais, incluindo-os em grupos de discussões e conselhos consultivos. Mas era inevitável que houvesse fricções, pois a sociedade civil tinha suas próprias missões.

A decepção por Lula não ter podido mudar o mundo variava das grandes questões, como o controle apertado da política econômica em seus primeiros dois anos, a queixas específicas de que ele não fizera o suficiente para abrir os arquivos da ditadura e perseguir os culpados envolvidos em abusos de direitos humanos sob o regime

O presidente Luiz Inácio Lula da Silva causa polêmica ao colocar o boné do Movimento dos Sem-Terra (MST) durante reunião com representantes do movimento, no Palácio do Planalto, em Brasília.

Lula, emocionado, comemora a vitória na eleição com o amigo de infância Lambari.

Com o Bolsa Família, Lula ganhou o coração dos mais pobres.

F N S
99

Com o ministro da Cultura Gilberto Gil e o cantor Bono Vox, do U2: força no marketing.

Problemas: MST em marcha pelo país inteiro...

... e o PCC atacando, matando e morrendo em São Paulo.

militar. No fim de seu terceiro ano de governo, um levantamento detalhado de opinião não-governamental revelou profunda desilusão e a sensação de que o governo não estava realmente ouvindo o que os movimentos sociais estavam dizendo.

Esse estudo se baseava na experiência de treze ONGs e foi coordenado pelo IBASE (Instituto Brasileiro de Análises Sociais e Econômicas). Ele examinou até que ponto o governo estivera ouvindo a opinião pública na elaboração de sua política, especificamente a respeito de onze conflitos sociais, do desmatamento na Amazônia à segurança no Rio de Janeiro. Reclamava do apoio governamental às colheitas modificadas geneticamente embora a Conferência Ambiental Nacional fosse contra, e concluía que muitas das "consultas" do governo eram falsas.

Essa crítica ressoou como outra prova de que o PT havia perdido o contato com suas raízes e seus antigos ideais. Um dos fundadores do partido, Plínio de Arruda Sampaio, disse que os resultados coincidiam com os motivos pelos quais ele deixara o partido. "Não há nem a intenção de promover uma transformação social. O governo deixou de dialogar com o setor popular. Ele seduz, oferece migalhas, mas não dialoga. Com a classe dominante está dialogando bem, de modo fraterno."[42]

É fato no mundo inteiro que nenhuma ONG está jamais satisfeita com o que qualquer governo faz. Uma das dificuldades para Lula foi que, após sua longa luta pela Presidência, tanta coisa tinha sido esperada dele.

7 POLÍTICA EXTERNA E ECONÔMICA

Muitos consideram a política externa do governo Lula o aspecto que refletiu de modo mais autêntico os princípios originais do partido que ele fundou, o PT, enquanto sua política econômica foi a maior traição a esses princípios. Embora nem a política econômica nem a externa fossem totalmente consistentes, cada uma representava tentativas do presidente e de seus companheiros de traçar novos rumos para o Brasil em meio ao labirinto da globalização, visando ao interesse nacional conforme o viam.

Na oposição, o PT havia, por muitos anos, formulado um plano de política externa com enfoque na defesa da soberania nacional, na solidariedade com nações em desenvolvimento, nos valores do Movimento dos Países Não-Alinhados e na crescente unidade dentro da América Latina. Essa abordagem punha ênfase nas Nações Unidas, desafiava a hegemonia dos Estados Unidos no sistema pós-Guerra Fria e buscava novas relações com a África, o Oriente Médio e a Ásia para contrabalançar as conexões tradicionais com a Europa.

Havia também aspectos econômicos neste impulso internacional. Era óbvio que pelo menos alguns países em desenvolvimento — sobretudo a China e a Índia — estavam crescendo num ritmo muito mais rápido que os Estados Unidos e a Europa, e eles ansiavam pelos produtos brasileiros. Uma alta nos preços do petróleo após o início da Guerra do Iraque em 2003 significava que países árabes ricos em petróleo, assim como a Venezuela na América do Sul, mais uma vez tinham dinheiro para investir. Uma política externa que declarava solidariedade aos países mais pobres podia, de fato, ser um bom negócio, além de boa política. As numerosas viagens de Lula à África tiveram boa repercussão entre os afro-brasileiros; ter sido anfitrião de uma reunião de cúpula para estados árabes e latino-americanos em 2005 também acenava positivamente aos *turcos* — uma grande população brasileira de ascendência médio-oriental, particularmente forte no estado de São Paulo.[1]

A dimensão africana era talvez a mais idealista, porque oferecia pouco ganho econômico a curto prazo. Visitando a senzala da ilha de Gorée no Senegal, Lula pediu desculpas em abril de 2005 pelo papel do seu país no comércio transatlântico de escravos. A escravidão no Brasil não foi abolida até 1888, mais de sessenta anos depois da sua independência de Portugal, e o Brasil fora o maior importador de escravos do Novo Mundo. "Eu quero dizer a vocês... que eu não tive responsabilidade pelo que aconteceu nos séculos XVI, XVII e XVIII, mas eu peço perdão a vocês pelo que nós fizemos aos negros", disse Lula, na presença do presidente Wade do Senegal.

A experiência em primeira mão de Lula na África teve outra consequência. Ele ficou chocado ao ver que praticamente todos os diplomatas brasileiros no continente tinham pele branca. Voltando para casa, insistiu que o Instituto Rio Branco, a prestigiosa escola de diplomacia, deveria recrutar mais alunos negros.

Mas houve problemas na tentativa de praticar o que o PT pregava. O Brasil não tinha interesses idênticos àqueles dos países de língua espanhola na América Latina, alguns dos quais temiam o engrandecimento brasileiro. Embora muitos e muitos brasileiros fossem pobres, o país em si, e seu PIB *per capita*, eram bem melhores que países como a China, a Índia e quase todos os estados africanos. Além disso, estava preso a uma complexa teia política e econômica com os Estados Unidos e a Europa; as ligações políticas remontavam à Força Expedicionária Brasileira na Itália, na Segunda Guerra Mundial e à postura anticomunista do Brasil na Guerra Fria; e mesmo no século XXI, o risco Brasil e o valor do real dependiam da opinião financeira em Wall Street, em Londres e em Zurique.

O próprio Lula já era bem viajado quando se tornou presidente, com um leque de contatos, particularmente de centro-esquerda. Ele era uma celebridade internacional por mérito próprio mesmo antes de se mudar para o palácio presidencial. No cargo ele foi auxiliado por um companheiro de longa data e outrora marxista, Marco Aurélio Garcia, coordenador político em eleições anteriores e coordenador de campanha e presidente interino do PT na campanha de 2006.[2] Garcia era conselheiro pessoal de Lula para assuntos internacionais. Ele também tinha apoio de profissionais no Itamaraty, o Ministério das Relações Exteriores, que por anos tivera a seu dispor a nata do serviço público. O chanceler de Lula, Celso Amorim, fora embaixador em Londres e Nova Iorque.

No início do século XXI, a natureza da diplomacia havia mudado radicalmente em comparação aos seus cânones estagnados de um século antes. Notícias eram um negócio 24 horas. Reuniões frequentes, em que presidentes e ministros se encontravam às pressas, tinham personalizado o intercâmbio entre nações. Havia menos distinções entre "casa" e "exterior", de modo que jornalistas interrogavam líderes em entrevistas coletivas no exterior sobre crises domésticas. Os próprios líderes utilizavam viagens ao estrangeiro para promover seu *status* entre eleitores.

Lula apreciou isto imensamente, utilizando sua personalidade popular e espalhafatosa para impulsionar o Brasil. O número total de viagens internacionais e a quantidade de tempo que ele despendeu com dignitários estrangeiros vindos a Brasília foram notáveis. Em 2003, ele esteve fora do país por pelo menos 58 dias em visitas oficiais, cobrindo 32 países. Em 2004, ele ficou fora por 44 dias, visitando 22 países. Em 2005, ele se ausentou por extraordinários 70 dias, visitando 28 países. Ele viajou mais em três anos do que FHC viajara em quatro. Sempre retribuindo a hospitalidade, ou recepcionando visitas de estado no Brasil, ele deu seu tempo a 41 chefes de estado ou governo em 2003, 21 em 2004 e 30 em 2005.[3] Até mesmo num ano eleitoral, 2006, ele viajou extensivamente.

Mas o que é que essa atividade conseguiu? Empresários brasileiros, viajando frequentemente em sua comitiva, apreciavam o esforço que ele fazia em favor deles. Mas pode-se dizer que, diplomaticamente, ele teve êxito maior numa esfera mundial mais ampla, auferindo reconhecimento para o Brasil em reuniões do G8, apoio para a reivindicação do país por uma vaga permanente no Conselho de Segurança da ONU e significativas alianças sul-sul, do que na América Latina ou do Sul.

Em seu discurso de posse em 2003 Lula afirmara que "a grande prioridade da política externa durante o meu governo será a construção de uma América do Sul politicamente estável, próspera e unida, com base em ideais democráticos e de justiça social". Ele disse em seguida que para realizar este objetivo era essencial revitalizar o Mercosul,[4] a aliança econômica dos países da América do Sul, que vinha sendo prejudicada por crises em cada um deles e por visões estreitas e egoístas. O Mercosul era essencialmente um projeto político.[5]

Não há dúvida de que o governo Lula buscava fortalecer o processo de integração, mas interesses políticos diversos tinham o hábito de atravancar o caminho. No lado positivo, o Brasil apoiou um acordo entre o Mercosul e os países do Pacto Andino que, em dezembro de 2004, fez surgir a Comunidade Sul-Americana de

Nações com cerca de 350 milhões de habitantes e um PIB em torno de 2,6 trilhões de dólares. Colômbia, Equador e a Venezuela de Hugo Chávez foram associados ao Mercosul.

Ao mesmo tempo, o Brasil estimulou a instauração de um parlamento para o Mercosul. Colocou 70 milhões de dólares em um fundo de desenvolvimento para os países e regiões mais pobres do Mercosul, cerca de 70% do total. Conversas sobre uma moeda comum foram descartadas pelos banqueiros centrais. Banco Nacional de Desenvolvimento Econômico e Social – BNDES, investiu fortemente em obras de infraestrutura que visavam integração física, como mais duas pontes sobre o Orinoco para ligar o Brasil à Venezuela, e dobrando a largura da estrada do Mercosul unindo Brasil e Argentina.

A política, no entanto, permanecia obstinada. Parte do problema era a propaganda de Lula e seu governo, de que eles queriam "liderar" a América Latina e ser vistos pelo mundo exterior como representantes da região em diálogos internacionais. Porém, a liderança não pode ser simplesmente afirmada; tem que ser conferida pelos que desejam ser liderados. Antes da presidência de Lula, o Ministério das Relações Exteriores tendia a uma abordagem política suave e moderada. Estava ciente da disseminada suspeita da força econômica e demográfica do Brasil entre vizinhos de língua espanhola, e um histórico de penetração geográfica por parte de lusófonos que datava de mais de quatrocentos anos.

Inevitavelmente ocorreram atritos contínuos com a Argentina. Uma comissão conjunta foi criada para monitorar o comércio bilateral entre os dois países, mas a Argentina impôs tarifas a exportações brasileiras e empresários reclamaram que Lula não estava fazendo o suficiente para defender a "soberania nacional". Em um jantar particular com brasileiros na residência do embaixador em Tóquio, em maio de 2005, Lula foi vitriólico sobre o presidente Kirchner, porque a Argentina estava bloqueando a ambição brasileira no Conselho de Segurança da ONU.[6]

A linha oficial em Brasília era de total amizade com Hugo Chávez, cujo país manteve-se à tona com rendas de petróleo e um líder antiamericano que evitara diversas tentativas arbitrárias de deposição. Mas havia sinais de atrito. Chávez gostava de ostentar seu poder no cenário mundial, oferecendo combustível aos pobres dos Estados Unidos e à frota de transporte do prefeito de Londres, fazendo amizade com o regime iraniano e lançando a Tele-SUR, um canal de TV para a América Latina. Ele patrocinou uma escola de samba no carnaval carioca de 2006. Seu antiamericanismo agradava a esquerda tradicional no PT e no Brasil, e Lula deve ter ficado consternado quando Chávez foi aplaudido e ele foi vaiado no Fórum Social Mundial em Porto Alegre em 2006.

Um problema mais sério surgiu quando o presidente da Bolívia, Evo Morales, o líder indígena fortemente apoiado por Chávez, anunciou a nacionalização do petróleo e do gás em um discurso no Dia do Trabalho, em 2006. A Petrobras, da qual o governo brasileiro tem controle acionário, era o maior investidor estrangeiro em energia boliviana; a indústria brasileira dependia pesadamente do fornecimento de gás boliviano. O governo Lula parecia despreparado para uma medida que havia aparecido no programa de campanha de Morales no ano anterior.

Morales referia-se a Lula como "meu velho amigo", mas seu ministro da Energia propôs comprar metade das ações de companhias estrangeiras no prazo de 180 dias, e no período de transição abocanhar 82% do valor da produção, deixando apenas 18% para as empresas. Era um desafio do qual Lula não podia se esquivar, e Marco Aurélio Garcia reclamou amargamente que o confisco prejudicaria as chances de Lula durante a campanha eleitoral. Lula chamava isso abertamente de "um truque sujo".

Ele comentou: "Obviamente que, se a Bolívia teimar em tomar essas atitudes unilaterais, o Brasil vai ter de pensar em como fazer uma coisa mais dura com a Bolívia". De fato, o Brasil exerceu pressão diplomática e obteve resultados. Andrés Soliz Rada, um nacionalista radical que era o ministro da Energia boliviano, demitiu-se em 15 de setembro de 2006. Embora Morales não fosse voltar atrás na nacionalização, e a Petrobras ainda falasse em sair da Bolívia, foi aberto espaço para a negociação.

Havia importantes diferenças entre o Brasil de um lado, e a Venezuela e a Bolívia do outro, o que tornava esforços imediatos para enredar Lula numa guinada para a esquerda na América do Sul em 2005 um tanto enganosos. Tanto a Venezuela quanto a Bolívia dependiam fortemente de petróleo e gás, cujos rendimentos pouco haviam feito para atenuar a pobreza da maior parte de seus povos. A redistribuição era esperada havia muito. Principalmente na Bolívia, onde uma maioria indígena fora dominada durante séculos por uma elite hispânica descendente dos conquistadores espanhóis.

Ninguém duvidava do sentimento de Lula em favor dos pobres, mas a situação social, econômica, étnica e política no seu próprio país era tão diferente, que ele descartara uma extensão maciça de propriedade estatal como no modelo Chávez-Morales. Havia um limite para a amizade ideológica; ela era uma influência, não uma determinante, na sua política externa com os estados vizinhos.

O desejo brasileiro de ser visto como uma potência latino-americana em vez de sul-americana foi demonstrado por sua liderança na Missão de Paz da ONU no Haiti. O Brasil forneceu o maior contingente. O Haiti era, talvez, o país mais pobre do Ocidente, e sua revolução original de negros jacobinos contra a escravidão fora traída pela corrupção, incompetência e frequentes revoltas políticas. Os soldados da ONU chegaram lá como uma força de estabilização, comprometida com o desenvolvimento — como as tropas da OTAN divulgaram sua missão original no Afeganistão. No Haiti, também, foi um esforço difícil pela paz, contudo.

O comandante brasileiro morreu inesperadamente em janeiro de 2006, mas outro general brasileiro foi designado. Embora a política haitiana parecesse um atoleiro e a contribuição brasileira não fosse barata, Lula estava determinado a seguir em frente. Enquanto alguns de seus críticos conservadores no país consideravam isso um desperdício de dinheiro, Lula o via como uma entrada para a compra de uma vaga permanente no Conselho de Segurança. Era também outro sinal de respeito à tradição africana no Brasil, e um aceno aos militares brasileiros de que eles ainda podiam fazer uma contribuição honrosa sob a administração civil.

Lula havia deixado claro em sua campanha eleitoral que não estava entusiasmado com a Área de Livre Comércio das Américas (ALCA) sendo empurrada pela administração Bush, vendo-a como uma tentativa de estender a ascendência econômica dos EUA na região.[7] Em vez disso, ele preferia um crescimento na cooperação regional, e um acordo comercial mundial na chamada "rodada do desenvolvimento" — a Rodada de Doha — das negociações da Organização Mundial de Comércio (OMC). Enquanto o líder pró-americano do México, Vicente Fox, liderava os estados que queriam levar adiante a ALCA, uma reunião de cúpula das Américas em Mar del Plata em novembro de 2005 efetivamente emperrou a proposta. O Brasil de Lula, a Argentina de Kirchner, o resto dos estados do Mercosul e a Venezuela de Hugo Chávez formaram um poderoso bloco contrário à sua adoção.

Lula deu um jeito de se entender tanto com a caça quanto com o caçador na relação da América Latina com a administração Bush. George W. Bush parou em Brasília enquanto voltava de Mar del Plata. Lula mostrou-lhe, num grande mapa na Granja do Torto, onde ele havia nascido em Pernambuco, e o estado e cidade de São Paulo, onde o sindicalismo e sua carreira política decolaram. Eles assinaram um documento amistoso, porém anódino, que falava favoravelmente de reformas na ONU, da necessidade de um acordo de Doha, e do apoio ao TRIPS, tratado da OMC sobre direitos de propriedade intelectual.

Muitos brasileiros sentiam pelos Estados Unidos um misto de atração e repulsa. Após os ataques de setembro de 2001 ao World Trade Center em Nova Iorque, fiscalização mais rigorosa de passaportes foi introduzida, dificultando a vida de visitantes brasileiros aos EUA. Ela parecia ultrapassar qualquer medida razoável de segurança, e as autoridades brasileiras responderam na mesma moeda. Depois de alguns dias, quando turistas e empresários norte-americanos ficaram presos em filas lentas e enormes nos aeroportos brasileiros, as autoridades norte-americanas abrandaram.

O Brasil também fez frente à administração Bush na questão do HIV/AIDS. O governo estadunidense, influenciado por seus eleitores cristãos evangélicos, estava propagando sua atitude antiaborto, pró-abstinência e antiprostituição financiando trabalho fora do país. O Brasil rejeitou uma oferta de quarenta milhões de dólares em assistência norte-americana para seus programas de AIDS, porque se recusou a concordar com uma declaração condenando a prostituição. O país tinha uma estratégia anti-AIDS sutil e eficaz, e não tinha desejo algum de excluir prostitutas e os clientes delas de seus benefícios.

Lula havia criticado a invasão do Iraque em 2003, e antes de se tornar presidente compartilhara boa parte da retórica antiamericana do PT. Mas no cargo seu relacionamento com Washington foi bom, se não necessariamente caloroso. Os Estados Unidos precisavam do apoio do Brasil por razões econômicas e políticas, assim como o Brasil tinha que manter uma relação similar com os Estados Unidos. O presidente Bush podia não conhecer a geografia deste grande país e aliado tradicional, mas Lula era capaz de desempenhar um papel útil como interlocutor com o instável Chávez, e a economia brasileira não podia ser ignorada.

Diplomatas profissionais podiam ser cínicos em relação aos aspectos mais utópicos da política externa de Lula. Em seu discurso de posse ele dissera: "No meu governo, a ação diplomática do Brasil estará orientada por uma perspectiva humanista e será, antes de tudo, um instrumento do desenvolvimento nacional". Porém, não há dúvida de que isto era importante para Lula. Refletia seu próprio catolicismo, sua experiência como garoto pobre, sua longa luta política e seu compromisso com as necessidades do eleitorado petista.

Em eventos internacionais ele falaria sobre a necessidade de acabar com a fome e a extrema pobreza, e a importância de o mundo alcançar os Objetivos de Desenvolvimento do Milênio da ONU até 2015.[8] Foi por isso que ele dedicou esforço para fechar um negócio nas intrincadas discussões do comércio mundial. Tudo isso estava relacionado com o Bolsa Família dentro do Brasil, que, no fim de 2006, estava sendo citado por um especialista do FMI como uma estratégia de sucesso para reduzir a pobreza.[9]

A postura sul-sul do governo Lula foi buscada com persistência, e combinada ao esforço para obter uma vaga permanente no Conselho de Segurança e à presença regular do presidente nas reuniões anuais do G8 das potências economicamente mais fortes. Mas era impossível evitar a controvérsia. Brasileiros conservadores ligados aos Estados Unidos e à Europa escarneceram ao ver a ideologia petista em ação; eles observaram que o crescimento econômico do Brasil era muito mais lento do que o crescimento da China ou da Índia, e que as barreiras tarifárias brasileiras ainda eram altas.

No lado mais idealista, governistas que apoiavam os direitos humanos ficavam preocupados ao verem Lula cumprimentando efusivamente ditadores africanos como Bongo, do Gabão, presidente desde 1967. Eles ficaram desconfortáveis com o que não foi dito sobre democracia e direitos humanos na reunião de cúpula dos estados árabes e latino-americanos em Brasília, em maio de 2005, quando o enfoque foi comércio, investimentos e a busca dos países árabes por apoio para a causa Palestina.[10]

Ainda mais difícil era o fato de que o Brasil estava seguindo uma estratégia ambivalente para promover o interesse nacional. Estava pregando, e até certo ponto praticando, uma política de solidariedade com nações em desenvolvimento na América Latina e no resto do mundo. Mas ao mesmo tempo, sua política de escolher "sócios estratégicos" para diferentes propósitos — para a campanha por uma vaga no Conselho de Segurança, para crescimento do comércio e negociações comerciais — teve o efeito de separar outros países em duas filas, com possibilidade de ciúme entre elas. Foi exatamente o caso com o Conselho de Segurança.

Um dos grandes sucessos da política externa de Lula é que ele se tornou um frequentador regular das reuniões do G8. Mas eram os membros do G8 que escolhiam quem seria adicionado ao grupo, e na reunião de Gleneagles em 2005 e na de São Petersburgo em 2006, o Brasil, a China e a Índia foram vistos essencialmente como convidados. De fato, havia conversações sobre eles se tornarem membros efetivos.[11] Teoricamente eles eram representantes do mundo em desenvolvimento; na prática — especialmente porque a China era um motor para toda a economia global e um importante parceiro comercial dos Estados Unidos — eles vinham graças ao seu suposto cacife econômico.

Mas para expandir o número de membros do Conselho de Segurança, o voto de cada estado contava. A reforma da ONU vinha sendo debatida por anos, e o *status* permanente do Conselho de Segurança apenas para os vitoriosos na Segunda Guerra Mundial — Estados Unidos, Inglaterra, França, China e Rússia — foi ficando cada vez mais ultrapassado sessenta anos depois.[12] O presidente Cardoso nunca fizera da vaga permanente para o Brasil uma prioridade maior, embora fosse certamente uma meta discretamente ambicionada pelo Ministério das Relações Exteriores. Parecia haver uma chance, no início do novo século, e com a reputação da ONU comprometida por vários escândalos, de que a inércia pudesse ser superada por uma reforma institucional.[13]

Sob Lula, a vaga permanente para o Brasil se transformou em um objetivo divulgado e promovido. Ele foi persuadido a adotá-lo por seu chanceler, Celso Amorim.[14] O Brasil se aliou à Alemanha, Índia e Japão numa campanha bem organizada. Apoio foi buscado em todas as partes do mundo, e o Brasil foi bem, por exemplo, na União Europeia. Encontrou problemas, contudo, na América Latina e na África. Conforme mencionado antes, os outros estados latino-americanos desconfiavam de um país de língua portuguesa a "representá-los". Em particular a Argentina e o México tinham ciúmes das pretensões brasileiras.[15] Cada um acreditava ter mérito maior para tal. Além do mais, cada um dos aliados do Brasil tinha seus adversários: o Japão tinha a China, a Índia tinha o Paquistão, a Alemanha tinha a Espanha e a Itália.

O maior obstáculo para o Brasil estava na África, onde Lula visitara tantos países e o Ministério de Relações Exteriores abrira tantas novas embaixadas. O problema jazia em um jogo de números. Os africanos queriam duas vagas permanentes para si mesmos; os contendores líderes eram a Nigéria e a África do Sul, embora isto não agradasse aos países francófonos. Mas se eles conseguissem, significaria que haveria onze membros permanentes, o que os reformistas das ONU consideravam demais, quando deveriam ser adicionados por membros temporários de cada região.

Havia outras questões, também. Por que não poderia haver uma potência do Oriente Médio com um assento permanente? O Brasil não teria se saído melhor sozinho do que com aliados que traziam adversários além de assistência? No fim do primeiro mandato de Lula, portanto, era óbvio que o Brasil queria entrar de qualquer jeito no Conselho de Segurança, mas não havia nenhuma certeza se isso ocorreria, e quando. De alguma forma o Brasil tinha que combinar a boa vontade dos cinco permanentes que já existiam com votos suficientes de todo o resto.

Em 2005, o Brasil também sofreu duas derrotas em eleições para cargos internacionais, na OMC e no Banco Interamericano de Desenvolvimento (BID). O governo Lula apoiou Luiz Felipe Seixas

Corrêa para concorrer à OMC, mas ele foi nocauteado no primeiro assalto; ao invés disso, países em desenvolvimento estavam apoiando candidatos mauricianos e uruguaios. Quando o Brasil transferiu seu apoio para o candidato de seu parceiro do Mercosul, Uruguai, era tarde demais, e Pascal Lamy da União Europeia venceu. Na corrida pelo BID, o Brasil lançou seu próprio candidato, João Sayad, mas ele foi derrotado por um colombiano. Apenas um governo do Mercosul votou em Sayad e, ironicamente, foi a Argentina.

O mundo do século XXI estava se afastando da confiança em grandes instituições coletivas como o Movimento Não-Alinhado ou a Organização dos Estados Americanos, e dando mais espaço para "coalizões dos voluntários" como os estados do G4 que esperavam entrar para o Conselho de Segurança juntos. O Brasil estava envolvido em muitos destes pragmáticos grupos de interesse.

No primeiro ano do governo Lula, em setembro de 2003, o Brasil se uniu, em Cancun, a dezenove outros países em desenvolvimento num Grupo de 20, que defendiam o fim dos subsídios norte-americanos e da União Europeia à agricultura e à exportação. A posição era unificada, mas quando surgiu uma crise na Rodada de Doha de comércio em Hong Kong no fim de 2005, ficou claro que o G20 e seus países membros estavam desunidos naquilo que podiam oferecer em troca aos países desenvolvidos. Os países desenvolvidos queriam abrir setores industriais e varejistas, indústrias de serviços e compras públicas nos países em desenvolvimento.

As questões eram complexas e havia mais de dois lados envolvidos. Embora nem os países mais ricos nem os mais pobres quisessem abrir mão de muita coisa, alguns analistas acreditavam que o verdadeiro benefício de um acordo comercial, para as nações mais pobres de todas, provavelmente seria pequeno. Grandes exportadores agrícolas, como o Brasil e Austrália, tinham tudo para ir bem. Mas um acordo que eliminasse as preferências da União Europeia por países como a Guiana os deixaria pior que antes.

Lula não perdeu a fé na necessidade de ter êxito na Rodada de Doha, embora o quadro de horários dela mudasse continuamente e comentaristas escrevessem que ela havia entrado em colapso. Depois da reunião do G8 em São Petersburgo em julho de 2006, Lula tornou-se parte de um grupo — do qual também faziam parte a China, a Índia, o México, a União Europeia e a Austrália — que, junto com os próprios membros do G8, tentaram retomar as negociações "suspensas".

Dois outros grupos significativos de pressão aos quais o Brasil pertencia eram o BRICS (Brasil, Rússia, Índia, China e África do Sul) e IBAS (Índia, Brasil e África do Sul). Estes eram tanto para promover comércio entre eles mesmos quanto para adotar uma linha comum em negociações de comércio mundial. A presença ou ausência da China era uma diferença importante nestas duas siglas.

Para o Brasil, a China era tanto uma bênção quanto uma maldição. Ela importava matérias-primas e mercadorias brasileiras, mas o preço baixo de seus produtos manufaturados era uma constante ameaça à indústria brasileira em produtos que iam de têxteis a eletrônicos. E, do ponto de vista do PT, era uma ditadura baseada em mão de obra barata e não-sindicalizada, anátema para todos aqueles que haviam lutado por sindicatos livres e melhores salários contra o regime militar.

Lula visitou a China em maio de 2004, assinando acordos para exportação de alimentos e aço; naquele ano o Brasil teve um superávit de 9,1 bilhões de dólares em seu comércio com a China. A cooperação comercial era de amplo espectro, com a China lançando satélites espaciais brasileiros, e o Brasil construindo aviões a jato comerciais no nordeste da China. Mas a inquietude do lado brasileiro foi mostrada um ano depois quando o ministro do Desenvolvimento, Indústria e Comércio Exterior, Luiz Furlan, visitou Pequim no esforço de obter um acordo de cavalheiros para moderar o surto de exportações chinesas ao Brasil.

IBAS foi fortemente promovida pelo próprio Lula, que visitou Nova Déli em 2004 e foi anfitrião de uma reunião de cúpula em Brasília com o presidente Thabo Mbeki, da África do Sul, e o primeiro-ministro Manmohan Singh, da Índia, em setembro de 2006. Ele realizou isso no meio de sua campanha para a reeleição. Os três países haviam combinado criar uma área de livre comércio entre eles, e o comércio Brasil-Índia cresceu 170% em dois anos. "Nós somos as maiores democracias, respectivamente, em cada um de nossos continentes, e estes valores nos unem de uma maneira única", disse Manmohan Singh. Os três desejavam aumentar o comércio trilateral em 25% em um ano, para dez bilhões de dólares em 2006.

Por trás do IBAS estava não só o interesse principal do comércio, o FMI e a reforma da ONU, mas também cooperação em energia, na qual o Brasil era rico em etanol, a África do Sul em combustível sintético à base de carvão e a Índia em energia eólica e solar. Lula tirou vantagem da reunião de um modo característico, oferecendo técnicos de futebol à equipe futebolística extremamente subdesenvolvida da Índia.

Lula estava perfeitamente ciente de que, no século XXI, a diplomacia não era conduzida apenas entre países. O mundo possuía muitas forças mais poderosas que nações-estados — multinacionais, organizações não-governamentais em campanha, a mídia, e grupos armados como Al-Qaeda e Hezbollah, que podiam enfrentar os mais poderosos exércitos. Sua própria experiência, no fermento de movimentos sociais no fim da ditadura militar, dera-lhe essa percepção.

Ele, portanto, aproveitou diversas oportunidades para conversar e se encontrar com pessoas em reuniões informais. Em particular, era frequentador assíduo do Fórum Social Mundial, que havia começado em Porto Alegre como um comício antiglobalização contra o Fórum Econômico Mundial em Davos, Suíça. E ele também apareceu em Davos. Na teoria, estava portando uma mensagem dos radicais em Porto Alegre aos representantes dos ricos no mundo. No decorrer de sua presidência, isso se tornou mais difícil para ele. Em Porto Alegre ele não era mais visto como um militante. Em Davos, a política econômica brasileira foi considerada lerda e seu presidente maculado pelos escândalos de corrupção.

Na opinião internacional, Lula continuou categorizado como um político de "centro-esquerda". Em julho de 2003, ele visitou Londres para um encontro de líderes progressistas, na maioria europeus, promovido por Tony Blair, o primeiro-ministro do "Novo Trabalhismo", e seu amigo Peter Mandelson. O projeto do "Novo Trabalhismo" foi criado a fim de reunir preocupações tradicionais socialistas para o auxílio à pobreza e maior igualdade, com a realidade do sucesso aparente do capitalismo após a queda do Muro de Berlim, e o desejo da classe média por escolha em serviços públicos. Esse acordo estratégico provara ser eficaz em vencer eleições e foi apregoado em teorias de uma "terceira via", ou, na versão de Bill Clinton, "triangulação"; mas críticos à esquerda viam um abandono dos ideais de igualdade, com o estado como seu motor, e um conservadorismo gradual.

Lula estava familiarizado com esses debates, mas não era nenhum teórico. Na cúpula progressista de Londres, e em ocasiões semelhantes, ele tendia a utilizar seu *status* de celebridade que — ao contrário de pessoas como Blair, criadas com conforto — havia começado a trabalhar na pobreza e ajudado a criar um movimento sindical e o PT.

Ao mesmo tempo, ele voltou satisfeito ao ver que o tipo de acordos que ele estava fazendo no Brasil tinha paralelos em outros lugares. Particularmente a dura política econômica que ele prenunciara em sua Carta ao Povo Brasileiro, elaborada para sossegar investidores e a classe média, era semelhante à estratégia de Blair. O governo trabalhista de Blair havia preservado por dois anos as prioridades de gastos de seu predecessor conservador, e também dado autonomia ao Banco da Inglaterra para estabelecer taxas de juros. A intenção de Lula também era acalmar os temores e facilitar a promoção de políticas de inclusão social.

Mas o aspecto negativo para Lula, como fora para o governo trabalhista britânico, era que a política econômica ortodoxa tendia a continuar. O Brasil não deu calote em sua dívida externa quando Lula assumiu o poder em Brasília. Não introduziu controles de câmbio, como fizera, polemicamente mas com sucesso, o primeiro-ministro da Malásia durante a crise da moeda no Sudeste da Ásia, no fim dos anos 90. Manteve a confiança dos financistas internacionais e altíssimas taxas de juros em casa.

Para os militantes tradicionais do PT, isso era uma traição. Para os brasileiros comuns, as altas taxas de juros, que haviam chegado a 25% ao ano, em janeiro de 2003, eram particularmente opressivas.[16] O país ainda pagava altos juros de sua dívida externa e estava comprometido com um grande superávit em conta corrente para poder fazê-lo. O crescimento econômico, na média de 2,6% ao ano durante o mandato de Lula, era baixo demais para um país em desenvolvimento que tentava alcançar os países mais ricos, e somente metade da média sul-americana.

O único sucesso evidente que teve um impacto redistribuidor foi a queda da inflação, estimada em torno de 29% cumulativamente ao longo de quatro anos, 2003-6.[17] O real se tornou uma moeda confiável, comercializada em lojas de câmbio de aeroportos no mundo inteiro.

Nos primeiros três anos do governo Lula houve um controle razoavelmente apertado de gastos, embora mais servidores públicos tenham sido contratados. Em 2006, por razões políticas óbvias, os cofres foram escancarados.

O governo realmente parou o programa de privatização iniciado por Cardoso, que privatizara as telecomunicações e alguns bancos estatais. Fez progresso lento com as parcerias público-privadas, artifício muito usado pelo governo trabalhista de Blair no Reino Unido para pagar pela infraestrutura do setor público com dinheiro privado, arriscando-se a sobrecarregar gerações futuras com dívidas. Utilizou entidades que permaneciam controladas pelo governo, como a Petrobras, para propósitos desenvolvimentistas. Tentou compensar as disparidades regionais que significavam que o Norte e o Nordeste do país eram tão mais pobres que o Sul e o Sudeste.

Essencialmente, Lula e sua equipe haviam decidido que eles queriam que o Brasil fosse um dos grandes jogadores no sistema econômico mundial, embora com floreios nacionalistas. O Banco Nacional de Desenvolvimento Econômico e Social – BNDES, tinha financiado privatizações sob FHC. Sob Lula, não só pagou pela infraestrutura do Mercosul, como também custeou a compra de negócios argentinos por brasileiros — como o negócio de carne Swift pelo grupo brasileiro Friboi. O governo aderiu ao acordo de Cardoso com o FMI, reação ao ataque especulativo de 2002, e em dezembro de 2005 pagou integralmente um empréstimo do FMI de 15,5 bilhões de dólares com dois anos de antecedência. Um dólar fraco e o alto preço das *commodities* possibilitaram ao Brasil juntar reservas de dólares rapidamente. Lula e Palocci deram grande importância a esse pagamento ao FMI.

O problema era que o Brasil, a despeito de seu tamanho e capacidade de exportar, ainda estava atrelado a outros chamados mercados emergentes. Acontecimentos alhures, sobre os quais não podia ter controle, afetavam o fluxo de investimentos, o valor do real e a tendência da Bolsa de Valores de São Paulo, a Bovespa.[18]

Embora o governo Lula tivesse provado ser resistente à volatilidade internacional, a economia aberta brasileira ainda estava exposta a choques. Em setembro de 2006, apenas dez dias antes do primeiro turno da eleição presidencial, um lote de más notícias — incluindo um golpe na Tailândia, um possível calote do Equador e crises políticas no Leste Europeu — fez despencar o real e a Bovespa. O último escândalo a atingir o governo Lula era apenas um dos itens que os investidores estrangeiros tinham em mente. Em maio, quando investidores americanos viram taxas de juros maiores em casa, dinheiro fora retirado do Brasil e o real caíra 20%.

O conceito de "mercados emergentes" fora engendrado para atrair dinheiro de centros financeiros tradicionais nos Estados Unidos e Europa para países em desenvolvimento. A ganância por altos retornos estava ligada ao fato inquestionável de que os países em desenvolvimento tinham muito em que se atualizar. Porém, os retornos mais altos estavam frequentemente ligados a maiores riscos econômicos e políticos. De vez em quando os investidores norte-americanos e europeus ficavam com medo. Este fator — o "risco Brasil" — ajudou a explicar as taxas de juros persistentemente altas e seu desempenho econômico relativamente fraco.

As próprias empresas brasileiras e seus próprios ricos somavam-se a esse carrossel. O Brasil era o quinto maior exportador de capital entre os países em desenvolvimento. No entanto, muito disto não estava indo para investimentos fora do país: 70% era gasto em ou via paraísos fiscais.

Lula parecia estarrecido pelas complexidades da economia brasileira, e estava inclinado a telefonar para o chefe do Banco Central e exigir reduções nas taxas de juros, independentemente dos requerimentos competitivos por trás do real. Os tradicionais conselheiros econômicos do PT nem sempre eram úteis, especialmente agora que a coligação de Lula tinha a responsabilidade de governar e não podia mais dar-se ao luxo da oposição. No passado, quando FHC introduzira o real, Aloizio Mercadante foi apenas um dos economistas do PT a afirmar que a nova moeda não duraria mais que três meses.[19]

Lula tinha vencido a eleição com dois programas econômicos diferentes. O primeiro era o do PT, de quarenta páginas, com uma crítica esquerdista ao governo FHC que resultou de muita discussão interna. O segundo era a bem mais concisa Carta ao Povo Brasileiro, de quatro páginas, em que a liderança do PT prometia continuar as diretrizes básicas do programa de Cardoso e manter compromissos internacionais, mas também reduzir as taxas de juros, acabar com as privatizações e criar mais empregos. Alguns brincaram que essa era uma carta aos mercados internacionais.

As circunstâncias nas quais Lula venceu em 2002 não eram propícias. A Argentina dera calote de suas dívidas. Ocorrera uma desvalorização no real, praticamente reduzindo seu valor pela metade, e um brasileiro precisava de quatro reais para comprar um dólar. A inflação voltara a subir 30% ao ano. Intuitivamente, Lula aprovou uma rigorosa política econômica para acalmar a febre. Palocci e Henrique Meirelles no Banco Central foram austeros ao cumprir os compromissos com o FMI e em atingir o "superávit fiscal primário" necessário para pagar as dívidas pública e externa. Muitos petistas tradicionais, que haviam recebido a Carta ao Povo Brasileiro com certo ceticismo, ficaram decepcionados.

O superávit combinado era de 4,25% do PIB. Em 2004, o Brasil estava obtendo um superávit de 4,59%. Muito embora o acordo com o FMI tenha acabado quando os empréstimos do FMI foram pagos, o governo manteve seu alvo e continuou ultrapassando o limite. Atingiu 4,84% em 2005 (93,5 bilhões de reais) e 5,77% nos primeiros seis meses de 2006. A dívida pública brasileira, que estivera escalando desde 1994, caiu no novo governo para 50% do PIB.[20] Ao mesmo tempo, o governo manteve um dos instrumentos-chave de FHC para limpar as contas públicas: a lei de responsabilidade fiscal. Era um dispositivo anti-inflacionário que restringia os gastos públicos ao que podia ser recolhido em impostos.

Esta abordagem rigorosa, apenas levemente afrouxada depois que Palocci foi forçado a renunciar por causa de um escândalo no início de 2006, irritou muitos militantes petistas. Eles observaram que o excesso sobre a meta do governo em 2005 valia 11,4 bilhões de reais, ou 27% a mais que todo o dinheiro investido no Bolsa Família. O governo parecia estar fazendo exatamente o que o PT criticara nos governos anteriores: estava reduzindo programas sociais para agradar banqueiros internacionais. Quando veio a eleição presidencial de 2006, tanto Heloísa Helena quanto Cristovam Buarque atacaram Lula com este argumento.

A resposta de Lula era que ele estava criando espaço para programas sociais — aumentos no salário mínimo, no Bolsa Família e empregos. A criação de empregos foi provavelmente seu ponto mais fraco. Num floreio populista, na campanha de 2002, ele afirmou que poderia criar dez milhões de novos empregos. A economia brasileira, como em outros países em desenvolvimento, incluía empregos registrados e informais. Os empregos registrados forneciam mais segurança, porém cobriam apenas uma minoria da força de trabalho.[21] Análises independentes sugeriram que, com a maior parte de seu mandato concluída, seu governo havia criado apenas 4,8 milhões de novos empregos registrados.[22]

Inevitavelmente, a criação de empregos era errática, seguindo os altos e baixos do ciclo econômico. Em 2005, houve 1,83 milhão de novos empregos registrados, ligeiramente menos que o 1,86 milhão de 2004. O crescimento foi maior em serviços, comércio e construção, mas decepcionante na agricultura. Significativamente, 24% dos empregos criados em 2005 foram no setor público, principalmente em nível municipal. A oposição do PSDB-PFL fixou-se no crescimento do setor público, acusando-o de ser um freio à economia e fonte de clientelismo para o PT e seus aliados. Mas os programas sociais precisavam de pessoal para executá-los, e muito da irritação sobre o início moroso do Bolsa Família derivou de incompetência local.

Para os eleitores mais pobres de Lula, uma das mais valiosas conquistas do governo foi a queda no preço de alimentos e outros gêneros, exatamente ao mesmo tempo em que os aumentos no salário mínimo e no Bolsa Família estavam ocorrendo. Era um argumento que ele utilizava em entrevistas, e em seu último comício antes do primeiro turno da eleição presidencial, a 28 de setembro, em São Bernardo, onde uma dona de casa tivera de pagar 13 reais por um saco de arroz no supermercado, ela agora estava pagando 5,90. Ele reivindicou o mérito e pediu às donas de casa que votassem nele.

Outros argumentavam que a queda nos preços tinha pouco a ver com o governo como tal, mas refletia a incapacidade do setor agrícola de subir os preços, e o impacto das importações quando o real estava forte. De fato, havia vários aspectos da economia brasileira que perturbavam analistas e diferentes eleitorados. Havia o crescimento lento da economia. Havia o tamanho do setor público e o fardo dos impostos — um fardo compartilhado de maneira desigual, já que empresas e indivíduos ricos encontravam diversas formas de evitá-lo. Havia uma crescente dependência de exportação de produtos primários, e "desindustrialização", especialmente nos subúrbios paulistas do ABC, que tinham sido o berço do PT.

O ritmo lento da economia — metade da média sul-americana no último ano do primeiro mandato de Lula — era extremamente desconcertante. O PT fora fundado como reação à compressão de salários durante o "milagre econômico" da ditadura. Mas isso não significava que o partido ou seus líderes não desejassem ver crescimento; eles estavam cientes de que isso era uma necessidade, dado o grau de pobreza e a taxa de crescimento da população, que estava chegando à marca dos duzentos milhões. Conversando com brasileiros comuns, frequentemente ouvimos gente perguntar: "Se o país é tão rico em recursos naturais, por que tantos de nós somos pobres?" E: "Por que este país não se mexe?"

Em agosto de 2006, a revista semanal *Veja* pediu a sete ganhadores do prêmio Nobel de economia que dissessem por que achavam que o Brasil não estava indo tão bem quanto a China ou a Índia. A revista ressaltou que na década de 1996 a 2005, aqueles dois países tiveram taxas de crescimento anual de 9% e 6%, respectivamente, enquanto o Brasil teve apenas 2%.[23] Outras estatísticas sugeriam que enquanto os outros dois haviam aumentado imensamente sua participação no comércio mundial, o Brasil sofrera, na realidade, um decréscimo.[24]

Todos os economistas premiados eram norte-americanos, em geral adeptos da economia neoclássica, e não-especialistas em América Latina. Mas o que disseram teve ressonância, embora observassem que a China e a Índia estavam começando de um patamar bem mais baixo que o Brasil e, portanto, podiam esperar uma expansão mais rápida.

Segundo algumas de suas críticas, o Brasil era muito burocrático para os que começavam a fazer negócios, e ainda muito protecionista; o país dava sinais do "capitalismo de compadres" que fora criticado no Sudeste da Ásia, onde o estado e certos setores comerciais eram muito próximos; a poupança era muito baixa e a educação básica muito ruim; e a cultura sociopolítica do Brasil, herdada de Portugal, não era suficientemente dinâmica. Esses economistas não gostavam do populismo que viam no Brasil, nem do "assistencialismo" do governo. Eles não reconheciam a persistente injustiça social e a pobreza ininterrupta como parte do problema.

Dois economistas que haviam se especializado em Brasil, Werner Baer, da Universidade de Illinois, em Urbana-Champaign, e Edmund Amann, da Universidade de Manchester, argumentaram que a tentativa do governo Lula de migrar da ortodoxia econômica para medidas de equidade e inclusão social seria sempre difícil. A política monetária rija tinha impedido o crescimento, o escopo do governo para gastos discricionários era restrito, e ele não fizera as reformas estruturais na taxação e na previdência social que teriam capacitado o país a escapar da armadilha do crescimento lento.[25]

Em 2005, a crise de corrupção em Brasília estava começando a jogar uma sombra sobre a capacidade do país de atrair investimentos, embora ainda fosse o quinto país mais atraente.[26] Um estudo do Banco Mundial sobre a habilidade de fazer negócios em 155 nações, publicado naquele ano, colocou o Brasil próximo ao fundo, em 119° lugar. Paquistão, Rússia e vários países latino-americanos vieram na frente, e foi estimado que levava uma média de 152 dias abrir um negócio no Brasil, 460 dias para obter as licenças necessárias e o equivalente a mais de 300 dias úteis para pagar impostos devido à complexidade do sistema tributário corporativo.[27]

O governo não estava fazendo muito para reduzir esta burocracia, e embora tivesse tentado uma modesta reforma na previdência social, não fez tentativa alguma de simplificar o sistema tributário ou torná-lo mais justo. Estava preparado para cortes um tanto drásticos de tarifas na Rodada de Doha, no entanto, com o Ministério da Fazenda propondo uma redução de 35% para 10,5% na tarifa que protegia produtos industriais feitos no Brasil. O Ministério da Fazenda foi apoiado pelo Ministério das Relações Exteriores, que estava ciente de que algo precisava ser dado em troca se os Estados Unidos e a União Europeia fossem abrir mão de seus subsídios agrícolas e o Brasil fosse aumentar suas exportações nessa área. A proposta inevitavelmente enfrentou oposição do Ministério do Desenvolvimento e dos interesses industriais em São Paulo.

Da chegada do presidente Cardoso ao fim do primeiro mandato de Lula, a economia brasileira atravessou mudanças substanciais. Suas exportações se tornaram mais dependentes dos produtos agrícolas, recursos naturais e minérios de aço e ferro. O papel da prestação de serviços dentro da economia aumentou. Havia ocorrido a desindustrialização da Grande São Paulo, com empresas se mudando para outras partes do Brasil, ou produções deixando o país de uma vez.

Os cortes na Volkswagen — que começara a fazer carros no Brasil durante os anos Kubitschek, e cujos lucros em dado momento tinham sido cruciais para a viabilidade da companhia em Wolfsburg, na Alemanha — eram sintomáticos. A firma disse que poderia fechar integralmente sua fábrica em São Bernardo do Campo em 2010, e afirmou estar pagando a seus operários duas vezes mais que seus competidores.[28]

A longa, lenta agonia da companhia aérea VARIG em 2005-2006 mostrou que nem mesmo os grandes nomes nos negócios brasileiros estavam seguros. Esta tinha sido a nau capitânia nacional por décadas, e a romântica história de seu fundador, Rubem Berta, era conhecida por crianças de escola. Berta transformara uma empresa aérea local do Rio Grande do Sul em um serviço internacional; a certa altura ele a salvara da falência usando sua coleção de selos como garantia. Mas a VARIG deixou de ser competitiva, foi efetivamente à bancarrota e sobreviveu apenas de uma forma menor como VARIG-log.

A economia brasileira poderia ser apanhada entre importações a preços baixos da China e competição de alto valor agregado da Europa e América do Norte. Lula visitou a China em 2004 com empresários em seu grupo, e seu ministro da Agricultura, Roberto Rodrigues, falou com otimismo das vendas de soja e outros gêneros alimentícios que o Brasil poderia produzir; mas um ano depois, Luiz Furlan, ministro do Desenvolvimento, foi mandado à China para tentar persuadir os chineses a fazerem restrições voluntárias às suas exportações. O Brasil estava preocupado com a chegada de enormes quantidades de tecidos baratos, sapatos, pneus e máquinas. O medo da competição chinesa não era diferente daquele demonstrado pela União Europeia e os Estados Unidos.[29]

Competição mais sofisticada também estava contribuindo para a desindustrialização no Brasil. Um bom exemplo é a decisão da BMW, empresa alemã que estava construindo o carro pequeno Mini na Inglaterra, de transferir a produção dos motores do Brasil para Birmingham. O diretor da planta britânica, Harald Kruger, disse que embora os custos trabalhistas no Brasil fossem um terço mais baixos que na Inglaterra, eles compensavam apenas 15% a 20% dos custos de produção. Construindo os motores perto da planta do Mini, não distante de Oxford, a empresa economizaria dinheiro em transporte e armazenamento, e aumentaria a eficiência.[30]

Não obstante, havia pontos positivos para o Brasil. Entre eles superávit de exportação nos anos de Lula, o sucesso da Petrobras em atingir autossuficiência em petróleo e na exploração de gás natural, e reconhecimento mundial pelo programa de biodiesel do país. O próprio Lula fazia propaganda pelo sucesso do biodiesel, que tinha quase setenta anos de pesquisa e desenvolvimento por trás. Tornou-se um importante substituto da gasolina nos anos 70 como o programa "Pró-Álcool", parte da reação do regime militar ao choque nos preços do petróleo. Por volta de 1985, este combustível, baseado em álcool de cana-de-açúcar, estava movimentando 90% dos novos carros no Brasil.

Mas com a chegada da democracia, a redução nos subsídios e a estabilidade dos preços do petróleo, o biodiesel perdeu seu encanto nos anos 80. No novo século, com a preocupação nas emissões de gases do efeito estufa e um novo arranque nos preços do petróleo, o biodiesel subitamente se tornou atraente de novo. Uma subsidiária da Fiat no Brasil, chamada Magneti Marelli, inventou uma unidade de controle computadorizado que permitia aos carros a utilização alternada de biodiesel, gás natural comprimido ou gasolina, em combinações que refletiam disponibilidade e preço. Esta solução flexi-combustível oferecia vantagens. O Brasil estava em posição de exportar não apenas biodiesel, mas também uma tecnologia avançada.

O Ministério da Agricultura esperava com otimismo que, com avanços na tecnologia, o país pudesse aumentar enormemente sua posição nos mercados internacionais. Embora o Brasil ainda fosse o maior produtor de grãos de café do mundo, tinha apenas 2% do mercado em café instantâneo. Tinha oportunidades semelhantes para leite condensado. Mas a questão do café instantâneo havia sido uma irritação durante décadas; as multinacionais sediadas nos países em desenvolvimento escamoteavam suas preferências e estratégias comerciais a fim de reter para si o valor agregado por converter grãos em café instantâneo.

A fé do Brasil nas regras do comércio mundial, em comparação a acordos bilaterais ou a ALCA de inspiração norte-americana, se baseava em seus sucessos com a OMC. O governo Lula prosseguiu sua campanha contra os subsídios agrícolas dos Estados Unidos e da União Europeia, que haviam sido iniciados por diplomatas comerciais na presidência de FHC.

O Brasil escolheu áreas de produção, como o açúcar e o algodão, de significância econômica, e aliados apropriados para seus apelos na OMC. Em 2005, em conjunto com Austrália e Tailândia, obteve uma grande vitória sobre a UE com relação ao açúcar. A UE estava pagando a seus fazendeiros de beterraba sacarina três vezes mais que o preço mundial por cada tonelada métrica exportada, e também estava subsidiando a reexportação de açúcar de cana. Depois que a rodada comercial do Uruguai terminou em 1994, foi permitido à UE exportar 1,27 milhão de toneladas métricas de açúcar subsidiado, mas os europeus trapacearam. As exportações subiram para 4 milhões de toneladas métricas, e o Brasil e seus produtores de açúcar estimaram que poderiam atingir 7 milhões até 2007.

A OMC, em duas decisões sucessivas, disse à UE para reduzir. O Brasil, como produtor de larga escala e cultivador relativamente barato, já com 40% do mercado mundial, podia ter a expectativa de se beneficiar na arena internacional. Foi um golpe contra as distorções dos subsídios agrícolas, também debatidos na Rodada de Doha. Mas não era boa notícia para alguns países em desenvolvimento de alto custo que vinham vendendo açúcar de cana aos europeus. Produtores como Maurício e Jamaica, que tinham acesso preferencial ao mercado europeu sob os acordos pós-coloniais para a África, o Caribe e os estados Pacíficos, viriam a sofrer. Em 2006, pequenos produtores tradicionais como Barbados haviam se retirado do comércio de açúcar quase que inteiramente.

O Brasil também enfrentou os Estados Unidos com sucesso na OMC sobre o algodão. A despeito da determinação contrária da OMC, os Estados Unidos continuavam subsidiando seus fazendeiros de algodão ilegalmente. Luiz Furlan, o ministro do Desenvolvimento, decidiu que serviria melhor aos interesses do Brasil utilizar a decisão como moeda de barganha, a fim de obter a entrada de mais produtos brasileiros no mercado norte-americano, em vez de insistir com a imediata concordância.

Os sucessos na OMC, e a importância real do país em certos mercados mundiais, explicaram por que Lula no poder não poderia seguir os ditames simplistas anti-OMC e antiglobalização de seus ex-aliados do Fórum Social Mundial. Seu governo via regras de comércio como uma vantagem, não como uma conspiração. Elas permitiam a todos os países, e especialmente aos mais fortes em desenvolvimento, limitar o poder econômico dos blocos do Atlântico Norte.

Lula pede desculpas pelos erros do PT.

8

CORRUPÇÃO E ESCÂNDALO

A história do Brasil é repleta de episódios de corrupção, grandes e pequenos. Sendo o país geograficamente imenso, por muito tempo as comunicações foram precárias, e o policiamento, mesmo quando honesto em intenção, dificílimo. Obrigações para com a família e a comunidade local foram quase sempre mais valorizadas do que escrúpulos morais ou obediência a leis. O Brasil é uma federação na qual o poder aquisitivo é distribuído entre o governo federal, estados e municípios, e alianças são fundamentais na política. Clientelismo entre políticos pode degenerar rapidamente em uso abusivo de dinheiro público.

Durante a volta gradual à democracia nos anos 80, o PT foi o principal defensor da ética na política. Representando os trabalhadores, ele criticava os injustificados ganhos de empresários e acionistas; defendendo os pobres, atacava o desvio de verbas públicas pelos políticos e os ricos. Acima de tudo, desejava que na nova democracia os padrões éticos fossem mais elevados. As diversas correntes ideológicas no partido, quer derivadas do marxismo, do catolicismo ou dos novos movimentos sociais, estavam unidas nesse ponto. Foi por isso que o PT perseguiu Fernando Collor até obter o *impeachment* dele por meio de uma comissão parlamentar de inquérito (CPI). O partido também atacou Fernando Henrique Cardoso por comprar os votos que alteraram a Constituição para que ele pudesse concorrer à reeleição, além de farejar irregularidades em algumas de suas privatizações.

Por que então, no final do primeiro mandato de Lula em 2006, seu governo era visto como extremamente corrupto, e os eleitores se vingaram negando-lhe a reeleição no primeiro turno? Vale a pena examinar alguns dos principais escândalos e as questões por trás deles.

O primeiro escândalo sério veio à tona logo no início do primeiro mandato de Lula, quando a revista *Época* publicou uma matéria de capa, com respaldo de fitas gravadas, revelando que Waldomiro Diniz, secretário para Assuntos Parlamentares da Casa Civil da Presidência, havia tentado extorquir dinheiro de um banqueiro de jogo do bicho, Carlos Cachoeira, durante a campanha eleitoral de 2002.

A reportagem foi divulgada num momento ruim para o governo, quando o Fome Zero estava começando mal, e antes que o Ministério do Desenvolvimento Social e o Combate à Fome tivessem sido criados para substituí-lo pelo Bolsa Família. Diniz era subordinado a José Dirceu, então ministro da Casa Civil. Dirceu ofereceu demitir-se, mas Lula, que desejava mostrar lealdade àqueles que haviam ajudado a construir o PT, rejeitou imediatamente a oferta.[1]

Poucos dias depois, Lula confessou a Ricardo Kotscho, seu secretário de imprensa, que havia acabado de cometer o pior erro político de sua vida; mais tarde, Dirceu também disse a Kotscho que deveria ter insistido na sua demissão. A coisa ficaria pior para Dirceu e Lula, mas em retrospecto, esse foi provavelmente um dos maiores erros do presidente, pois evitou que ele dissociasse a si próprio, ao seu partido e ao governo, do crime e da responsabilidade política por corrupção. Isso também gerou questionamentos, que se tornaram mais prementes depois, sobre como o PT havia financiado a dispendiosa campanha eleitoral de 2002.

O principal escândalo do período central do primeiro mandato de Lula explodiu na edição da *Veja* de 18 de maio de 2005, que mostrava Maurício Marinho, um gerente dos Correios, recebendo propina. Ele fora nomeado por Roberto Jefferson, presidente do PTB, um dos aliados venais do governo cujos votos eram essenciais para a maioria de Lula no Congresso. A reportagem, amparada por uma gravação oculta de vídeo, afirmava que o PTB tirava proveito dessas nomeações para conseguir dinheiro para o partido.[2] Esse era um partido que havia emergido das eleições de 2002 com vinte e seis deputados federais, mas que, à época do escândalo, usando induzimentos tradicionais para que outros mudassem a sua cor política, tinha quarenta e sete.

Cerca de duas semanas depois, Jefferson, acusado de todos os lados por corrupção, detonou o que a imprensa descreveu como uma "bomba humana". Basicamente, ele disse que o governo do PT mantinha um sistema de pagamentos mensais — o "mensalão" — a deputados de outros partidos para que votassem com o governo. Ele pôs a culpa em José Dirceu, que coordenava a maioria no governo; em Delúbio Soares, tesoureiro do PT; e em Sílvio Pereira, secretário-geral do PT. Dois dias depois que Jefferson falou à *Folha de S. Paulo*,[3] o Conselho de Ética do Congresso se reuniu para discutir sua possível expulsão; no dia seguinte, apesar dos esforços desesperados do governo para evitá-lo, foi instaurada uma CPI para investigar a corrupção nos Correios. Do PT, somente catorze deputados e um senador, Eduardo Suplicy — que chorava ao fazê-lo — estavam entre os 236 deputados e cinquenta e dois senadores que assinaram o pedido de abertura da CPI.

Depois disso, o escândalo aumentou rapidamente. A TV e a imprensa forneciam à estupefata nação relatos diários da crise em Brasília. Jefferson explicou que um publicitário chamado Marcos

Valério estava repassando recursos financeiros para os deputados, canal que foi apelidado de "valerioduto". Disse que Sílvio Pereira comandava um sistema de coleta de dinheiro de entidades estatais que era usado para recompensar os pequenos partidos que apoiassem o PT no Congresso. Esses pagamentos eram transferidos por meio de caixa dois.

Em muito pouco tempo foram instauradas simultaneamente três CPIs: a dos Correios, a dos Bingos, e a do Mensalão. Suas sessões foram televisionadas. Cabeças rolaram. A 13 de junho, Dirceu demitiu-se de seu cargo ministerial na Casa Civil, e em breve precisou defender-se perante o Conselho de Ética porque também era deputado federal.

Três bancos foram incriminados pela transferência ilegal de fundos: o Banco do Brasil, o Banco Rural, e o Banco de Minas Gerais. José Genoino, presidente do PT, demitiu-se depois que um assistente do seu irmão foi preso com 200 mil reais numa mala e 100 mil dentro da cueca. Sílvio Pereira demitiu-se do cargo de secretário-geral do PT após a revelação de que o Banco do Brasil havia emprestado ao partido 20 milhões nos primeiros dois anos de governo.

Atenção cada vez maior foi dirigida a Marcos Valério e seu testemunho, o qual deu a entender que ele vinha superfaturando serviços de propaganda e publicidade para o governo, bem como enviando somas para fora do país através de contas usadas para lavagem de dinheiro. A CPI dos Correios pediu a cassação de dezoito deputados, enquanto Severino Cavalcanti, que agora presidia a Câmara dos Deputados, tentava impedir que Dirceu fosse cassado.

Dedos começaram a apontar para Duda Mendonça, o gênio do *marketing* por trás da campanha "Lulinha Paz e Amor" de 2002. Em agosto ele declarou à CPI que o PT lhe pagara por seus serviços através de uma conta *offshore* nas Bahamas, e que 10,5 milhões haviam sido escondidos da Comissão Eleitoral numa conta fantasma. A Polícia Federal pediu autorização do Supremo Tribunal Federal para bloquear as contas dessa empresa nas Bahamas.

Ainda em agosto, o clamor público voltou-se contra Antônio Palocci, cuja gestão conservadora do Ministério da Fazenda acalmara os temores despertados antes da vitória de Lula. Um ex-assessor de Palocci, quando este era prefeito de Ribeirão Preto afirmou que ele recebera pagamentos mensais de 50 mil, em 2001-2, de empresários da cidade. Palocci repassara esse dinheiro ao PT. Lula declarou que manteria Palocci no seu ministério.

A caça aos escândalos dirigia-se principalmente contra o PT e o governo, mas não era exclusividade deles. Em setembro, Severino Cavalcanti, presidente da Câmara dos Deputados, estava sendo atacado por receber propinas do dono de um restaurante no edifício do Congresso. Sebastião Buani, o *restaurater*, afirmou ter pago a Severino 110 mil em 2002 e 2003 para prolongar sua concessão. Severino deu três versões diferentes de suas ações, negou ter assinado o contrato para o restaurante, e quando ficou claro que assinara, denunciou o documento como falso.

Severino Cavalcanti era o autointitulado "rei do baixo clero" — os parlamentares menos conhecidos do Congresso, que pareciam mais preocupados com seus emolumentos e privilégios do que com seu papel de legisladores para o bem do país. Depois de peregrinar por uma sucessão de partidos conservadores, ele estava agora no PP, o pequeno partido ao qual pertencia Paulo Maluf e que também apoiava o governo. Ele havia negado a existência do mensalão, e declarou à *Folha de S. Paulo*, em 29 de agosto, que o fato de deputados terem se beneficiado de uma conta não-declarada não justificava a expulsão deles do Congresso.

Lula deu a impressão de estar trabalhando com ele para abafar o escândalo, mas deputados da oposição ameaçaram boicotar a Câmara se Cavalcanti permanecesse no cargo. No final de setembro ele foi obrigado a sair, e, numa vitória importante para o governo, Aldo Rebelo do PCdoB foi eleito em seu lugar.

O Partido Verde e o PSOL, recém-fundado partido de esquerda, criticaram violentamente a corrupção do PT e seus aliados. Houve, porém, certa hesitação na atitude do PSDB e do PFL. Uma razão pela qual muitos brasileiros comentaram que "vai acabar tudo em pizza" — ou seja, que os políticos se uniriam para dar um jeito de fazer com que ninguém fosse punido — era a suspeita de que os partidos de oposição também tinham coisas a esconder. De fato, o senador Eduardo Azeredo, presidente do PSDB, demitiu-se do cargo em outubro, após ser divulgada a informação de que sua campanha eleitoral em 1998 fora beneficiada por Marcos Valério e seu "valerioduto" de dinheiro ilícito.

A crise em Brasília em 2005 havia prejudicado Lula e o PT. Inclusive gerara outras histórias, como uma alegação da *Veja* de que a campanha do partido em 2002 fora subsidiada com milhões de dólares cubanos.[4] Houve rumores entre os oponentes conservadores de que o PT tinha um plano para manter-se vinte anos no poder, e que Dirceu planejava fazer isso apoderando-se dos rendimentos das empresas estatais, utilizando seu treinamento como guerrilheiro em Havana trinta anos antes. Em algum momento começou a circular a notícia do rápido enriquecimento do filho mais velho de Lula, conhecido como Lulinha para sua enorme contrariedade, notícia que Lula descartou como uma invasão da privacidade do seu filho.

Mas a crise também demonstrou que as instituições da jovem democracia brasileira estavam realmente funcionando. Mesmo havendo fraquezas sistêmicas no Congresso e nos partidos, as comissões parlamentares de inquérito eram eficazes. Seus processos talvez não fossem sempre justos com as testemunhas, além de permitir que deputados exercessem grandiloquência nas sessões, mas estavam disponibilizando informação ao público.

Além do mais, embora por motivação também política, o Conselho de Ética procurava fazer seu trabalho: no fim de 2005, tanto Jefferson quanto Dirceu haviam sido expulsos do Congresso. A mídia e a Polícia Federal, agindo em parceria com as CPIs, emergiram com seu prestígio redobrado. Em março de 2006, quando o escândalo do mensalão estava perdendo fôlego, o procurador-geral listou quarenta pessoas que ele descreveu como escroques, e destemidamente denunciou "uma organização criminal instalada no governo". O mecanismo processual público, ou Ministério Público, também pareceu trabalhar de modo apolítico.

Foi dramático para o PT o fato de que as cabeças de muitos de seus líderes, pessoas até então respeitadas, que haviam trabalhado duro para construir o partido, estavam rolando. A saída de Dirceu, Genoino, Pereira e Delúbio Soares atingiu o partido bem no topo. Os que estavam à esquerda do partido os viam como controladores na facção dominante Campo Majoritário; eles haviam feito acordos fundamentais com empresários brasileiros e estrangeiros no ano anterior à vitória presidencial de Lula. Ninguém sabe de fato quais garantias tinham sido oferecidas por esse grupo, ou quanto dinheiro fora pago aos cofres do partido em decorrência disso.

O fato de que alguns deles, como Genoino, não haviam pessoalmente enriquecido não era justificativa. Em geral a corrupção revelada era para benefício do partido ou, no caso dos pagamentos do mensalão, para manter uma maioria no Congresso. Mas não era isto que o PT supostamente representava. O PT fora fundado para ser diferente. A crítica de dinheiro oculto foi ligada a uma crítica de alianças e segredos desavergonhados, processos antidemocráticos da liderança do partido.

Os problemas não eram apenas em nível federal. No decorrer de 2005, a polícia e candidatos esforçaram-se mais para solucionar o mistério do assassinato de Celso Daniel, prefeito petista de Santo André, na região do Grande ABC. Daniel fora popular, uma estrela em ascensão no PT, e estava coordenando a campanha presidencial de Lula quando foi raptado, torturado e assassinado em janeiro de 2002. Dois dos irmãos de Daniel deram declarações à CPI dos Bingos dois anos depois, e o interesse público foi renovado porque vários dos envolvidos no caso, incluindo um advogado que estava tentando chegar ao fundo da questão, também foram assassinados.

O que se averiguou foi que o PT na cidade estava exigindo que empresas de ônibus fizessem pagamentos regulares ao partido. Em dado momento isso explodiu na cara do partido, e Daniel foi morto. Até que ponto ele próprio foi responsável por isso, ou quanto sabia disso, ainda era tema de conjecturas. Mas esse retrato de corrupção municipal estava correlacionado ao que se dizia sobre Ribeirão Preto quando Palocci era prefeito.

O mistério de Celso Daniel não foi solucionado, mas outro caso de corrupção não-petista foi. Paulo Maluf, outrora governador "biônico" de São Paulo à época dos militares, mais tarde eleito prefeito da capital com a ajuda de Duda Mendonça, foi mandado para a prisão durante quarenta e um dias. Estava então com setenta e quatro anos, e vinha se defendendo de acusações de corrupção havia muito tempo. Um enorme empenho do Ministério Público, que durou três anos e investigou as contas de sua família nas ilhas Caimã e no Liechtenstein, apresentou provas ao Judiciário de que ele havia desviado 500 milhões de dólares durante seu período como prefeito. Num momento difícil para o PT, essa vitória deu alguma satisfação aos partidários de Lula. Mas foi outro sinal de tolerância reduzida com a corrupção por parte de instituições encarregadas de combatê-la, e fortaleceu no público a impressão de que a maioria dos políticos são picaretas.

Os escândalos de corrupção de 2006 foram talvez menos devastadores para o governo de Lula que os do ano anterior, embora o chamado "dossiegate" tenha ajudado a impedi-lo de vencer a eleição presidencial de outubro no primeiro turno. Somente depois desse fracasso ele e o PT expulsaram os membros sob suspeita. Foram quatro os casos principais: o escândalo que forçou Lula a se livrar de Palocci; o caso das ambulâncias superfaturadas (apelidadas de sanguessugas); o caso dos "vampiros"; e a tentativa de uma unidade de inteligência petista não muito inteligente de comprar um dossiê que supostamente incriminava José Serra no escândalo das ambulâncias superfaturadas.

Palocci foi finalmente demitido por Lula em 27 de março de 2006, após um acúmulo — iniciado em agosto último — de reportagens e rumores de malversação financeira durante sua administração em Ribeirão Preto. Dois de seus assessores foram envolvidos na alegação da *Veja* em outubro de que os cubanos haviam contrabandeado três milhões de dólares para o PT em 2002, para ajudar a pagar pela campanha eleitoral. Depoimentos à CPI dos Bingos revelaram no início de 2002 que Palocci estava diretamente envolvido no recebimento de dinheiro de jogatina ilegal para o partido. A gota-d'água foi a divulgação de que um dos bancos estatais, a Caixa Econômica Federal, havia quebrado ilegalmente o sigilo bancário de um caseiro em Brasília que havia testemunhado idas e vindas suspeitas de Palocci. Houve ainda alegações de que ele e um grupo de amigos de Ribeirão Preto participavam de festas indecorosas.

Palocci, que indubitavelmente havia esperado que a gerência ortodoxa da economia e sua estatura internacional o ajudariam a sobreviver, disse que a economia estava no céu, mas ele no inferno. Sua substituição por Guido Mantega, que saíra do Ministério do Planejamento para dirigir o BNDES, não suscitou um murmúrio sequer. Mas qualquer crédito que Lula pudesse ter recebido por afastar Palocci foi anulado por seu discurso na festa de despedida do ex-ministro, onde o chamou de querido companheiro e "mais que um irmão".

O esquema das ambulâncias, operado por uma firma chamada Planam, foi, para começar, mais prejudicial ao governo Lula do que ao PT. Tivera início durante o governo FHC e ilustrava o modo como deputados podiam usar seus cargos para enriquecer ilicitamente. Nessa fraude, deputados de Brasília aprovavam emendas ao orçamento federal, direcionando verbas para que prefeituras comprassem ambulâncias a preços superfaturados, com os deputados embolsando 10% do dinheiro.[5] Membros de pequenos partidos aliados ao governo — o PTB, PL e PP — eram os principais beneficiários.[6]

Tratava-se de um esquema complexo, pois envolvia cerca de sessenta prefeitos além dos deputados, e veio à tona em 2006 quando os articuladores na Planam — Luiz Vedoin e seu pai, Darci Vedoin — começaram a dar explicações. A CPI foi instaurada e averiguou que um escândalo iniciado no governo FHC continuara durante o de Lula. Humberto Costa, o primeiro ministro da Saúde de Lula, estava implicado.

Lula havia baixado um decreto restringindo o pagamento de débitos contraídos na gestão anterior, o que criou um problema cujo custo era de oito milhões de reais para a Planam. Porém, após um encontro com Humberto Costa, e o pagamento de uma "comissão" de 400 mil reais ao seu gabinete, Costa liberou 30 milhões para a compra de equipamento hospitalar no interior. Assim, por meio de uma licitação não muito transparente, a Planam conseguiu o seu dinheiro.

A máfia das sanguessugas, como esse escândalo ficou conhecido, coincidiu com um caso mais amplo de licitação não-transparente apelidado de "escândalo dos vampiros". Foi averiguado que o Ministério da Saúde era um campo minado, com compras de suprimentos e equipamentos manipuladas e de forma corrupta. Lobistas, funcionários venais e empresários estavam envolvidos. A Polícia Federal efetuou prisões chamativas de dezesseis pessoas em três cidades em maio de 2004, durante a "Operação Vampiro", e o escândalo ganhou renovada atenção dois anos depois no contexto das sanguessugas.[7]

Foi sugerido que o esquema dos vampiros tivera início no tempo de Collor, e a polícia achava que devia ter faturado a enorme quantia de dois bilhões de reais ao longo dos anos. O mais sério do ponto de vista do governo de Lula é que os recursos para os serviços de saúde, um serviço social que necessitava de investimentos ao invés de roubo, estavam sendo criminosamente desviados.

Esses dois escândalos envolvendo o Ministério da Saúde adquiriram uma complexidade política totalmente diferente durante a campanha eleitoral de 2006. Em meados de setembro, quando Lula parecia confortavelmente à frente nas pesquisas e na expectativa de reeleger-se no primeiro turno, Luiz Vedoin foi preso, e o tesoureiro do PT do Mato Grosso e um ex-agente de polícia que trabalhava com o PT foram detidos num hotel Ibis em São Paulo, ambos com 17 milhões de reais e 248 mil dólares em dinheiro.

Segundo a polícia, essa vultosa soma era para comprar o dossiê sanguessuga de Vedoin. O dossiê implicaria José Serra, ex-ministro da Saúde de FHC e agora candidato favorito ao governo de São Paulo para a oposição do PSDB. Um vídeo supostamente o mostrava entregando algumas das ambulâncias superfaturadas no Mato Grosso, sugerindo que ele estava pessoalmente envolvido na fraude.

A atenção mudou a possibilidade de que Serra pudesse estar de alguma forma envolvido — houve também rumores de um segundo dossiê que implicaria o PT — para o fato inquestionável de que o PT estava envolvido em truques sujos. O dossiê foi ligado a um ataque de Vedoin a Serra numa matéria da revista *IstoÉ*. Mas de onde viera todo o dinheiro? Seria verdade que o PT andara usando verbas ilícitas para comprar o dossiê? Conversando com jornalistas a caminho de Nova Iorque para a Assembleia Geral da ONU, Lula dissera que estava na hora de a campanha eleitoral ficar um pouco suja. Foi isso que ele quis dizer?

O que parecia um plano para eliminar Serra da corrida em São Paulo rapidamente adquiriu projeção nacional e criou um sério revés para o próprio Lula, pois os envolvidos em planejar o que os jornalistas denominaram "dossiegate"[8] não estavam apenas em São Paulo, mas eram próximos ao presidente em Brasília. Em São Paulo, apenas uma pessoa foi diretamente incriminada, Hamilton Lacerda, que fora assessor de imprensa da campanha de Aloizio Mercadante ao governo estadual. Ele foi demitido, e a campanha de Mercadante, que já estava nos estertores, recebeu um golpe de misericórdia.[9] Inevitavelmente as pessoas perguntaram o quanto Mercadante, que alegava inocência absoluta e repulsa total, realmente sabia; ele foi acusado de, no mínimo, não saber escolher subordinados.

O verdadeiro impacto foi sentido em Brasília. Ricardo Berzoini, presidente do PT e coordenador da campanha para reeleição de Lula, foi acusado de autorizar a compra do dossiê. Lula demitiu-o, dizendo que ele não seria capaz de fazer o seu trabalho se passasse as próximas duas semanas tendo que responder perguntas da polícia e da CPI. Substituiu-o por Marco Aurélio Garcia.

Três pessoas próximas a Lula haviam ajudado a comprar o dossiê e negociar com a *IstoÉ*. Faziam parte da "unidade de inteligência" do PT, cujo tiro saiu pela culatra espetacularmente. Eles eram: Freud Godoy, um segurança do presidente, que se demitiu; Oswaldo Bargas, velho amigo de Lula dos dias do Sindicato dos Metalúrgicos, que ocupara um cargo no Ministério do Trabalho e cuja esposa era secretária particular de Lula; e Jorge Lorenzetti, um favorito de Lula devido à qualidade dos churrascos que fazia nas festas particulares do presidente, supostamente encarregado da unidade de inteligência.

Mais uma vez o discernimento de Lula deixava a desejar — sua tolerância excessiva com velhos amigos, sua falta de controle sobre seu governo de coalizão ou mesmo sobre o partido que tanto lhe devia. Mais uma vez o envolvimento do PT em ladroeiras sujas parecia solapar os princípios que o partido defendera no passado e os melhores aspectos do governo de Lula. Mais uma vez a mídia podia perguntar como a campanha de Lula estava sendo paga e se todos os esquerdistas eram vigaristas que se aferravam ao poder a qualquer preço.

Lula chamava os acusadores de "loucos" e "imbecis", mas as perguntas não queriam calar. Na véspera da eleição um agente da polícia federal divulgou à imprensa fotos de todo o dinheiro, empilhado em notas.[10] O público viu o dinheiro que teria comprado o dossiê. Para um eleitor médio parecia uma grande quantia. Aquilo não tornaria os eleitores muito inclinados a votar em Lula ou nos candidatos petistas.

Por trás da corrupção que veio à luz no governo Lula estava a tradição de que política era um negócio. Custava muito caro vencer uma eleição; o sistema de representação proporcional que elegia deputados federais, combinando uma lista partidária com o percentual de votos necessários para se tornar deputado, enfatizava a necessidade de popularidade individual; os prêmios para um vencedor eram consideráveis em termos de renda, de poder para legislar, e até o direito de galardoar 2,5 milhões do orçamento para uma instituição pública como uma escola ou posto de saúde no seu distrito. O maior prêmio, se um deputado ou partido pertencesse à maioria no governo, era a prerrogativa de nomear pessoas para cargos. José Dirceu, no auge de seus poderes ministeriais no início do governo, quando Lula o descreveu como "o capitão do nosso time", era responsável por vinte mil cargos de confiança.

Quando no início de 2005 houve uma eleição para presidente da Câmara dos Deputados, vencida por Severino Cavalcanti, contabilizou-se que um milhão de reais estavam sendo gastos pelos cinco candidatos. Um cálculo da época sugeriu que 17 mil pessoas trabalhavam para a Câmara e seus 513 deputados, e que cada deputado custava ao país 70.130 reais por mês. Além de ganhar 12.850 reais mensais, cada deputado recebia um adicional de 35 mil para contratar funcionários pessoais e mais 15 mil para manter um escritório no seu distrito.[11]

Uma proporção significativa dos deputados já era rica para os padrões brasileiros. Após a eleição de 2002, 116 deputados (mais de um quinto) declararam ativos de mais de um milhão de reais à comissão eleitoral; depois da eleição de 2006, essa proporção subiu para um terço, 165 deputados.[12]

Mas o relativo luxo desfrutado pelos próprios deputados nada era em comparação com o poder de nomeação. Foram calculados cerca de cinquenta cargos com o apadrinhamento do governo que traziam consigo enorme poder e verbas, entre eles as presidências de bancos estatais, como o Banco do Brasil, o Banco do Nordeste, e o Banco da Amazônia; a Petrobras e a Eletrobrás; a principal corporação aeroportuária do Brasil, Infraero; e o IBAMA, que licencia a extração de madeira. Muitos desses cargos foram dados a lealistas do PT ou repartidos entre membros da coligação governante.

O escândalo do mensalão revelado por Roberto Jefferson mostrou, por exemplo, que o presidente do IRB, Instituto de Resseguros do Brasil, precisava pagar 400 mil por mês ao partido de Jefferson, o PTB. Mas havia bem mais do que essas mesadas. Pessoas e empresas forneciam suporte financeiro a partidos e candidatos em troca da promessa de nomeações lucrativas. Contratos com estatais podiam ser superfaturados, ou entregues a empresas que estavam financiando o partido em questão.

Muito do que acontecia em Brasília podia ser explicado por esse sistema de pilhagem. Deputados eram pagos para mudar de partidos — foi por essa razão que o PTB angariou boa parte do seu patrimônio no decorrer de 2003-6. Valdemar Costa Neto, então presidente do pequeno Partido Liberal (PL), disse que o PT obtivera o apoio de seu partido no Congresso pelo valor de dez milhões de reais. Quando o PMDB ofereceu mais apoio ao governo em troca de mais dois ministérios, o patronato que o partido adquiriria era tão importante quanto os próprios cargos ministeriais.

Ao mesmo tempo, enquanto o Congresso causava alarde em 2005 com suas CPIs, sua própria reputação sofria. Não se dava muita satisfação aos eleitores entre eleições, de modo que deputados podiam trocar de partido com impunidade. A verdadeira produção do Congresso em termos de novas leis era modesta, e muita legislação vinha da Presidência em forma de medidas provisórias. A iniciativa que ocasionou um referendo sobre venda de armas, embora absolutamente de competência do Congresso, fora resultado de um acesso incomum de energia.

O próprio Lula e o PT que ele ajudara a fundar sabiam tudo sobre as fraquezas do Congresso e como o sistema político funcionava. Em dado momento durante a crise do mensalão, Lula afirmou que seu governo estava fazendo mais para combater a corrupção do que seus predecessores, e embora isso tenha então caído em ouvidos moucos e não se referisse aos grandes escândalos políticos expostos em 2005, ele tinha razão.

Entre as medidas tomadas pelo governo estava um decreto presidencial em junho de 2005 determinando que todos os orçamentos federais fossem divulgados na internet. Cumprindo uma promessa que fizera ao Transparência Brasil Internacional quando candidato em 2002, Lula também estabeleceu uma Secretaria de Prevenção da Corrupção no mecanismo de auditoria federal, a Controladoria Geral da União (CGU). Num acordo de parceria com a CGU, o Transparência Brasil preparou um "mapa de risco" para instituições públicas no país, apontando onde tomadas de decisões secretas ou pouco controladas podem gerar corrupção.[13]

O governo também lançou uma estratégia nacional para combater a lavagem de dinheiro, com a participação de mais de quarenta entidades públicas, e estimulou uma força policial federal cada vez mais eficiente e profissional. Conforme visto na detenção de petistas que haviam tentado comprar o dossiê anti-Serra, a ação policial podia ser embaraçosa para o governo. Mas antes que ele próprio fosse prejudicado por essas detenções, Aloizio Mercadante havia escrito orgulhosamente que a polícia conduzira sessenta e seis operações anticorrupção, prendendo 1.300 pessoas (das quais 515 eram servidores públicos federais), e em doze grandes batidas pusera fim a fraudes que custavam 67,8 bilhões de reais.[14]

Quanto ao próprio Congresso, houve discussões contínuas sobre a necessidade de fortalecer a fidelidade partidária; sobre uma mudança no sistema eleitoral, fazendo com que deputados fossem escolhidos por distritos geográficos definidos e não como parte de uma lista nacional; e sobre limites a despesas partidárias. O próprio Lula, em 2006, falou por algum tempo sobre a necessidade de uma nova assembleia constituinte para levar a cabo reformas políticas. Ele desistiu da ideia, porém, quando oponentes observaram que a Constituição de 1988 não estivera em vigor por muito tempo, e que Hugo Chávez na Venezuela dera à reforma constitucional uma péssima reputação.[15]

Algumas mudanças haviam ocorrido. A eleição de 2006 se deu sob novas regras criadas para reduzir despesas de partidos, e por conseguinte a dependência dos partidos de financiamentos duvidosos de campanha. Os partidos foram proibidos de distribuir camisetas ou brindes, e os dispendiosos showmícios foram banidos. A Comissão Eleitoral continuou pequena, no entanto, e pouco equipada para policiar o problema do caixa dois.

Duas alterações às regras também visavam aumentar a fidelidade partidária: a regra da verticalização, discutida anteriormente; e a cláusula de barreira, prevista para entrar em vigor em 2006. O próprio Lula quis modificar a regra de verticalização, que requeria que os partidos mantivessem as mesmas alianças para eleições presidenciais, federais e estaduais. Presumivelmente pensou que ele, e talvez o PT, teriam mais espaço de manobra se a consistência partidária não fosse exigida e ele pudesse dar preferência a negócios com personalidades.

Mas a cláusula de barreira era dirigida aos pequenos partidos, geralmente os mais venais e fisiológicos da democracia pós-1988. Uma lei aprovada em 1997, porém sujeita a entrar em vigor somente em 2006, determinava que um partido teria de obter pelo menos 5% da votação nacional para deputados federais, e 2% em pelo menos nove dos vinte e sete estados. Os que não conseguissem, e calculava-se que cerca de meia dúzia não conseguiria, perderiam direito a verbas estatais, teriam direitos mínimos à propaganda gratuita na TV, e perderiam privilégios não somente na Câmara dos Deputados, mas também nas assembleias estaduais e câmaras de vereadores.[16]

O impacto da cláusula de barreira previsivelmente provocaria, depois da eleição de 2006, uma correria dos pequenos partidos para juntar-se a fim de obter deputados suficientes, ou de deputados querendo entrar nos grandes partidos. Entretanto, em dezembro desse ano, o Supremo Tribunal determinou que a lei criando a barreira era inconstitucional porque espezinhava os direitos de minorias.[17] Mas os políticos haviam trabalhado na suposição de que a lei entraria em vigor.

A tendência geral na política brasileira desde 1994 vinha sendo um controle crescente, particularmente em nível federal, por parte de quatro grandes partidos: o PT, o PMDB, o PSDB e o PFL. Dentre esses, o PT defendera ao máximo sua postura anticorrupção antes de Lula vencer a eleição de 2002. O PMDB emergira da oposição parlamentar à ditadura militar, mas suas mãos haviam se sujado por causa das tradições fisiológicas de troca de favores. O PSDB, embora mais classe média que o PT e disposto a fazer alianças ideológicas à sua direita, também havia incluído vítimas e exilados da ditadura.

O PSDB começara e permanecera poderoso em São Paulo, e defendia uma abordagem moderna em administração e licitação pública. Uma das vantagens citadas das privatizações de FHC foi que, se a quantidade de estatais fosse reduzida, também o seria a oportunidade de corrupção política. Mas o PT e outros críticos achavam que algumas privatizações haviam colocado dinheiro nas mãos de amigos do PSDB, tornando suspeitas as suas alegações de anticorrupção.

O quarto grande partido era o PFL, que remontava a uma dissidência liberal dos partidos pró-militares ARENA e PDS; seus membros proeminentes, como Marco Maciel, haviam ajudado a acabar com a ditadura por ação congressional em meados da década de 80. As operações sutis deles em Brasília haviam convergido com os protestos de rua do PT e seus aliados na campanha das Diretas Já. Entretanto, era o mais conservador dos partidos grandes, com poderosas bases no Nordeste, a mais economicamente atrasada e politicamente corrupta região do país. Os militares haviam introduzido regras eleitorais que favoreciam o Nordeste, dando-lhe mais deputados federais do que ele fazia jus com base na sua população. Embora o PFL atacasse vigorosamente a corrupção do governo Lula, poucos achavam que ele tivesse moral para tanto.

Apesar de haver um forte consenso de que fidelidade partidária maior diminuiria a corrupção sistêmica, os próprios partidos foram se tornando politicamente mais parecidos uns com os outros. Por conseguinte, era mais provável que o enfoque em personalidade, família, lealdades locais, bem como a troca de favores, continuassem a ser mais importantes na escolha dos eleitores. Ideologia, exceto por pequenos partidos marxistas, quase nunca foi um fator determinante no Brasil; sua influência também estava diminuindo na Europa e na América do Norte.

A semelhança crescente entre os partidos em 2006 foi analisada pela *Veja* na véspera das eleições.[18] Num leque amplo de tópicos, todos os quatro partidos foram a favor de metas de inflação, reforma política para fortalecer a fidelidade partidária, metas de superávit nas contas do governo e o Bolsa Família; todos foram cautelosos sobre quotas raciais e divididos sobre sugestões — feitas pelo próprio Lula — de que o país deveria voltar à Constituição de 1988 e limitar presidentes a um único mandato de cinco anos.

Roberto Jefferson, presidente do PTB: pivô da crise.

Maurício Marinho, funcionário dos Correios, no exato momento em que aceitava um pacote de dinheiro de quem queria corrompê-lo.

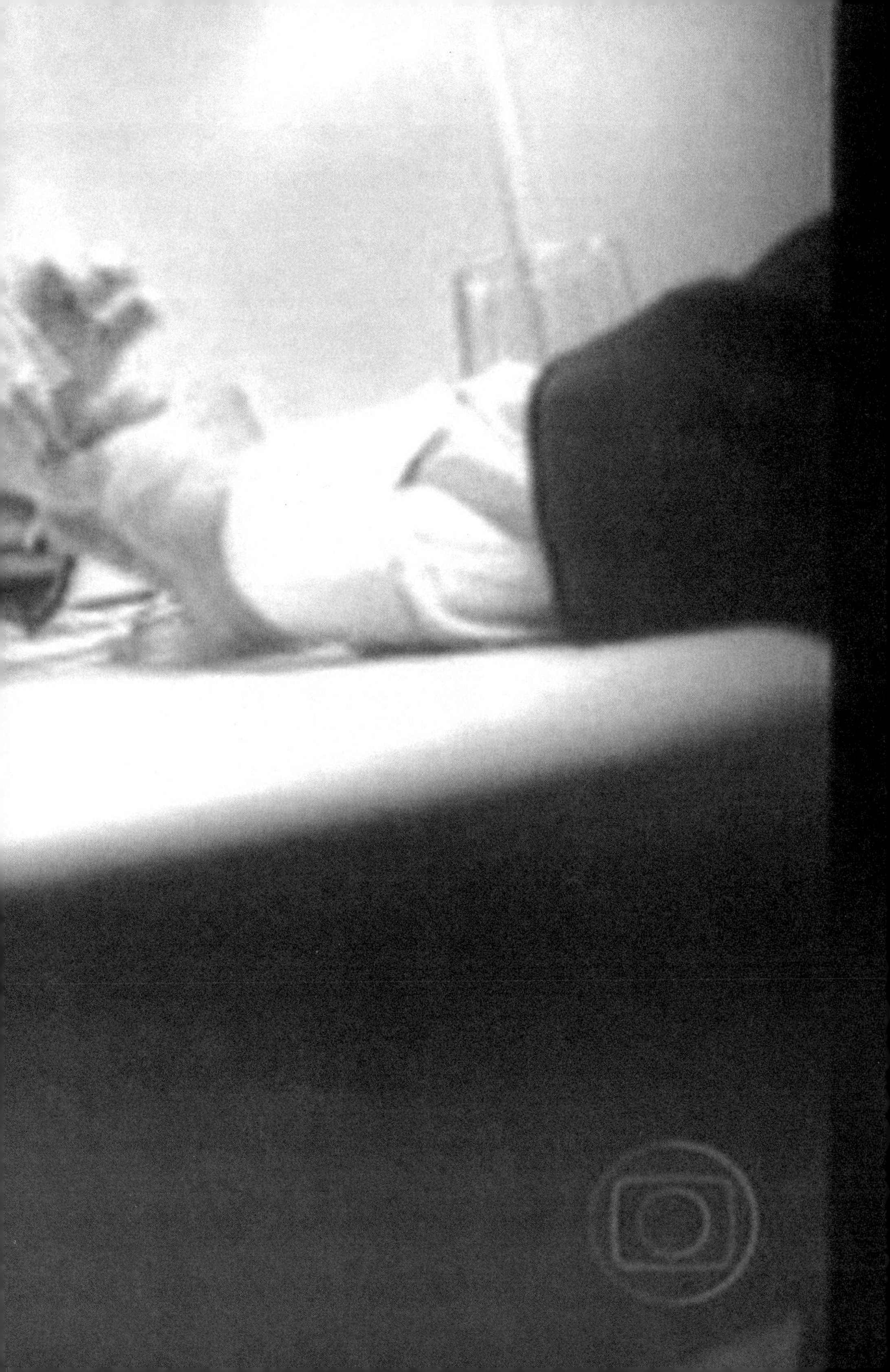

O deputado Severino Cavalcanti, pitoresco presidente da Câmara dos Deputados, foi acusado de receber propina de um dono de restaurante.

© Juca Varella/Folha Imagem

Lula no enterro do prefeito de Santo André, Celso Daniel: a morte até hoje não foi esclarecida.

O poderoso Ministro-Chefe da Casa Civil, José Dirceu, um dos maiores responsáveis pela eleição de Lula, foi também acusado e teve que deixar o governo.

O PT afastava-se dos demais na sua postura contra a independência do Banco Central e contra o controle do câmbio para evitar falências na agricultura. Estava com o PFL e contra os outros dois ao procurar contornar o déficit da Previdência Social combatendo a fraude em vez de recorrer a medidas mais drásticas, como taxação maior sobre os aposentados. Uma área não contemplada pela *Veja* que figurou na campanha eleitoral foi a privatização. Lula e o PT assumiram o compromisso de não continuar a política de privatizações de FHC, e mantiveram-se fiéis a ele durante o primeiro mandato de Lula. Estava bem claro que se a coligação PSDB-PFL ganhasse a eleição de 2006, procuraria vender outros bens estatais.

Mas como o PT reagiu às notícias de corrupção que dominavam a mídia em meados de 2005? O partido não estava recebendo liderança forte de Lula. O próprio Lula estava deprimido, duvidando se deveria candidatar-se à reeleição no ano seguinte, dizendo que fora traído e que não tivera ideia do que estava acontecendo enquanto colegas petistas veteranos não resistiam aos ataques e se demitiam.

A verdade é que o PT havia mudado desde seus primórdios cheios de idealismo no começo dos anos 80. Havia uma nomenclatura, no sentido soviético do termo. Havia cargos a ocupar no partido, e membros do partido podiam ocupar cargos fora dele, no governo local e alhures. Como um observador me disse: "Nos anos 80 o PT era contra o *establishment*; nos anos 90 uniu-se ao *establishment*; nos anos 2000 era parte do *establishment*".[19] Ele havia ficado perigosamente igual aos outros partidos, embora aqueles seus líderes pegos praticando corrupção estivessem aparentemente usando-a mais para apoiar uma causa do que para enriquecimento pessoal.

Para começar, o PT pareceu estupidificado com a explosão rápida de revelações. Alguns membros migraram para outros partidos, especialmente o PSOL, mas também para o Partido Verde e o PDT. Um ato de "refundação" teve lugar em São Paulo, em setembro de 2005, no qual petistas fizeram uma avaliação e decidiram que o partido precisava voltar aos trilhos. Acreditava-se que o partido seria punido nas pesquisas de 2006. Alguns simpatizantes proeminentes expressaram sua repulsa abertamente.

Um dos mais sentidos e pertinentes foi o católico progressista Frei Betto,[20] ex-dominicano e jornalista. Nos anos 70 ele entrara na ilegalidade, fora preso pelos militares e dera abrigo a fugitivos. Ele havia ficado do lado da família Silva no apogeu das greves, quando a vida de Lula estava em perigo, dando conforto e proteção a Marisa e às crianças. Disse ele: "Nem sob os anos da ditadura a direita conseguiu desmoralizar a esquerda como esse núcleo petista fez em tão pouco tempo. Na ditadura, apesar de todo sofrimento, perseguições, prisões, assassinatos, saímos de cabeça erguida e certos de que tínhamos contribuído para a redemocratização do país. Agora, não. Esses dirigentes desmoralizaram o partido e respingaram lama por toda a esquerda brasileira".[21]

Mas o grosso do partido permaneceu fiel. Não ficou claro se isso foi em reconhecimento pelo que o governo estava fazendo, por um sentimento de que o PT tinha o direito de fazer o que o resto fazia, ou por fatigado cinismo para com mais uma rajada de hostilidade da mídia. A solidariedade básica para com a liderança foi demonstrada na eleição de um novo presidente do PT, ocasionada pela saída de Genoino, em setembro e outubro de 2005.

De um total de mais de 800 mil membros do partido, cerca de 315 mil votaram no primeiro turno, com sete candidatos representando facções diferentes. Ricardo Berzoini, do pró-governo Campo Majoritário, estava confortavelmente à frente dos divididos grupos mais à esquerda. Berzoini, ex-ministro da Educação, havia caído de paraquedas no cargo de secretário-geral do PT depois da partida de Sílvio Pereira durante a crise do mensalão. Embora o Campo Majoritário tenha perdido espaço na executiva nacional, manteve o controle na maioria dos estados.

Numa eliminatória contra Raul Pont, ex-prefeito petista de Porto Alegre, no Rio Grande do Sul, Berzoini foi reeleito com folga. Tentativas de revogar a filiação ao PT de alguns envolvidos nas denúncias de corrupção foram adiadas até depois da eleição de 2006 e, como veremos no próximo capítulo, vários deles, incluindo José Genoino e Antônio Palocci, concorreram como candidatos petistas à Câmara dos Deputados e foram eleitos.

Além do mais, a filiação ao PT não foi afetada numericamente pela crise. Houve uma dissociação clara entre a indignação transmitida pela mídia e expressa pelos brasileiros nas ruas, e a atitude daqueles que pertenciam ao partido. Em janeiro de 2006, o partido tinha 864.273 membros, um aumento de 2,1% em relação a janeiro anterior. Ao todo ele perdera 5.418 membros e recrutara 29.583 no ano da crise.

É instrutivo comparar essa reação com a drástica redução de membros do Partido Trabalhista britânico, principalmente depois que o governo trabalhista embarcou na impopular Guerra do Iraque em 2003. Como no Brasil, muita gente do Partido Trabalhista não gostava da política conservadora do seu governo, e a guerra provocou ainda mais desilusão. Mas no Brasil, apesar de algumas deserções importantes, o partido manteve-se unido.

No Brasil, é claro, como havia demorado um quarto de século para que o primeiro governo petista fosse eleito, os militantes não lhe dariam as costas por pouca coisa. E havia também o fator Lula. Pesquisas de opinião no auge da crise sugeriam que a maioria dos brasileiros achava que seu presidente estava ao menos ciente da corrupção, embora talvez não fosse conivente com ela. Roberto Jefferson afirmou ter mencionado a estratégia do mensalão a Lula meses antes que viesse a público. Mas, para muitos no PT, Lula permanecia uma figura messiânica. Jefferson, por outro lado, era lembrado como um cão de ataque do inquestionavelmente corrupto presidente Collor; para os legalistas do PT o testemunho dele seria sempre suspeito.

E onde estava Lula durante a longa crise de corrupção que dominou as manchetes na segunda metade do seu governo? Por que ele não agiu com mais firmeza para manter a tradição de ética petista, a qual, conforme sugerido por Frei Betto, fora produto da árdua luta contra a ditadura? Por que ele foi tão relutante em exercer sua liderança contra a corrupção e os corruptos, a ponto de a Ordem dos Advogados do Brasil ter seriamente cogitado uma ação de *impeachment* contra ele?[22]

As reações públicas de Lula pareciam inconsequentes e débeis, sugerindo que ele não sabia o que estava acontecendo, que ele fora traído, que era tudo uma forma de desviá-lo de sua importante tarefa de governar o Brasil. Em 2006, ele reivindicava o mérito de ter afastado Dirceu e Palocci. Só depois de seu fracasso em obter a reeleição no primeiro turno da eleição presidencial de 2006 ele fez o PT expulsar os acusados de comprar o dossiê anti-Serra.

Mas a coisa ia mais longe. Lula foi seriamente implicado no reservado assunto de financiamento do partido, na manipulação de alianças no Congresso, e na desagradável cultura política do Brasil pós-ditatorial. Financiamento de partidos vinha sendo uma questão delicada em outras democracias cuja necessidade de recursos vai muito além das contribuições dos membros; no Reino Unido, por exemplo, houve uma investigação policial sobre a suposta venda de títulos de nobreza para financiar o Partido Trabalhista. As despesas da campanha de 2002 de Lula parecem ter sido pagas com doações de empresários em troca de prospectos de contratos governamentais superfaturados e sinecuras em que fosse possível despender vultosas somas do orçamento federal. Se era verdade que Dirceu planejava usar a patronagem do governo para entrincheirar a hegemonia do PT, não está claro; mas o próprio Lula, na época de sua Carta ao Povo Brasileiro durante a campanha de 2002, devia saber que havia aspectos financeiros na questão. Mais tarde ele deu a entender que todo partido tem e sempre teve seu caixa dois.

Foi decisão do próprio Lula, contrariando as opiniões de Dirceu, fazer alianças com o PTB e com os partidos menores e menos escrupulosos do Congresso. Sabendo o que ele sabia sobre as razões pelas quais esses partidos apoiariam um governo, não pode ter ficado completamente surpreso ao tomar conhecimento do mensalão. Ele deve ter achado que desse modo teria mais liberdade de ação política. Mas essas alianças certamente teriam um preço.

Por fim, os escândalos de corrupção simbolizaram o quanto Lula havia incorporado a cultura política vigente. Ele não arremeteria contra moinhos de vento. Precisava dos votos dos dois terços do eleitorado que se haviam recusado a apoiá-lo em três ocasiões anteriores. Não queria aposentar-se como um perdedor galhardo; estava disposto a fazer qualquer coisa que Duda Mendonça sugerisse, e quaisquer acordos necessários para ganhar a Presidência.

O que um Lula reeleito e um Congresso renovado poderiam fazer sobre esse assunto depois de 2007, ainda está em aberto. Graças ao bom — se não totalmente imparcial — jornalismo, a natureza da corrupção no sistema político brasileiro era muito mais bem entendida no final de seu primeiro mandato do que no começo. Lula manifestava-se favoravelmente a reformas, mas não ficou claro se seria um comprometimento sério por parte do PT ou uma segunda coalizão governamental. Muito vai depender da pressão exercida por organizações extrapolíticas como o Transparência Brasil, a Igreja Católica, a OAB e a mídia. Havia ainda uma pequena possibilidade de sobrevir uma campanha a favor do *impeachment*, caso o presidente fosse diretamente implicado em esquemas de corrupção notória.

© Ricardo Stuckert

9

AS ELEIÇÕES DE 2006

O último grande comício de Lula, na véspera do primeiro turno da eleição presidencial de 1° de outubro de 2006, foi um evento memorável. Ele falou para uma multidão de mais de três mil pessoas, a maioria agitando bandeiras do PT, em um grande espaço ao ar livre chamado Área Verde em São Bernardo, a cidade onde morava e onde ele mesmo votou. Para um transeunte, comprando uma lata de cerveja e assistindo junto àquela multidão empolgada, era um lembrete de que Lula e o PT ainda detinham um poder considerável. Ambos haviam sido seriamente castigados nos últimos quatro anos; ambos sobreviveriam.

A voz de Lula estava rouca depois de falar por todo o país. Mesmo assim, ele andou para cima e para baixo pelo palco, falando por trinta e cinco minutos, agindo como um homem bem mais jovem. Ele brincou que o prefeito estava tentando sabotar o encontro, porque as luzes no quarteirão tinham sido apagadas, e abraçou José Alencar, seu colega vice-presidente.

Ele trouxe Marisa perante o público, elogiou-a e lhe agradeceu. Mulheres costumavam ser prisioneiras; agora elas tinham igualdade.

A própria Marisa nunca reclamou quando ele havia ido para a prisão; ela era parte da luta. Ele tinha metade do ministério no palco, com ele, e em determinado momento, pediu a Luiz Marinho, seu ministro do Trabalho, para dar os últimos índices da criação de empregos. Ele foi até paciente quando Eduardo Suplicy, concorrendo novamente ao Senado pelo PT, em São Paulo, cantou sua tradicional versão de "Blowin' in the Wind", de Bob Dylan.

O discurso de Lula foi populista e nostálgico. Ele relembrou a polícia e os helicópteros militares sobrevoando a Vila Euclides nos dias da ditadura, os drinques em casa com colegas do sindicato, sua promessa de que "nada pode deter o trabalhador brasileiro", antes mesmo de haver ajudado a fundar o PT. Ele atacou a elite; a imprensa, que publicara tantos artigos hostis contra ele;[1] o ex-presidente Cardoso, que, segundo ele, teria dito que preferiria que apenas aqueles que votassem nele tivessem direito a voto. A elite era tão preconceituosa que "queria mudar o povo".[2] Não mencionou diretamente a crise sobre o dossiê anti-Serra, ou por que tinha preferido não participar do último debate na TV com Alckmin, Buarque e Helena.

Lula não estava discursando sobre política, estava arregimentando os fiéis. Outros oradores no palanque disseram que ele havia feito mais em três anos e meio do que seus antecessores em quinhentos. O *slogan* era "Lula de novo, com a força do povo", e o chamado era para que Lula vencesse no primeiro turno, e Mercadante, o candidato do PT para o governo de São Paulo, no segundo. A multidão soltou rojões e cantou "Olé, olé, olé, olá, Lula, Lula!" Jornalistas noticiaram que no palanque estavam dois deputados federais questionavelmente absolvidos pela Câmara dos Deputados quando o escândalo do mensalão definhou, José Mentor e Luiz Carlos da Silva, conhecido como Professor Luizinho, e um empresário chamado Paulo Okamotto, que pagou uma dívida para o presidente.

A equipe de Lula parecia razoavelmente confiante naquele momento, três dias antes da eleição, de que ele receberia 50% mais um dos votos, o que significaria a vitória no primeiro turno. Já estava claro que Mercadante e os outros candidatos ao governo de São Paulo tinham pouca esperança de impedir a inevitável vitória de José Serra. O que aconteceria em outros lugares era menos previsível, embora o PSDB estivesse margeando a vitória no grande estado de Minas Gerais, onde Aécio Neves, o popular neto de Tancredo Neves, buscava a reeleição para governador. Como de costume, votar era obrigatório e em alguns estados, incluindo São Paulo, havia uma proibição para a venda de bebidas alcoólicas enquanto as urnas eletrônicas estivessem funcionando.

A campanha fora menos agitada e participativa do que em anos anteriores. Na cidade de São Paulo, por exemplo, havia poucos cartazes em prédios e casas. As limitações nos brindes e na aparição de cantores em comícios fez despencar o entusiasmo. Mesmo assim, a campanha de Lula gastou 41,96 milhões de reais no primeiro mês, e a de Alckmin 18,89 milhões.[3] O próprio Lula parecia mais populista, mais concentrado em desentocar seus eleitores mais pobres, do que em 2002.[4]

Mas o que de fato ocorreu, quando a Comissão Eleitoral contou os votos, um dia e pouco depois, surpreendeu a muitos. Lula, que parecia estar confortavelmente à frente, recebeu apenas 48,6% dos votos. O subestimado Alckmin, que estivera abaixo dos 40% nas pesquisas recentes de opinião, e abaixo dos 30% três meses antes, terminou com 41,6%. Os dois candidatos à esquerda de Lula, Heloísa Helena do PSOL e Cristovam Buarque do PDT, tiveram apenas 6,8% e 2,6% respectivamente — menos que o esperado. Quando muitos brasileiros decidiram em quem votar, na última hora, aparentemente 6% de votantes se afastaram de Lula após seu último comício. Ele disse que o famigerado dossiê anti-Serra, e as fotos do dinheiro para pagá-lo, haviam sido um tiro no pé.

Então o que tinha dado errado para Lula? Esta era a primeira vez, na jovem democracia brasileira, que um presidente em exercício fora obrigado a lutar mais uma vez. Ele teve acima de seis milhões de votos a menos do que recebera quatro anos antes, quando derrotou Serra no segundo turno.

Na realidade, Lula vinha competindo pela reeleição desde o início de 2006, utilizando as mais variadas ferramentas governamentais à sua disposição, desde o "dinheiro do buraco" para consertar estradas federais, até o apoio do governo e de estatais aos estados e municípios governados pelo PT e seus amigos.[5] Um pacote para ajudar mutuários da casa própria com empréstimos a juros baixos e fornecer incentivo para que empresas construíssem casas aos seus funcionários, foi lançado duas semanas antes da eleição.[6] Visitas intercontinentais, como a de março, em que Lula foi hóspede da rainha da Inglaterra, ou sua aparição novamente em uma reunião do G8, foram organizadas por seu impacto no Brasil.

Ele argumentava que havia iniciado uma transformação no Brasil, a partir de uma sociedade injusta com uma economia atrasada. Vivia comparando seu governo favoravelmente com o de Cardoso. Seus discursos na eleição de 2006 foram notadamente mais populistas do que haviam sido quatro anos antes. Isto era reflexo do resultado de algumas pesquisas, segundo as quais a classe operária brasileira não estava impressionada com as intermináveis notícias de corrupção em Brasília, vendo isso como uma conspiração da elite contra um governo que estava tentando fazer algo pelo povo humilde. Ele alertou que a coligação PSDB-PFL recomeçaria as privatizações e poderia eliminar o Bolsa Família.

Às vezes Lula parecia arrogante, sugerindo que era um mártir como Tiradentes, ou até como Jesus Cristo. Na propaganda gratuita da TV ele disse: "Lula tem a cara do Brasil e o Brasil tem a cara do Lula" — assim como o general De Gaulle, em seu apogeu, vira a si mesmo como a personificação da França. Ele citou Fidel Castro no banco dos réus, antes de sua exitosa revolução em Cuba: "A História me absolverá".

Ainda criticado por seus adversários pelo mau português e pela utilização de gírias e palavrões, Lula retinha sua habilidade instintiva de se comunicar com as pessoas simples, seu extraordinário toque de simplicidade. Os membros do PSDB são conhecidos como tucanos, por causa das cores de seu partido. Lula disse que eles sempre foram aves predatórias: "Não sou especialista em tucanos, mas lá na Granja do Torto tem um pequeno parque. De vez em quando um pequeno grupo de tucanos sai do Parque Nacional e para na Granja do Torto. Sabe para quê? Param para comer os ovos e os filhotes dos passarinhos nos ninhos. São predadores, apesar daquela beleza. E o que fizeram ao Brasil foi exatamente isso. Analisem o resultado, qual foi o tratamento que a população pobre teve".[7]

Significativamente, na campanha do primeiro turno Lula descartou as alegações de corrupção como essencialmente sem importância, apesar de que as autoridades investigariam e, se necessário, processariam. Mas candidatos envolvidos no mensalão ou em outros escândalos puderam concorrer novamente pelo PT ou com o apoio do PT — incluindo Genoino e Palocci, que pretendiam se tornar deputados federais pelo estado de São Paulo — e alguns deles apareciam nos palanques com Lula.

Mas o adversário de Lula, Geraldo Alckmin, constituía uma ameaça mais séria do que parecia. Era sete anos mais jovem que Lula e oriundo de uma pequena cidade de São Paulo, Pindamonhangaba. Seu pai fora veterinário e ele se diplomara médico e anestesista. Assim como Lula entrara na política sindical por um golpe de sorte, Alckmin, aos 19 anos, tornara-se vereador por acaso. O então MDB, a tolerada oposição aos militares, estava procurando candidatos e abordou Alckmin depois que outro recusara. Em 1976, ele se tornou prefeito.

Alckmin parecia ser frio, introvertido e sem carisma, mas foi eleito deputado estadual em 1982 e deputado federal em 1986. Participou, portanto, da Constituinte que Lula achou tão frustrante. Para Alckmin era um avanço notável. Ele foi descoberto por Mário Covas, então liderando o PMDB no Congresso, que o fez o seu assistente. Seus dons de político prático, esquadrinhando a Constituição linha por linha e negociando com os outros, impressionara Covas, que o fez vice-governador ao eleger-se para o governo de São Paulo, em 1994.

Apesar de ter falhado na tentativa de ser eleito prefeito da cidade de São Paulo em 2000, quando Marta Suplicy, do PT, derrotou Maluf no segundo turno, ele se tornou governador inesperadamente quando Covas morreu no cargo, e foi reeleito pelo PSDB em 2002. Ele estabeleceu a reputação de um administrador quieto e competente. Mas também, assim como Lula, teve que enfrentar ataques durante a campanha de 2006. Ele clamava por um "Brasil decente" (um dos *slogans* de Lula em 2002) e pelo fim da corrupção. No entanto, sua própria administração foi acusada de culpa pela rebelião da máfia do PCC de maio a julho; sua esposa, Maria Lúcia, conhecida como Lu, era criticada por sua disposição em aceitar vestidos de presente. Os partidários de Lula ressaltaram que a administração estadual de Alckmin conseguira obstar um grande número de CPIs que teriam investigado supostos escândalos no estado de São Paulo.

Em temperamento, portanto, Alckmin era o completo oposto de Lula. Ele era tão insípido que foi apelidado "picolé de chuchu". Mas mostrara firmeza para conseguir a indicação do PSDB/PFL, jogando por terra as ambições presidenciais de Serra e Aécio Neves. Alguns que haviam sido próximos a Cardoso não se esforçaram muito por Alckmin no primeiro turno, e admitiram surpresa quando ele forçou uma segunda votação para a Presidência. Mas uma certa distância entre o candidato e o governo de Cardoso protegeu-o de um dos temas-chave da campanha de Lula.

É claro que a campanha presidencial era apenas uma de muitas batalhas eleitorais que estavam ocorrendo por todo o Brasil, porque um número limitado de senadores, todos os deputados federais e estaduais também estavam sendo escolhidos. Lula, em turnê pelo país, tinha um olho não só para os candidatos do PT, mas também para aqueles que o tinham apoiado no passado e poderiam apoiá-lo no futuro. Algumas dessas alianças deixaram boquiabertos aos que tinham boa memória. Por exemplo, Lula trabalhou arduamente para ajudar o ex-presidente José Sarney a se reeleger senador pelo

PMDB do pequeno estado do Amapá, no Norte. Sarney era agora um elemento-chave na coligação de Lula no Congresso.

Durante uma grande parte da campanha presidencial não ficou claro até que ponto a questão da corrupção, em face das mudanças políticas introduzidas pelo governo de Lula, influenciaria os eleitores. Tanto Lula quanto Alckmin eram católicos devotos, e a Conferência Nacional dos Bispos do Brasil, embora interessada em ver as questões oportunamente debatidas, alertou contra o uso da questão da corrupção para desferir um "golpe" contra as instituições democráticas.[8] Várias organizações de mídia, e o "Transparência Brasil", criaram *sites* em que era possível, para cidadãos com conhecimentos de informática, ver quais candidatos haviam se envolvido em algum escândalo.

A última virada para Alckmin nos últimos dias da eleição, porém, refletiu o potencial renovado da questão da corrupção, graças a fotos do dinheiro para comprar o dossiê anti-Serra e as críticas a Lula por se haver recusado a participar do debate final promovido pela TV Globo. De fato, Lula havia boicotado todos os debates anteriores na TV — assim como o presidente Cardoso, quando concorreu à reeleição — e ao que parece ele só se decidiu contra este último na tarde de 28 de setembro, dia em que ele ocorreria, ao mesmo tempo em que intensificou sua campanha em São Bernardo.

A hostilidade de Lula a um debate de TV em que estaria em desvantagem numérica, e no qual Heloísa Helena, em particular, provavelmente assumiria postura extremamente confrontadora é compreensível, mas pegava mal. As pessoas queriam saber mais sobre o dossiê e como o grupo do PT tinha obtido o dinheiro para comprá-lo. A Globo colocou uma cadeira vazia onde Lula teria se sentado, e os outros candidatos se dirigiram a ela com ironia.

O que aconteceu no dia 1° de outubro mostrou um Brasil dividido e um Brasil ainda ambivalente quanto à corrupção. Lula venceu em todos os estados do Norte e Nordeste, com exceção de Roraima, na fronteira da Guiana. Alckmin venceu no Sul e no Oeste, incluindo o estado do Acre, contíguo à Bolívia, mas não conseguiu ganhar em estados mais ricos como Minas Gerais e Rio de Janeiro.[9] Em termos gerais, as partes mais pobres e de maioria negra escolheram Lula; as mais ricas, com melhor educação e maioria branca escolheram Alckmin.[10] As pessoas que sentiram que Lula estava do lado delas, com seu Bolsa Família, o plano de eletrificação rural, Pro-Uni e outros programas sociais, votaram nele. Houve uma correlação entre investimento federal de um lado e a força do setor privado de outro.

Do ângulo petista, as outras eleições, tão importantes em uma federação onde Brasília deve contar com parceiros em outros níveis de governo, estiveram longe de ser desastrosas. O partido amealhou quatro governos no primeiro turno — Bahia, Piauí, Sergipe e Acre — e tinha chance no segundo turno no Pará e no Rio Grande do Sul. Governadores pró-Lula venceram em mais sete estados. O PT elegeu oitenta e três deputados federais, apenas oito a menos que em 2002, sendo assim a segunda maior bancada depois do PMDB, com oitenta e nove. Ainda que a coligação liderada pelo PT tivesse perdido 19 deputados, ela ainda superava substancialmente a oposição por 322 a 182, o que teria causado problemas para Alckmin se ele tivesse vencido o segundo turno.[11] A ala pró-Lula do PMDB tivera bom desempenho.[12]

A vitória mais satisfatória para o PT foi na Bahia, onde Jaques Wagner venceu. Ele fora ministro de Relações Institucionais de Lula até demitir-se em maio para enfrentar um candidato indicado pelo velho chefe do PFL, Antônio Carlos Magalhães, de setenta e nove anos. Por outro lado, no Rio Grande do Sul, importante para o PT há tanto tempo, Olívio Dutra mal conseguiu chegar ao segundo turno de uma disputa com Yeda Crusius, do PSDB, ex-ministra do Planejamento do governo de Itamar Franco. Dutra, um dos fundadores do PT e velho amigo de Lula, chegou a dividir com ele um apartamento em Brasília, quando ambos eram deputados federais. Para o ex-líder do sindicato dos bancários, foi talvez um infortúnio que a eleição coincidisse com uma greve de bancários.

O desempenho mais fraco do PT foi no Senado, onde cada um dos vinte e sete estados, incluindo o Distrito Federal, escolheu um de seus três senadores. O único senador petista a ser reeleito foi o veterano Eduardo Suplicy, de São Paulo, e ele bateu por pouco seu adversário do PFL. Esta fraqueza tornaria relativamente mais fácil para a oposição criar quaisquer CPIs que quisesse no novo Congresso.[13]

A reprovação do público pela Câmara dos Deputados foi demonstrada com a mudança de pessoal. Houve a maior renovação desde a eleição que seguiu a partida de Collor, e 46% dos deputados eram novos ou reciclados. Mas não se tratava de uma clara rejeição aos supostos corruptos. Paulo Maluf, do PP, que tinha um número mágico de 1.111 para as urnas eletrônicas, foi eleito deputado federal em São Paulo com a maior votação individual do país — 739.827. Fernando Collor emergiu da desgraça do *impeachment* e de sua perda de direitos políticos para ser eleito senador por Alagoas por um pequeno partido, o PRTB. Ele disse que apoiaria um segundo governo de Lula. Pelo PT, tanto Genoino quanto Pallocci foram eleitos deputados.

Os deputados "mensaleiros" e "sanguessugas" se saíram mal. De dezenove deputados pegos no escândalo do mensalão, onze tentaram a reeleição, mas apenas quatro conseguiram. A escolha entre aqueles envolvidos com a questão das ambulâncias foi ainda mais surpreendente: apenas seis foram eleitos e quarenta e um, rejeitados. Severino Cavalcanti, que tinha renunciado à cadeira por Pernambuco para evitar a perda de seus direitos políticos, não foi reeleito. Mais positivamente, Fernando Gabeira, do Partido Verde, foi o deputado federal mais votado do Rio de Janeiro. Sua boa reputação cresceu com seu interrogatório sobre corrupção nas CPIs, e ajudou a aumentar o número de deputados verdes de cinco para treze.

O fracasso de Lula em vencer no primeiro turno foi inesperado e funcionou como um despertador. Pedia uma reavaliação radical tanto dele quanto da equipe de campanha. Depois de 1° de outubro ele se apresentou de maneira diferente, mais racional, mais como o candidato "paz e amor" de 2002. Participou de debates na TV com Alckmin e estava mais aberto com a mídia, bem como mais específico em relação às suas propostas. Ele insistia que o PT expulsasse todos os envolvidos com o dossiê, assegurou que Berzoini não poderia voltar como presidente do partido, e disse que os culpados deveriam ser punidos. Ele se esforçou bastante nas alianças regionais com governadores e outros que lhe pudessem trazer votos no segundo turno. Ele também se utilizou do apoio e dos poderes do governo.

Tanto o governo quanto a oposição cederam ao que os brasileiros descrevem como "terrorismo eleitoral", alarmismo que joga com o medo do adversário. As forças de Alckmin reviveram a propaganda de que se Lula fosse reeleito o PT manipularia fundos públicos e instituições para permanecer no poder por vinte anos — embora o próprio Lula tivesse deixado claro que gostaria de restaurar o mandato único de cinco anos. A propaganda do governo dizia que um presidente Alckmin eliminaria o Bolsa Família e outros programas sociais, embora o candidato negasse e uma das mais evidentes conquistas do mandato de Lula foi mostrar que uma redistribuição de renda não era apenas essencial, mas prática. Alegou-se que Alckmin privatizaria todos os bens do estado.

De ambos os lados, e no meio, havia uma sensação de que algo próximo ao conflito de classes poderia chegar ao Brasil. A recente eleição presidencial no México, em que o candidato esquerdista Lopez Obrador acusou a eleição de ter sido roubado, resultou em conflitos de rua e na criação de um governo rival àquele que tinha sido reconhecido. Alguns temiam que, olhando a divisão entre o norte do país com Lula e o sul com Alckmin, um resultado apertado para qualquer lado pudesse ter consequências semelhantes no Brasil.

Os dois candidatos tentaram minimizar esse risco. Na propaganda gratuita de televisão, Lula apelou à classe média, que tinha sido uma parte importante de sua coligação em 2002. "A justiça social também amplia e fortalece a classe média", disse ele. "O Brasil está vendo a emergência de uma nova classe média. Se eu for reeleito vou dar atenção especial a esse grupo".[14] Ele tentaria diminuir a carga tributária em pequenos negócios. Ele negou estar tentando dividir o país entre ricos e pobres. "Eu não quero dividir nada. Eu cresci pobre. Se pudesse escolher, eu não teria ricos e pobres. Só ricos."

Alckmin argumentava que Lula não estava tão do lado dos pobres como dizia, já que agora fazia amizades com representantes da oligarquia, como o ex-presidente Sarney, e Delfim Netto, ex-ministro da Fazenda do governo do presidente Figueiredo. O ex-presidente Cardoso, que antes criticara agressivamente a corrupção ligada ao PT, também procurou minimizar o conflito de classes. Quando parecia certo de que Lula estava confortavelmente à frente na corrida pelo segundo turno, Cardoso disse que a voz do povo deveria ser respeitada e ele não pediria o *impeachment* de Lula, embora irregularidades devessem ser processadas.

Nas quatro semanas entre os dois turnos, Lula fortaleceu sua posição e Alckmin não conseguiu aumentar sua votação. Num nível estratégico, do que se viu em debates e na propaganda gratuita na TV, Lula foi bem com sua afirmação de que obteve progresso em seu primeiro mandato e seria ainda melhor no segundo. Ele pediu votos que permitissem trabalhar ainda mais na tarefa que havia iniciado. Não parecia haver grandes diferenças no plano de governo de ambos os lados.

Significativamente, a questão da corrupção passou silenciosa, embora a Polícia Federal ainda estivesse tentando descobrir como os conspiradores do PT conseguiram seu dinheiro, e os donos de uma agência de câmbio no Rio foram presos três dias antes da votação do segundo turno.[15] Do lado do governo, Lula puniu pela primeira vez os escroques do PT: Oswaldo Bargas, Jorge Lorenzetti, Hamilton Lacerda e Expedito Veloso foram todos expulsos do partido e Berzoini teve que renunciar à presidência do PT.[16]

Alckmin, paradoxalmente, perdeu sua autoridade moral na questão quando aceitou o apoio de Anthony Garotinho, o ex-governador do Rio de Janeiro, e de sua esposa, que o sucedeu no cargo.[17] Garotinho fora amplamente atacado como um dos políticos mais corruptos do Brasil, e embora Alckmin dissesse que estava preparado para aceitar auxílio de qualquer lado, foi um sério constrangimento para sua campanha. O prefeito do Rio, César Maia, que era do PFL, partido que apoiava Alckmin, denunciou categoricamente o candidato presidencial.

Lula ainda estava efetivamente na liderança, e mais à vontade com os eleitores do que o hirto Alckmin. Em Manaus, no Amazonas, ele reclamou que Alckmin ainda era "um paulista, em sua mente". Embora reconhecesse que algumas privatizações, como por exemplo as telecomunicações, tinham trazido benefícios, ele disse que não venderia bens estatais. "Nunca na minha vida, quando precisei de mais dinheiro, eu venderia a minha geladeira. Preferia trabalhar uma hora a mais, e fazer hora extra."

Mas sustentando-o no topo estavam a força da economia, o poder da presidência e a perspicácia na realização de alianças. A taxa de desemprego nas seis maiores cidades estava caindo — de 10,6% em agosto para 10% em setembro de 2006.[18] As taxas de juros baixaram novamente, de 14,25% para 13,75%. A confiança nos negócios foi demonstrada em outubro quando a Companhia Vale do Rio Doce (CVRD), a companhia de ferro e aço fundada por Vargas e privatizada por Cardoso, comprou mais de três quartos das ações de uma empresa canadense, Inco; tornou-se a segunda maior indústria mineral do mundo.[19] Tais notícias econômicas serviram para erodir o refrão de Alckmin de que o Brasil deveria estar crescendo mais depressa.

A utilização de recursos financeiros do governo por Lula também ajudou sua campanha e suas alianças. Ele destinou três bilhões de reais para a renegociação da dívida agrária, uma valiosa contribuição para a indústria e os estados agropecuaristas. Um terço disso foi para o Mato Grosso, onde o negócio da soja vinha sofrendo por questões climáticas. Blairo Maggi, o "rei da soja" que era governador pelo PPS — o rebatizado PCB, o outrora ortodoxo partido comunista, agora apoiando Alckmin — disse que ele transcenderia sua filiação para apoiar Lula.

No Maranhão, um estado do Norte onde Roseana Sarney concorria no segundo turno pelo oposicionista PFL, Lula apareceu em um comício para apoiá-la. Ela era filha de José Sarney e uma política temível, independentemente disso. O PT local odiou, o PFL nacional planejou expulsá-la, e ela iniciou gestões para entrar no PMDB. Mas Lula havia calculado que se ela se elegesse e o apoiasse, como fez seu pai, isso fortaleceria sua governabilidade.

No estado do Rio de Janeiro, onde Sérgio Cabral, do PMDB, estava em disputa com Denise Frossard do PPS, Lula apoiou Cabral, e a mancada de Alckmin com Garotinho acabou sendo um obstáculo para Frossard, sua aliada. Essas batalhas locais interferiram na disputa presidencial, tanto que Aécio Neves, que ganhou o governo tão confortavelmente em Minas, estava se esforçando para ajudar Alckmin, que chegou em segundo, perdendo para Lula no primeiro turno. No Rio Grande do Sul, o apelo fortalecedor de Lula durante o mês de outubro talvez fosse suficiente para dar a Dutra uma vitória, e ao PT outro governo.

No complexo jogo da política brasileira era necessário fazer duas coisas: reunir uma coligação suficientemente poderosa para ganhar uma eleição; e reunir uma coligação capaz de governar. Estas não foram as mesmas coligações. Num sistema multipartidário, em que o PT e o PSDB, individualmente, tinham menos que um quarto dos votos e políticos eleitos, este era um grande desafio para os líderes. Enquanto sua autoconfiança retornava durante o mês de outubro, Lula mais e mais vislumbrava a coligação de que ele necessitaria para seu segundo mandato presidencial. Era óbvio que o PMDB seria um aliado-chave, desta vez, no congresso e nos estados. Lula também falou de tentar atingir um Consenso com a oposição em questões essenciais.

Até os partidos "nanicos" tinham que ser levados a sério. A lei, que todos esperavam que se tornasse efetiva, requeria que eles atingissem um mínimo determinado de votos nacionalmente, para obterem financiamentos e outros privilégios; isso significava que catorze partidos com representantes eleitos não alcançaram esse objetivo. Dois de esquerda — o PCdoB, que era pró-Lula, e o PSOL, que era contra — decidiram continuar da mesma forma. Porém, dois dos partidos que tinham sido castigados pelos eleitores por sua participação em escândalos, mas que tinham feito parte da maioria governista — o PTB e o PL — fizeram uma criteriosa fusão com partidos ainda menores para escapar da lei. A aliança entre o PL e o PSC totalizaria trinta e oito deputados federais; o PTB e o PAN totalizariam vinte e três.

Os efeitos de um novo agrupamento, os Democráticos de Esquerda, ainda eram esperados. Ele consistia do PPS (com vinte e um deputados), os Verdes (com treze) e o PHS (com dois). O PPS fazia parte da oposição, possivelmente porque o PCdoB estava com Lula. Os Verdes tinham sido da coligação governista de Lula, no começo, mas Gabeira, ele mesmo um petista que se tornou Verde, criou fama atacando a corrupção do governo. Parecia mais provável que os Democráticos da esquerda só apoiassem o novo governo de Lula se estivessem mais confiantes de que haveria maior transparência.[20]

No curso das quatro semanas entre as duas eleições presidenciais, ficou óbvio que Lula estava na frente. Possivelmente porque nunca esperou chegar ao segundo turno, Alckmin desperdiçara dez dias antes de sua campanha recomeçar. Suas aparições na TV misturavam agressão e bom humor de uma maneira confusa. A equipe de Lula, chocada e energizada, estava disposta a tudo para vencer.

O resultado, anunciado a 30 de outubro, foi uma reparação ao presidente. Ele recebera um número recorde de votos — 58,3 milhões — e teve aproximadamente 61% do total de votos válidos, contra 39% de Alckmin. Sua porcentagem de votos foi apenas 0,5% menor do que a obtida ao vencer Serra no segundo turno de 2002. A queda de 2,4 milhões em apoio ao seu adversário significava que Alckmin chegou primeiro em apenas sete dos vinte e sete estados.

Lula emergiu da eleição de 2006 com mais apoio entre os governadores do que recebera quatro anos antes. Num segundo turno o PT amealhou um quinto estado, Pará, onde Ana Júlia Carepa derrotou o candidato do PSDB; em 2002 conseguira apenas três estados. O PSB, aliado de Lula, faturou mais dois estados nordestinos, o Rio Grande do Norte e seu estado natal Pernambuco, onde um neto de Miguel Arraes foi o vencedor.[21] Lula sofreu alguns revezes no segundo turno. Olívio Dutra não foi capaz de superar Yeda Crusius do PSDB no Rio Grande do Sul, e Roseana Sarney foi derrotada no Maranhão, tendo fim a dominação de quarenta anos da sua família sobre esse estado.

Assim, a partilha dos governos por partido foi a seguinte: PMDB 7, PSDB 6, PT 5, PSB 3, PPS 2, PDT 2, PFL 1, e PP 1. Pelo menos dezessete desses governadores apoiaram Lula, e ele contaria com eles para pressionar deputados e senadores dos seus estados a apoiar o presidente no Congresso. O potencial do PMDB para capacitar Lula a alcançar a chamada "governabilidade" foi enfatizado nesses resultados. Embora o PSDB tivesse se saído bem, seu aliado mais conservador, o PFL, perdera três estados.

Lula e Marisa pareceram adequadamente triunfantes. Ele disse à multidão na Avenida Paulista, em São Paulo, que continuaria a trabalhar pelos pobres, que aquela era uma vitória dos que estavam embaixo sobre os que estavam no topo, que ela completava sua realização como político. Ele falou de uma retomada do crescimento econômico, da necessidade de reformas políticas e unidade política no país. E disse que o PT "não tem direito de cometer erros éticos e políticos de agora em diante".[22] Votos de felicidades vieram de líderes de todo o mundo.

Portanto, depois de todas as revelações explosivas apenas um ano antes, Lula permaneceria em seu cargo como trigésimo nono presidente do Brasil até o fim de dezembro de 2010. Ele ainda era o primeiro presidente de um partido de esquerda eleito por sufrágio universal,[23] o primeiro que fora um operário industrial, o primeiro a não ter diploma universitário. Ele tirou quatro dias de folga para relaxar numa base naval no Nordeste antes de se reunir com políticos para começar a construir um governo para o seu segundo mandato.

10
LULA ATÉ O MOMENTO UMA AVALIAÇÃO PROVISÓRIA

Quando Lula foi reeleito para um segundo mandato, a 29 de outubro de 2006, cerca de quatro mil dos seus partidários festejaram naquela noite na Avenida Paulista, em São Paulo. Mas a comemoração foi pífia se comparada à de quatro anos antes, quando cem mil pessoas abarrotaram essa longa via pública comercial. Sob um ponto de vista britânico, é inevitável a comparação entre esse entusiasmo diminuído e a perda gradual de empolgação com as vitórias eleitorais sucessivas de Tony Blair e seu "novo" Partido Trabalhista. Será esse o destino inevitável de um governo de esquerda, que aspira a melhorar as condições de vida da maioria da população, quando confrontado pelos acordos, complexidades e desapontamentos do mundo moderno? Poderia Lula ter feito diferente, ou melhor?

Qualquer avaliação desse presidente brasileiro, talvez o mais significativo desde Getúlio Vargas, só pode ser provisória. Segundos mandatos, para presidentes latino-americanos e norte-americanos, podem ser muito diferentes dos seus primeiros. Na América Latina, líderes reformistas frequentemente tornam-se mais conservadores.

Por definição, existe um prazo para a autoridade deles, e potenciais sucessores começam a disputar entre si. No caso brasileiro, não está claro ainda se o PT será capaz de lançar um candidato forte em 2010, e as forças governamentais talvez apoiem alguém como Ciro Gomes, do PSB, ex-ministro de Lula, eleito deputado federal pelo Ceará com a maior votação, proporcionalmente, do país.[1] Na oposição poderá haver uma disputa entre dois governadores do PSDB, José Serra e Aécio Neves.

O ano de 2006, no entanto, marcou o renascimento de Lula, após sua enorme impopularidade durante o escândalo do mensalão em 2005. Na realidade, se ele tivesse caído morto em qualquer momento da década anterior,[2] seus obituaristas teriam ressaltado o seu papel proeminente na extinção da ditadura, na construção de sindicatos mais livres, no estabelecimento de um grande partido operário de esquerda, e na consolidação da democracia. Ele não fizera nenhuma dessas coisas sozinho, mas sua própria carreira era um fio condutor pela história do Brasil moderno e, a maioria diria, para melhor.

Duas eram suas principais motivações. Uma foi acabar com a miséria no Brasil. A segunda foi respeitar e recompensar a contribuição dos trabalhadores brasileiros. De certo modo, tudo que ele fez está associado a essas preocupações simples, mas poderosas. Na sua posse, em janeiro de 2003, ele disse que não queria que nenhum brasileiro fosse para a cama com fome. O Bolsa Família, aumentos de salário mínimo, e os outros programas sociais foram projetados para transferir recursos e oportunidades aos brasileiros mais pobres. Os votos deles em 2006 mostraram que eles reconheciam que ele estava fazendo isso; estatísticas o provam.[3]

Sua repetida frase de que nada podia segurar o trabalhador brasileiro, e sua identificação pessoal com a "peãozada" das áreas industriais ao redor de São Paulo, haviam precipitado sua participação nas greves dos anos 70 e na criação do PT. O achatamento dos salários nos anos do "milagre" foi uma fonte de raiva e resolução. No dia seguinte ao seu último comício antes do primeiro turno em 2006, ele ficou do lado de fora de montadoras em São Bernardo, distribuindo folhetos e conversando com operários; era como se precisasse reaproximar-se de suas próprias raízes.

Ricardo Kotscho, o jornalista que se tornou seu assessor de imprensa, entendeu bem essa identificação. Escrevendo sobre ele num estágio mais recuado de sua carreira política, descreveu como ele sempre ia para casa em São Bernardo entre viagens de campanha:

> Lula era seu próprio herói, não tinha ídolos nem modelos. A saga dos irmãos Silva, que saíram pequenos dos grotões miseráveis de Pernambuco num pau de arara e penaram um bocado até conseguir trabalho nas fábricas de São Bernardo, ele mesmo havia contado em verso e prosa mil e tantas vezes, mas o que mais me impressionava era sua relação com o que chamava de "peãozada", a multidão de metalúrgicos que criara uma espécie de república independente no ABC.[4]

Lula era um líder mais instintivo do que intelectual, e sentia-se mais contente num comício ou em conversas particulares do que em intermináveis sessões de um comitê. Sua frustração e ineficácia como deputado federal, quando a Constituição de 1988 estava sendo debatida, foi uma indicação de uma de suas fraquezas.

Ele sentia que, fazendo campanha pela democracia ou fundando o PT, estava liderando multidões, mais do que ao cogitar sobre o que era necessário para institucionalizar a democracia no seu próprio partido. Construir a democracia nunca seria fácil no Brasil. As insígnias dos partidos eram, via de regra, usadas com pouca convicção.

Existia uma tradição de dominação e controle por parte da elite; havia o poder real das elites civis, tanto nas áreas industriais quanto no Nordeste rural, onde os chamados "coronéis" tinham controlado a política para servir aos seus próprios interesses. Desde que o Exército havia derrubado o Império em 1889, os militares ficaram à espreita em segundo plano, até que acabaram usurpando o poder em 1964. Atitudes positivistas,[5] e alguns elementos na Igreja Católica, procuravam ditar ao povo brasileiro o que era bom para ele.

A primeira campanha de Lula foi para libertar a estrutura sindical corporativa, tornando os sindicatos mais compreensivos para com os trabalhadores e mais eficazes na luta por melhores condições de trabalho. Conforme visto antes, ele veio a trabalhar em sindicato quase por acidente. As greves subsequentes eram inflamáveis, e adquiriram maior relevância à medida que o governo militar percebeu que elas constituíam uma ameaça ao seu poder. Depois que o Sindicato dos Metalúrgicos havia sido reorganizado, Lula procedeu a criar, com seus amigos, a CUT. Mas gente de fora achava que a democratização do movimento sindical no Brasil ainda estava incompleta; a pequena contribuição compulsória dos sindicalistas prosseguiu, bem como outras relíquias do sistema sindical de Vargas; sindicatos no Brasil ainda podiam ser vistos como um tipo de negócio, em vez de organizações autônomas da sociedade civil.

A criação do PT, da qual intelectuais e trabalhadores participaram desde o início, era uma questão local brasileira. O partido era e continua sendo uma coligação. Um dos seus aspectos mais estranhos é o papel que atribui às facções, com chapas diferentes concorrendo em eleições tanto em níveis estaduais quanto federais. Ele mantém várias tensões entre os diferentes agrupamentos que o compõem. No entanto, ele também tem uma direção fortemente centralizadora — emprestada dos partidos marxistas — que foi representada por suas sucessivas facções dominantes, Articulação e Campo Majoritário.

Lula trabalhou arduamente para o PT continuar funcionando. Porém, às vezes ele parecia ter perdido interesse nele, e, quando o PT viu, no final dos anos 80, que ele era o seu principal trunfo,

Lula começou a tratar o partido com certo descaso. Na década de 90 ele deixava claro que não seria limitado pelas diretrizes do partido e por suas opiniões a respeito de alianças com outros partidos. Em 2002, com sua Carta ao Povo Brasileiro, que veio depois de uma conferência partidária radical, ele se distanciou publicamente das posições petistas.

Ele era despreocupado, ocasionalmente até indiferente, com relação ao PT. Governos esquerdistas ou socialistas na Europa também haviam se distanciado dos partidos que supostamente representavam. Lula teve razão em 2005 para ficar realmente enfurecido com os líderes petistas cujas práticas corruptas arranharam a popularidade dele. O mesmo aconteceu em 2006, quando o dossiê anti-Serra era alardeado por toda a mídia. Mas ele permaneceu leal à sua criação, comentando a respeito de antigos companheiros que "errar é humano". Ele não se concentrava na administração partidária, e, até demiti-lo, Lula confiou totalmente a José Dirceu e a outros a organização do partido.

O PT foi uma invenção importante, pois levou em consideração o debate, a democracia interna e uma abordagem participativa nas decisões políticas: todas essas coisas eram novidade na política brasileira. Mas Lula parece ter concluído nos anos 90 que o PT era insuficiente para obter sua eleição como presidente, ou a introdução do tipo de reformas sociais que ele queria. Após sua terceira derrota presidencial, em 1998, ele ficou mais convencido que nunca de que precisava encontrar um meio-termo e acalmar os temores dos mais conservadores. Isso envolveria uma política econômica cautelosa, por trás da qual poderia promover programas sociais a favor dos pobres. Era uma estratégia que a administração Clinton nos Estados Unidos, o governo Schroeder na Alemanha, e a equipe de Blair no Reino Unido também estavam seguindo.

Como nesses outros países, Lula foi acusado de traição ao ideal da mudança social maior. Mas ele estava conscientemente trabalhando dentro do livre mercado global, em que dinheiro podia ser sacado sem aviso prévio, e em que moeda alguma — sobretudo numa economia emergente — estava segura. Pouco após sua reeleição em outubro de 2006, um de seus ministros petistas, Tarso Genro, imprudentemente festejou que a era de Palocci e do conservadorismo financeiro tivesse terminado. O real caiu em relação ao dólar, e a Bolsa de Valores de São Paulo sofreu queda. Lula imediatamente esclareceu que a postura financeira existente e a lei de responsabilidade fiscal seriam mantidas. Ele esperava, contudo, que o Brasil atingisse uma taxa de crescimento maior, o que tornaria mais fácil acabar com a desigualdade.[6]

A atitude ocasionalmente desdenhosa de Lula para com o PT era desmentida por sua confiança no que ele e outros chamavam de "militância" sempre que ele precisava de votos. Vê-lo num comício petista era testemunhar um sentimento de identificação pessoal. Mas como alguém que aprendera a jogar o jogo político com maestria, ele também tinha consciência das limitações democráticas desse jogo. Não se tratava apenas do problema do papel do dinheiro na política, um tópico ao qual voltarei mais adiante neste capítulo.

Havia a questão da falta de fidelidade partidária, que fazia com que políticos trocassem de partido levianamente, sem consideração por seu eleitorado ou pelos valores de partidos diferentes. Na superfície, não havia muito que escolher entre os vários partidos. De fato, era surpreendente que Antônio Carlos Magalhães, chefe do conservador PFL na Bahia, fosse amigo pessoal de Fidel Castro e pudesse alegar ter sido pioneiro do bolsa-escola e do cartão-alimentação, que acabaram fundidos no Bolsa Família.[7]

O povo brasileiro, e por conseguinte o seu sistema político, dedica prioridade maior ao candidato, não ao partido. Muitos eleitores que haviam votado em Lula ainda não confiavam no PT. No entanto, a tendência geral desde a Constituição de 1988 fora fortalecer a fidelidade partidária. Isso foi um efeito da regra de verticalização, e poderia também vir a ser resultado das fusões em 2006, incitadas pela esperada exigência de apoio mínimo para qualquer partido que desejasse ter seu *status* reconhecido no Congresso. Até o não-ideológico PMDB planejou um acordo pragmático para apoiar o presidente reeleito. Sem muita publicidade, a Câmara dos Deputados introduziu uma regra em 2006 sob a qual membros tinham de declarar abertamente seu voto em emendas e leis.

Lula acostumara-se a lidar com uma multiplicidade de partidos; alguns pequenos como o PCdoB e o PSB haviam gerado colegas valiosos no seu governo. Mas no fim do seu primeiro mandato, talvez em reação à exposição da ganância e desonestidade dos deputados "mensaleiros" e "sanguessugas", ele ficou convencido da necessidade de uma reforma política. O ideal para ele seria conseguir isso por meio de consenso, e os detalhes seriam importantes. O escândalo do mensalão surgira por causa da necessidade de obter uma maioria governista com a ajuda dos partidos pequenos, entre os quais havia alguns que só se interessavam pela política como forma de ganhar dinheiro fácil.

A primeira presidência de Lula foi obscurecida pela sombra negra do papel oculto do dinheiro na política; ninguém tinha absoluta certeza de quão responsável Lula era, exceto em não prestar suficiente atenção. Sua reeleição ocorreu com a remota possibilidade de que uma prova da ligação direta do presidente com alguma irregularidade pudesse resultar em processo de *impeachment*. Contudo, questões semelhantes acometeram democracias mais antigas. Na França, o presidente Chirac sabia que práticas de corrupção relacionadas ao tempo em que ele fora prefeito de Paris poderiam ser instituídas quando ele deixasse a Presidência. No Reino Unido, Tony Blair caiu na mira de uma investigação policial sobre a venda de títulos de nobreza para angariar fundos para o seu partido. Nos Estados Unidos, Tom DeLay, o líder da maioria republicana na Casa dos Representantes, foi forçado a abrir mão de sua posição de liderança em setembro de 2005, e demitiu-se de sua cadeira congressional em junho de 2006, após ser indiciado por malversação de fundos de campanha.[8]

Os diferentes escândalos no Brasil variaram em causas e efeitos. Mas o que preocupava os críticos era a indiferença do seu presidente e o medo de que os principais jogadores do PT, para quem os fins justificavam os meios, estivessem desviando fundos dos cofres públicos num esforço sistemático de permanecer no poder.

Lula, que fora tão próximo à Igreja Católica nos anos 70 e 80, havia apoiado dom Cláudio Hummes ao Papado depois que se tornou presidente.[9] Mas em algum lugar dentro de Lula, em 2002, uma dimensão ética havia se perdido. Nisso ele talvez fosse o que as pessoas consideravam um brasileiro típico: leal aos amigos e sem acanhamento quando eles se servem de dinheiro e influência. Ele quis de qualquer jeito afastar os "loucos e imbecis" que o haviam feito encarar um segundo turno, mas foi relutante em punir aqueles que haviam comprometido a história do PT e a sua própria reputação.

Existia no Brasil um problema de financiamento de partidos, pois eleições haviam ficado caras demais para a renda do PT obtida por meio de seus membros.[10] O próprio PT queria mais financiamento estatal. Em 2002, as campanhas de Lula estavam certamente obtendo fundos de empresas, mas o quanto ele tinha noção de que havia sempre um preço a pagar por contratos superfaturados de serviços para empresas estatais, é difícil saber. Ele nunca foi homem de detalhes. Seu bordão de que ninguém lhe havia dito nada se tornou uma piada quando ele não apareceu no debate da TV Globo à véspera do primeiro turno em 2006: ninguém lhe havia dito que o debate ocorreria.

O cúmulo da sua indiferença foi o modo como ele repudiou a alegação de que seu filho, Fábio Luís, o empresário que subitamente ganhara tanto dinheiro com a Gamecorp, poderia ter explorado a posição de seu pai. Sempre um entusiasta de analogias futebolísticas, ele o comparou ao jogador Ronaldinho. Em entrevistas sucessivas entre os dois turnos, ele disse que não podia impedir o filho de trabalhar e que as regras para ele eram as mesmas que para os demais 190 milhões de brasileiros: se ele havia feito algo errado, podia ser processado. Todo pai gostaria que seu filho fosse um Ronaldinho, mas nem todo mundo podia ser um Ronaldinho. Ele alegou que era mais difícil para o filho de um presidente tornar-se um astro do futebol, e que o fato de ele ser presidente não havia mudado os hábitos de seu filho um milímetro sequer.

Escândalos de corrupção não eram novidade no Brasil, e a mídia e o PT haviam criticado os dois governos FHC. Mas a falha na liderança presidencial, se não verdadeira cumplicidade, teve um efeito negativo sobre a reputação do país e do próprio partido de Lula. Nos quatro anos do primeiro mandato dele, o Brasil caiu do quadragésimo quinto para o sexagésimo sexto lugar num *ranking* internacional de percepção de corrupção.[11] O PT, que possuía seu próprio comitê de ética, adiou mesmo um exame superficial do escândalo do mensalão até dezembro de 2006, bem seguro após as eleições.[12]

Tudo isso importava, porque a democracia brasileira ainda era jovem e precisava ser fortalecida. É um sistema federalista, com muitas empresas estatais e muita aquisição pública vistas como uma mina de ouro por lobistas e empresários. Embora certos processos de auditoria fossem fortalecidos sob Lula, e a Polícia Federal e as autoridades estaduais recebessem crédito por seu profissionalismo e objetividade, algumas tendências eram negativas.[13]

Em seus primeiros três anos, o governo criou cerca de 38 mil novos cargos, aumento de quase 8% no contingente de servidores públicos. Houve muitas críticas de que o favoritismo partidário estava ocorrendo em excesso, particularmente em nomeações de cargos, com o PT e seus aliados entregando ocupações importantes a gente mal qualificada. As revelações do mensalão puseram a questão de novo em evidência. O próprio PT estava se tornando um cabide de empregos.

Lula possuía algumas propostas em mente. Entre os turnos presidenciais ele prometeu introduzir um ato de liberdade de informação, para obter maior transparência nas tomadas de decisão do governo. Nos primeiros anos do novo século, mais democracias estavam introduzindo tais medidas, embora elas nem sempre funcionassem tão bem quanto seus defensores esperavam. Em países tão diferentes quanto a Índia e a Inglaterra, burocracias e governos haviam encontrado meios de reduzir o impacto delas, alegando que a adoção dessas medidas era demasiado cara e tomava muito tempo.

Numa entrevista a jornalistas europeus pouco após sua reeleição, Lula convocou uma "Operação Mãos Limpas", comparável ao esforço que havia saneado a Itália da corrupção política nos anos 90. Ele reconheceu que o envolvimento de membros petistas em práticas de corrupção foi o pior golpe que ele já recebera, mas disse que doravante seu governo seria intransigente. "Todos os acusados de corrupção serão julgados. Nenhum deles terá a proteção do meu governo", ele prometeu.

Lula também deixou claro que gostaria que o Brasil voltasse à prática do mandato único de cinco anos para presidentes, de acordo com a Constituição de 1988. Muitos concordaram que com um mandato único haveria menos risco de corrupção, e mais políticos passariam pelo palácio presidencial em Brasília. O próprio Lula havia seguido o exemplo de FHC, no entanto, ao concorrer por um segundo mandato, e após dezesseis anos do sistema de mandato duplo seria necessária uma notável abstinência para voltar atrás.

Ganhar um segundo mandato foi um triunfo para Lula, dadas as críticas que seu governo sofrera. Mas também poderia ser visto como o começo do fim do ciclo de democratização que havia começado nas batalhas contra a ditadura no final da década de 70. Em lugar algum a linha-dura fora tão cruel quanto em São Paulo, onde Lula havia liderado os grevistas e onde nasceram o PT e o PSDB. FHC e Serra haviam sido exilados pelos militares. Lula resistira à intimidação e passara um mês atrás das grades.

Mas a geração que permitira ao Brasil se libertar de uma ditadura militar e começar a construir uma nova sociedade mais aberta e livre estava começando a entregar as rédeas a gente mais jovem. O próprio Lula terá mais de sessenta e cinco anos quando passar a faixa presidencial ao seu sucessor em 2011. É possível que Aécio Neves, neto do presidente que personificou a transição para o governo civil nos anos 80, seja o próximo ocupante do Palácio do Planalto.

O Brasil estava incomparavelmente mais livre. Desigualdades sociais estavam sendo corrigidas. A mídia era pluralista e, embora o PT reclamasse que os jornalistas eram quase sempre injustos com o presidente e seu partido, censura era coisa do passado. Uma sociedade civil ativa e vigilante mantinha as instituições oficiais sob constante inspeção. Em modos significativos, embora nem o PT nem o PSDB gostassem dessa reflexão, os anos FHC e Lula deveriam ser vistos como um pacote. Ambos os presidentes quiseram tirar o Brasil do terceiro mundo e colocá-lo orgulhosamente no primeiro.

Um aspecto da cena pós-ditatorial irritou ativistas de direitos humanos. Eles achavam que pouco fora feito, tanto em termos de julgamentos ou de uma comissão de verdade e reconciliação, para levar à justiça ou expor a verdade sobre crimes e torturas cometidos pelo regime militar. José Sarney, o primeiro presidente civil a concluir o mandato, era conservador e queria que o passado fosse esquecido.

À época em que Lula chegou ao poder, alguns arquivos militares e do SNI estavam sendo abertos, e uma Comissão de Anistia foi instaurada para indenizar vítimas de perseguição política. Essas indenizações, somadas a pagamentos e pensões, foram bastante generosas. Em quatro anos, de 2002 em diante, 3,35 bilhões de reais foram pagos ou prometidos a mais de 14 mil requerentes;

uma vítima recebeu 3,4 milhões; e faltavam ainda 27 mil requerimentos a serem analisados. Embora críticos reclamassem que os requerimentos não estavam sendo verificados com rigor suficiente e que o Orçamento da União não aguentaria, era claro que um grande número de pessoas cujas vidas haviam sido prejudicadas pela ditadura estava agora recebendo algum refrigério.[14]

O grau até onde os militares foram domados é ilustrado por um incidente na campanha presidencial. Em dado momento o Clube Militar, ao qual pertenciam oficiais na ativa, resmungou que um golpe contra a Constituição estava em andamento; isso parecia dirigido ao PT. Meio século antes, o Clube Militar desempenhara um papel-chave na política brasileira, suas eleições pautavam-se segundo a influência de facções conservadoras, nacionalistas ou esquerdistas, e suas ameaças eram levadas muito a sério.

O presidente Kubitschek, em 1959, depois de interromper conversações sobre um empréstimo com o FMI, dirigiu-se ao Clube em um de seus mais famosos discursos. "O Brasil tornou-se adulto. Não somos mais os parentes pobres relegados à cozinha e proibidos de entrar na sala de visitas", falou.[15] Ora, em 2006 ninguém dava a mínima para o que o Clube Militar pensava. Realmente não importava.

Em outro sentido o Brasil se afastava da era pós-ditatorial. Era possível ver um fim no domínio político de São Paulo, a maior e mais rica cidade do país. O PSDB, ainda mais que o PT, fora um partido paulista. Era um partido da classe média da cidade, enquanto o PT obtinha seu apoio dos operários industriais na cidade e na periferia, e de alguns intelectuais. Em 2006, a despeito de Lula cortejar a cidade e o estado de São Paulo, ele e o PT não foram bem votados nas eleições para presidente e governador. Além disso, embora a aliança entre o PSDB e o PFL tenha elegido Serra governador, seu vizinho de Minas, Aécio Neves, teve um resultado ainda melhor.

Era óbvio desde o começo da campanha de 2006 que a maior força de Lula estava no Norte e no Nordeste, historicamente as regiões mais conservadoras, mais pobres e com menos instrução do país. Seus programas sociais e a transferência de renda do Bolsa Família fizeram do Norte e do Nordeste as regiões que lhe deram o primeiro lugar já no primeiro turno. O PT e seus aliados, particularmente o PSB, saíram-se bem. O sistema de dividir áreas de votação de forma desigual no fim da era militar e que dera maioria ao Nordeste no Congresso, agora favorecia Lula. Mas também tornava provável uma mudança no equilíbrio interno do PT e, permitindo mudanças paralelas, mas opostas dentro do PSDB, em potencialmente todo o sistema político.

Até que ponto Lula, em 2006, continuava um homem de esquerda? Sobre o resultado da eleição, comentaristas referiram-se a "dois Brasis". A divisão geográfica foi mais intensa do que qualquer coisa vista antes, e comparável à notável divisão nos Estados Unidos nas eleições presidenciais de 2000 e 2004. Nos EUA, a parte central do país havia votado nos republicanos e os estados costeiros, mais cosmopolitas, haviam apoiado os democratas, que perderam.

No Brasil, a divisão era, obviamente, mais social. Um Brasil, o que votou em Lula, era mais pobre, beneficiando-se de investimentos federais e transferências de renda. O Brasil sulista, que apoiou Alckmin, era mais rico, com mais empregados pelo setor privado e mais pessoas com pelo menos educação secundária. Isto não provava que Lula, como até eleitores desiludidos ainda esperavam, era um homem de esquerda?

Perguntado durante a campanha sobre seus esforços para diminuir a pobreza, Lula disse que ficaria feliz se todos fossem ricos. Uma de suas conquistas, reconhecida pelo modo como a oposição garantiu que se eleito Alckmin manteria o Bolsa Família, foi mudar as regras do debate sobre a desigualdade de renda. Mas Lula não era uma pessoa ideológica, e ele disse coisas contraditórias.

Marxistas ainda o estavam atacando durante sua presidência por ter falhado em dar uma absoluta prioridade à classe operária, e por um apego tolo à democracia plural. Como se viu no capítulo sobre as eleições, ele também estava tentando apaziguar os eleitores da classe média. Seu pensamento era largamente governado por sua própria experiência, lutando pelos direitos e pela renda de trabalhadores industriais, ciente da pobreza no Nordeste rural e nas favelas nas periferias das grandes cidades.

Ele tinha sido crítico dos marxistas que pretendiam falar pelos trabalhadores, mas que nem sempre eram eleitos por eles e não conseguiam organizar um movimento de massa. Ele era particularmente crítico de estudantes marxistas que até vinham às fábricas, mas depois voltavam para suas casas confortáveis.

Ele foi, sem dúvida, influenciado pelos católicos progressistas nos anos 70 e 80, cuja Teologia da Libertação dos oprimidos na América Latina dedicava alta prioridade aos direitos dos pobres na Terra antes de chegarem ao céu. Mas ao mesmo tempo, este catolicismo progressista se opunha às ditaduras comunistas do Leste Europeu, que oprimiam os trabalhadores. Houve um período em que os operários de estaleiros de Lech Walesa, em Gdansk, lutando com apoio católico contra o governo comunista polonês, assemelhavam-se aos grevistas ao redor de São Paulo, enfrentando a ditadura brasileira.

Líderes brasileiros anteriores, notadamente Getúlio Vargas, haviam mostrado destreza ideológica.[16] Era claro que Lula, particularmente em meados dos anos 90, não podia de forma alguma ser descrito como um socialista. Ele fez concessões significativas no seu caminho até a Presidência. Mas no decorrer de sua presidência, ele se aferrou a certos princípios: tentou melhorar a vida dos pobres; recusou-se a fazer mais privatizações, e por vezes demonstrou pouco entusiasmo pelas parcerias público-privadas que FHC começara a promover; apoiou a reforma agrária; apoiou a causa da soberania nacional e o desenvolvimento na arena internacional; saldou a dívida com o FMI; esteve disposto a usar fundos federais para promover projetos de desenvolvimento, como o desvio do rio São Francisco no Nordeste.

Dado o modesto crescimento da economia brasileira e as altas taxas de juros na maior parte de seu mandato, havia munição farta para os críticos. Ele próprio estava argumentando que a economia precisava crescer 5% ao ano. Mas o tipo de endosso que os eleitores lhe deram em 2006 sugeria que eles próprios o viam como um reformista. Era a quinta eleição desde que a votação direta para presidente tinha sido restaurada, e eleitores de todos os tipos estavam cada vez mais exigentes.

Definir o que é, ao mesmo tempo, de esquerda e elegível, é um desafio universal na era da globalização. Lula teve sorte de não chegar à presidência antes, durante a maré alta do assim chamado consenso de Washington de economia neoliberal. O consenso caiu em 2002. Tinha causado muita pobreza e caos nas economias pós-soviéticas e no dependente mundo em desenvolvimento; seu crescimento prometido e o respingo de riqueza ou não aconteceram ou foram muito parciais. Ao invés disso, políticas de desenvolvimento a favor dos pobres e da inclusão social estavam na moda no início do século XXI, coincidindo com a chegada de Lula ao poder. Na América Latina houve grande repulsa pelo modelo de Washington, demonstrado de modo áspero na Argentina e na Venezuela, mas também influenciando o Brasil.

Jornalistas brasileiros escreveram sobre o *lulismo* da mesma forma que jornalistas britânicos haviam escrito sobre o "blairismo" ou "thatcherismo". Mas Lula não tinha nenhuma teoria pronta, e faltava ao *lulismo* o tipo de rigor progressista que poderia se equiparar, à esquerda, com o capitalismo conservador de livre mercado de Margaret Thatcher, à direita. Lula estava conduzindo uma coligação num país com diferentes camadas de governo, e alianças oportunistas podiam ser parte do preço para sobreviver.

Se o seu segundo mandato presidencial será mais coerente, só o tempo dirá. Lula indicou que manteria sua postura financeira, mas tentaria estimular mais desenvolvimento econômico com um ambicioso pacote de crescimento. Isto poderia apresentar riscos ao meio ambiente, caso signifique grandes projetos explorando perigosamente a terra e os minerais. Ele pretendia uma taxa de crescimento de 5% ao ano — bastante modesta pelos padrões chineses e indianos. Ele prometeu continuar seus programas sociais e dar mais atenção à educação.

Questões que não foram parte de sua própria experiência de vida estavam se tornando importantes — tais como a ameaça do aquecimento global, a falta de lei alimentada por drogas nas favelas, e a rápida mudança socioeconômica que poderia destruir empregos de manufatura e os macacões de operários bem-pagos que ele desejara quando moço. O impressionante crescimento das igrejas evangélicas carismáticas representava uma sociedade diferente, e aspirações diferentes, do catolicismo progressista que havia nutrido sua carreira. Até que ponto ele poderia se adaptar e conduzir este Brasil em plena transformação?

Ele ainda estará liderando uma coligação, e manterá sua aliança com pequenos partidos no Congresso — incluindo os fisiológicos e os conservadores PTB e PP. Porém, contará mais com o PMDB. Tentará estender a mão à oposição, especialmente aos governadores de oposição, mas é provável que os padrões de conflito político estabelecidos nos doze anos anteriores continuem por mais quatro. Não deixará que o PT o controle.

Qual tinha sido o desempenho de Lula na cena internacional? Ele se tornara uma estrela. Estava determinado a mostrar que os que diziam que alguém incapaz de falar inglês era ineficaz como presidente estavam errados. Ele podia precisar de um intérprete, mas a força de sua personalidade, seu humor e franqueza sempre transpareceriam.

Ele podia fazer economistas chorarem ao recordar suas experiências familiares. Um pedido de desculpas pela escravidão podia se tornar uma ocasião lacrimosa. Ele usou uma sobremesa de manga para o primeiro-ministro japonês como uma chance de persuadir o Japão a remover a barreira às exportações brasileiras de manga. Ele viajou mais que seus antecessores. Ele gostava.

Ao passo que o presidente Cardoso estabelecera um nome internacionalmente como intelectual, Lula se apresentava como um ativista. Em seu primeiro mandato ele pode não ter obtido um assento no Conselho de Segurança da ONU ou êxito na rodada de desenvolvimento de Doha da OMC, mas mostrara determinação na busca do que sempre foram objetivos de longo prazo.

Além disso, ele havia lançado novas dimensões importantes para a política externa brasileira, na África, com o mundo árabe, com países em desenvolvimento essenciais no G20, e no BRICS e IBAS. Havia, é claro, uma análise sul-sul petista por trás de muito disso. Mas seus sucessores desejarão ampliar essas iniciativas por razões de interesse nacional. O mundo árabe estava nadando em petrodólares para investir. A África não ficaria no atoleiro econômico para sempre. China e Índia, particularmente, eram motores para a economia mundial do século XXI.

Foi nos detalhes que a política externa de Lula encontrou dificuldades. A presença de Lula nas reuniões do G8 era uma vitória para ele e o Brasil, mas não necessariamente vista como tão brilhante por todos os países em desenvolvimento. Retórica sobre a liderança do Brasil podia ser contraproducente; o Brasil podia ser visto como unilateralista e não-cooperativo, e outros governos não estavam dispostos a votar em brasileiros nas agências internacionais. Significativamente, após sua reeleição, Lula estava maneirando sua pretensão à liderança internacional.

Também houve problemas com vizinhos na América Latina. Sempre existiram atritos entre diferentes países, e, como ocorreu com a nacionalização do petróleo e do gás por Evo Morales na Bolívia, elas podiam levar a confrontos com um Brasil que podia ser caracterizado como um Grande Irmão. Lula tentou ser um pragmático bom vizinho e, como seus antecessores, fazer do Brasil um eixo para o desenvolvimento da América do Sul. Sua vastidão geográfica e peso econômico forneciam oportunidades que precisavam ser utilizadas com discernimento.

Havia diversas rachaduras na política latino-americana. Uma delas dizia respeito às relações com os Estados Unidos, onde Hugo Chávez era ferozmente anti, enquanto Vicente Fox, do México, e seu sucessor eram pró. O Chile, mesmo com um presidente socialista, estava feliz em fazer acordos bilaterais com os Estados Unidos. Embora Morales tenha sido eleito na Bolívia com o apoio de Chávez, a política agressiva de Chávez levou a uma reação no México e no Peru, onde presidentes pró-EUA foram eleitos em 2006. A eleição de Daniel Ortega, o ex-revolucionário sandinista, como presidente da Nicarágua, tinha um quê de Lula: o agitador de outrora havia se redefinido como um católico moderado, em busca de investimento estrangeiro.

Lula tentou manter um pé em ambos os lados dessa linha divisória. Houve, por exemplo, uma disputada eleição para um lugar rotativo latino-americano no Conselho de Segurança da ONU em 2006. Os Estados Unidos apoiaram a Guatemala, e a Venezuela teve o apoio do Brasil e de outros países do Mercosul. Mas era óbvio, bem antes de mais de quarenta votos, que nenhum dos dois conseguiria a maioria exigida de dois terços. O Brasil, sempre favorável a um consenso, sugeriu que ambos os competidores se retirassem. Quando o fizeram, o Panamá foi eleito sem dificuldade.

Enquanto dizia, após sua reeleição, que desejava fortalecer os laços com os Estados Unidos, a primeira viagem de Lula ao exterior foi para a Venezuela. Ele deveria inaugurar uma nova ponte sobre o Orinoco com o presidente Chávez. Mas havia outra razão. Ele queria confirmar os preparativos para o financiamento conjunto de uma nova grande refinaria de petróleo em Pernambuco.

Levaria quatro anos para ser construída e custaria 2,5 bilhões de dólares, a serem compartilhados igualmente pela Petrobras e a PDVSA, a companhia estatal petrolífera da Venezuela. Era um sinal a seus partidários de que Lula falava sério sobre o desenvolvimento do Nordeste, e que ainda era amigo de Chávez. Na nova ponte sobre o Orinoco, Lula fez um discurso franco, conclamando os venezuelanos a reeleger Chávez nas próximas eleições presidenciais.

Mas conferências latino-americanas podiam não ser tão boas para Lula. Imediatamente após sua reeleição no fim de outubro de 2006, ele sensatamente tirou quatro dias de férias, e foi fotografado numa praia com roupas de banho. Isto coincidiu com uma reunião de cúpula ibero-americana em Montevidéu, à qual todos os presidentes deveriam comparecer. Lula estava presidindo o Mercosul nessa época, e houve uma tensa discussão entre Uruguai e Argentina sobre o local de uma nova fábrica de celulose na fronteira. Jornalistas tanto uruguaios quanto argentinos escreveram que Lula estava demonstrando desrespeito pela organização.[17]

O fato era, e é, que o Brasil não é um pequeno país em desenvolvimento. Embora o produto interno bruto *per capita* seja mais ou menos de apenas 2.600 dólares, é um fator importante em diversos mercados mundiais, alguns deles inovadores e de rápido crescimento. Em um ano, até outubro de 2006, suas exportações de etanol derivado de açúcar para os Estados Unidos pularam 91%, para 144 milhões de galões.[18]

No meio da eleição presidencial, a Companhia Vale do Rio Doce, a siderúrgica fundada por Vargas, mas privatizada sob FHC, assumiu o controle da Inco, uma empresa canadense de extração de níquel e outros minérios, por 13,2 bilhões de dólares, para criar o que foi dito que seria o segundo maior negócio de minérios do mundo. Pouco depois, a Companhia Siderúrgica Nacional, outra firma brasileira de aço, foi batida por pouco em uma batalha de aquisição com a Tata, o conglomerado indiano, pela empresa anglo-holandesa Corus. Parecia o futuro do capitalismo no século XXI.

A globalização oferece o escopo para as ambições de grande poder que Lula nutre para o Brasil, assim como outros brasileiros que não compartilham suas demais opiniões. O que o distingue realmente da maioria de seus antecessores é que ele considera o contraste entre a grande riqueza e a grande pobreza não apenas chocante, mas passível de retificação. Muitos brasileiros comuns perguntam: "Se o país é tão rico, por que ainda somos tão pobres?" Com todas as suas falhas, Lula tem tentado acabar com essa pobreza.

Ele também mergulha em sua própria história de vida, de um modo que políticos mais prósperos simplesmente não podem, para embasar sua argumentação. Defendendo o esquema de desvio do rio São Francisco no Nordeste do Brasil, ele observou: "Os que criticam o projeto de transposição do São Francisco não tomaram água suja como eu e meus irmãos tomamos quando crianças no Nordeste. Tomávamos a mesma água do gado, e isso precisa acabar".[19]

A popularidade de Lula jaz em uma empatia genuína com a massa de brasileiros. Ele frequentemente fala de improviso, nem sempre em bom português, usando gírias nordestinas e de vez em quando palavrões. Em agosto de 2004, por exemplo, ele fez quarenta e sete discursos. Por grande parte de seu primeiro mandato ele evitou entrevistas coletivas, que foi a razão pela qual jornalistas tentavam fazê-lo responder perguntas nas viagens internacionais dele. Durante a crise do mensalão, eles o irritavam perguntando: "Quem é que traiu o senhor hoje?"

Ao mesmo tempo ele zombava dos jornalistas. Dois que viajaram com ele, Eduardo Scolese e Leonencio Nossa, escreveram um livro sobre suas experiências.[20] Eles contaram como, numa ocasião em Pretória, ele chamou alguém para dizer-lhe algo em particular, a fim de deixar os repórteres curiosos. Quando um jornalista perguntou qual era o segredo, descobriu que Lula de propósito não sussurrara coisa alguma, só quisera atiçar a mídia.

Reuniões individuais energizam Lula. De segunda a sexta, quando está em seu escritório em Brasília, ele reserva cerca de uma hora por volta das três da tarde para falar com pessoas que querem vê-lo — vereadores, antigos colegas sindicalistas, clero, vencedoras de concursos de beleza locais, empresários e gente comum que aparece porque deseja tirar uma foto com o presidente. Pode ser populismo, e remonta a um Brasil mais antigo, mais feudal. Mas dá prazer àqueles que o visitam e fortalece o presidente pelo resto do dia.

Lula tinha senso de humor. A primeira vez que Marisa foi com ele a Brasília, quando ele ainda liderava os metalúrgicos, havia um grupo de sindicalistas e suas esposas. Passando pelos prédios dos ministérios e o Palácio do Planalto, onde o presidente tem o seu escritório, Marisa perguntou: "E você acha que os patrões desses palácios vão deixar você e o PT entrar, um dia?" Lula replicou: "A Marisa está falando assim porque ela está preocupada com quem é que vai lavar essas janelas todas".[21]

Antes da campanha de 1989, Leonardo Boff, o teólogo da libertação, ofereceu sua casa de praia em Cabo Frio a Lula e sua família. Um grande grupo, incluindo cabos eleitorais, tomaram-na emprestada. Lula colocou um aviso na geladeira com os "direitos e deveres das pessoas vivendo nesta casa". Os direitos eram "comer e beber tudo o que você merece, e passear à vontade". Os deveres eram "lavar os pratos sujos, limpar a casa todos os dias, e tomar banho fora da casa depois de nadar". Na conclusão do aviso: "Todos são iguais em seus direitos e deveres. Este é o princípio básico do socialismo".[22]

Lula tentou manter sua família fora de sua vida pública, sem sucesso nos casos de seu filho mais velho, em 2005, e sua filha Lurian, em 1989. Marisa era veemente em tentar proteger a privacidade da família, impedindo o pessoal da segurança de patrulhar seus aposentos privados em Brasília. Quando alguns em sua equipe começaram a criticar a filha de Alckmin na campanha presidencial de 2006 por causa de alegações contra a dona da loja onde ela trabalhava em São Paulo, Lula mandou que parassem.

Enquanto Lula parecia estar em toda parte, Marisa conduzia-se com discrição e decoro. Ela acompanhou Lula em algumas de suas viagens internacionais — visitando o Taj Mahal com ele, por exemplo, em janeiro de 2005, quando ele foi convidado no dia da independência da Índia.[23] Ela providenciava para que mulheres bonitas da equipe de segurança não chegassem perto dele. Foi dito que ela o estimulou a beber menos. Não há dúvida de que a lealdade de Marisa, seu apoio e inteligência são uma parte enorme e não-divulgada do sucesso de Lula.

Até na Presidência Lula teve de suportar muito esnobismo sobre sua falta de educação formal e seu português deficiente. Em outras democracias, pessoas de origem humilde — Lincoln nos Estados Unidos ou Ernst Bevin e Aneurin Bevan no Reino Unido — têm sido celebradas por suas conquistas, sem ser menoscabadas por suas origens. O fato de que Lula pudesse ser tratado com menosprezo mesmo bem depois de se tornar um personagem proeminente diz muito sobre a natureza da sociedade brasileira e seu senso de hierarquia.

Ele mantinha os pés no chão, o que era outra vantagem eleitoral. Ao competir com ele, Alckmin parecia um sensaborão em comparação a um Lula muito humano e nem sempre politicamente correto. Lula fumava regularmente dez charutos por dia — Marisa também fumava — e ele fumava dentro do avião presidencial, embora não devesse. Ele gostava de seu copo de uísque.

Mas havia um aspecto em que a falta de treinamento intelectual de Lula pode ter sido uma desvantagem. Foi em se especializar na grande quantidade de papelada que um governo moderno lança. Este é um requisito não apenas na escolha de grandes prioridades estratégicas, mas em assegurar que políticas estejam de fato sendo implementadas e em evitar as ciladas que podem sobrevir a qualquer administração. Tem sido parte do equipamento político de líderes tão diversos quanto Bill Clinton e Margaret Thatcher.

Aqui o fracasso de Lula em entrar nos detalhes e fazer perguntas ásperas acertou-o em cheio nos sucessivos escândalos de corrupção. Ele estava realmente lendo os relatórios financeiros do PT, por exemplo? A sensação de que ele não estava apropriadamente no comando da administração foi exacerbada por seu amor a viagens, dentro e fora do Brasil. Um cálculo sugeriu que até junho de 2006, ele tinha estado fora do Palácio do Planalto, seu escritório em Brasília, por 1.014 dias dos 1.230 do seu mandato.[24] Mesmo reconhecendo que algumas destas eram viagens de um dia, e as comunicações modernas seguem um presidente em qualquer lugar, tal quantidade épica de excursionismo deve ter limitado o seu controle ativo em Brasília.

A crítica de José Serra, de que ele estava governando o Brasil como se fosse uma ONG, tinha um elemento de verdade. Ele confiava em companheiros que conhecera quando estava no sindicato ou na formação do PT — pessoas por vezes descritas como seus velhos companheiros de bebedeiras, que ainda vinham para um churrasco de fim de semana com ele e Marisa. Não era possível controlá-los, e nem todos eram capazes de desempenhar tarefas difíceis no governo.

Não era fácil desenvolver coerência em uma coligação de governo, e Lula podia parecer frívolo ou oportunista na troca constante de seus ministros. Enquanto manteve alguns, como Celso Amorim nas Relações Exteriores e Gilberto Gil na Cultura, ele teve três ministros em três anos tanto na Educação quanto no Trabalho. Governistas criticaram-no por tirar Olívio Dutra do Ministério das Cidades para abrir caminho a um apaniguado de Severino Cavalcanti.

Lula se fiava muito em seu encanto pessoal, força de caráter e compreensão de personalidades. Mas havia quem o visse, mesmo após quatro anos na Presidência, como ingênuo e simplório no estrangeiro. "Fazer mudanças profundas em nosso país não é fácil", ele observou, cansado, no segundo ano de seu mandato.[25] Um cínico observador brasileiro na capital achava que ele fora simplesmente "vendido caro demais" na Europa, para que plateias no exterior achassem que ele era mais radical, mais milagreiro, mais incrível como indivíduo do que realmente era. Críticos internos alegaram que as qualidades necessárias para ser um líder grevista de sucesso não eram as mesmas requeridas para ser um chefe de estado vinte e cinco anos depois.

Mas as qualidades pessoais de Lula o deixaram numa boa posição, permitindo que se desse bem com pessoas de opiniões totalmente diferentes — George W. Bush em um dia, Hugo Chávez no dia seguinte. Esta habilidade conciliatória era parte de uma rica tradição no Brasil, não apenas no movimento sindical, onde é essencial na negociação de acordos, mas também na política e na diplomacia. As acirradas disputas ideológicas da América espanhola parecem estranhas aos brasileiros.

Era típico que, depois das palavras duras da campanha de 2006, Lula estendesse a mão não só aos aliados entre os governadores de estado e no Congresso, mas também a adversários. Ele considerou a criação de um grupo de conselheiros formado por ex-presidentes. Ele estava buscando um consenso para as reformas fiscal e política e para colocar mais dinheiro em educação básica. Embora um presidente brasileiro seja poderoso, ele precisa de apoio em muitos níveis para que suas políticas sejam efetivas, e especialmente se for para benefício de pessoas comuns.

De todas as suas qualidades pessoais, vigor, determinação e ambição se destacam. Sem elas ele poderia ter sido esquecido logo após as grandes greves no fim dos anos 70. Mas ele dedicou enorme esforço para criar um novo partido de trabalhadores, superando a hostilidade tanto da esquerda marxista quanto dos congressistas que se opunham à ditadura. Ele mostrou espantosa perseverança candidatando-se obstinadamente à Presidência em 1989, 1994 e 1998. Três derrotas sucessivas não podem ter sido agradáveis, porque ele não tinha muito para onde voltar. Como ele diz de vez em quando: "Sou apenas um torneiro mecânico".

Não há dúvida de que Lula foi machucado tanto pessoal quanto politicamente no auge da crise do mensalão, em agosto de 2005, especialmente depois de Duda Mendonça ter dado algumas provas incriminatórias à CPI dos Correios. Diversos ministros sugeriram que Lula deveria renunciar, segundo um jornalista bem informado de Brasília.[26]

"Vocês são uns molengas. Eu vou resistir", teria sido a resposta de Lula a eles. De fato, Lula sabia que nem Serra nem FHC lutariam por seu *impeachment.* O PSDB estava calculando que Lula e o PT seriam fáceis de derrotar no ano seguinte, e o conselho de Cardoso foi que ele não deveria tentar concorrer novamente. Assim, embora Lula chorasse em algumas dessas reuniões sobre a crise, ele estava determinado a não se dar por vencido. Ele também sentiu pena de José Genoino, ao qual não julgava pessoalmente culpado, e sim apanhado num sistema de corrupção além do seu controle.

Teria a ambição de Lula traído a si mesmo e as esperanças de seus eleitores? Há duas críticas principais, uma tática e outra estratégica. A questão tática é que depois da derrota de 1998 ele fez acordos inapropriados com forças conservadoras, com pequenos e gananciosos partidos de direita, e com as exigências da propaganda política. Pessoas que assistiram ao filme de João Moreira Salles sobre Lula entre os dois turnos da eleição presidencial de 2002 acharam humilhante ver o quão dependente ele era do publicitário Duda Mendonça.[27] O PP, partido de Paulo Maluf, formava parte de sua maioria no Congresso. Desconhecidas, mas profundamente suspeitas, eram as origens do dinheiro que enchia as contas ilegais do PT de onde Mendonça sacava fundos.

A questão estratégica contra Lula é de que ele comprometeu demais a política econômica, ao ponto de uma abordagem conservadora, simpática ao mercado, tornar muito difícil a realização de uma verdadeira reforma social. Em eleições anteriores, Lula denunciara a dívida externa do Brasil; no governo ele pagou. Embora a Argentina tivesse sofrido muito à época em que cancelava sua dívida soberana a credores privados, sua economia subsequentemente crescera rápido. O Brasil estava tendo que administrar um balanço de pagamentos e um superávit fiscal maior que o necessário para sua própria economia, e o crescimento interno e a redistribuição sofreram por causa das altas taxas de juros.

A história vai julgar até que ponto estas críticas são justificáveis, e o que acontecer no seu segundo mandato fornecerá uma melhor avaliação do período. Mas podemos argumentar que, sem pelo menos algumas das concessões táticas depois de 1998, Lula poderia não ter ganhado a eleição de 2002. Até então ele estivera preso a mais ou menos um terço do eleitorado que votaria nele em quaisquer circunstâncias, e outro terço que se opunha totalmente. Ele tinha que conquistar a porção do meio. Ele se tornou "Lulinha paz e amor". Ele justificou isso a si mesmo e a seus eleitores como necessário para chegar ao poder.

A questão estratégica será discutida por muito tempo. A era Palocci-Meirelles foi a pílula mais amarga que os ativistas do PT tiveram que engolir. O contraste com a Argentina, que renegara sua dívida e então crescera rapidamente, era violento. E em 2006, Chávez e Morales estavam nacionalizando empresas e serviços públicos de um modo que saíra de moda nos anos 80.

Lula defendeu a política econômica do governo em diversas ocasiões, e deixou claro que mesmo em um segundo mandato, mais concentrado em desenvolvimento, ela seria mantida. Pode ser que ele fosse assombrado pela hiperinflação dos anos 80, e pelo erro petista de condenar o real quando FHC o introduziu. Ele acreditava que estabilidade monetária e inflação baixa traziam benefícios tanto à classe trabalhadora quanto às pessoas mais ricas.

Como os social-democratas na Europa, Lula também achava que políticas mais calmas e simpáticas ao mercado tornavam possível o investimento social e modestas transferências de renda para a grande população pobre do Brasil. O melhor juízo sobre isto veio dos próprios pobres. Eles compareceram e votaram em um segundo mandato para Lula. Economistas continuarão argumentando que mais pode ser feito. Mas para os padrões modestos de vida com os quais o próprio Lula estava familiarizado, pequenos melhoramentos podem parecer enormes para aqueles que os veem. Significativamente, o presidente também tinha modificado o debate público, para que até os adversários aceitassem o Bolsa Família e vissem que era possível reduzir a extrema pobreza.

Muitos segundos mandatos costumam ser decepcionantes. Lula se beneficiou da desilusão com FHC em 2002, e o mesmo poderia acontecer com ele. Um dos problemas de Lula é que ele não era só um homem, mas também um mito. O mito fora criado originalmente pela cobertura da mídia de sua liderança nas greves ao redor de São Paulo no fim dos anos 70. Ataques subsequentes da mídia contra ele não abateram o otimismo de muitos que haviam ingressado no PT nos primeiros anos. Era quase inevitável que, uma vez que ele se tornasse presidente, alguns considerassem que ele falhara em realizar suas esperanças de uma mudança social drástica. A falta de preparo do próprio PT, e o desvio de tempo e atenção pública para os escândalos de corrupção, corroeram o prestígio de Lula. Além disso, o PT dos primeiros anos do novo século não era a força idealista de duas décadas antes.

As questões suscitadas pela necessidade de fazer alianças com indivíduos e partidos que estavam longe de ser radicais não iriam embora. Lula precisa continuar manipulando uma série de coligações em seu segundo mandato, assim como no primeiro. Ideologicamente, não é uma coisa bonita de se ver. Mas é inevitável em um sistema federalista em que o presidente não é todo-poderoso e tem de gerir uma democracia multipartidária. Lula indicou que deseja prosseguir ampliando a confiança dos eleitores no sistema, bem como a fidelidade partidária. Ele tem dito que gostaria de tornar o Congresso mais eficiente como corpo legislativo e menos vulnerável a lobistas endinheirados.

Seu próprio trabalho, como um construtor de democracia e de uma sociedade mais justa, está visivelmente incompleto. Quatro anos mais como presidente ainda seriam insuficientes, e poderiam ser facilmente desviados de seus objetivos por mais escândalos ou acontecimentos na América Latina ou mais além. Até o momento, por exemplo, o Brasil tem tido a sorte de não sofrer ataques terroristas. O país ainda é vulnerável a retrações econômicas mundiais, e seu crescimento tem sido muito lerdo. Mudanças climáticas permanecem uma ameaça sutil, mesmo que estados poluidores possam ser persuadidos a pagar para preservar as florestas brasileiras.

Mas deve ter havido um momento, ao perceber que não fora reeleito no primeiro turno de outubro de 2006, em que Lula se perguntou o que faria se não fosse mais presidente. Qual seria seu legado? As questões foram agora empurradas para o fim de 2010. É difícil imaginá-lo aposentado, e ele já disse que Marisa seria contra ele terminar seus dias em uma casa de praia no Nordeste. Enquanto viver ele será uma influência na política brasileira.

Seu legado poderá parecer muito diferente, e talvez mais positivo, em 2010. O Brasil poderá estar mais importante em um nível mundial, os brasileiros pobres poderão estar em melhor situação, e mais partes do país desenvolvidas. Seja na ONU ou na OMC, sua diplomacia e a de seu país poderão estar ajudando a reduzir as injustiças do mundo.

Suas forças e suas fraquezas são conhecidas. O caráter de conto de fadas de sua própria vida é tão familiar aos brasileiros quanto seu dedo amputado. O presidente trabalhador ainda está trabalhando.

E, à força de sua persistência, de sua identificação com os pobres, e da sua compreensão dos seus concidadãos e do processo político, ele deu a si mesmo mais quatro anos para acabar, para os outros, com a miséria que ele conheceu quando criança. Seu desafio é pessoal.

NOTAS

Capítulo 1

1. Lula foi registrado por seu pai oito anos depois como tendo nascido a 6 de outubro. Porém, seu pai estava ausente de seu nascimento e era analfabeto, e a mãe de Lula disse que ele cometera um erro.
2. *Lula* era um apelido comum para *Luiz* no Nordeste; ele decidiu incorporá-lo a seu nome legal — como Luiz Inácio Lula da Silva — em 1981, quando já era uma figura nacional.
3. O número de membros do partido chegava a apenas trezentos em 2005, e o candidato petista a prefeito chegou em terceiro.
4. Naquela época Caetés era conhecida como Vargem Comprida.
5. Nos anos 70, o pau de arara tinha adquirido um significado mais sinistro nos centros de inteligência militar como um tipo de tortura na qual a vítima era amarrada de ponta-cabeça.
6. Seu verdadeiro nome era Valdomira Ferreira de Góis. Ela devia ter no mínimo catorze e no máximo dezesseis anos. Aristides foi preso duas vezes, no Recife e no Rio de Janeiro, por ter fugido com uma menor, mas ele afirmou que ela era sua irmã.
7. Ver Paraná, *Lula, o filho do Brasil*, especialmente pp. 49-52.
8. Wilcken, *Empire Adrift*, fornece um relato agradável desse período.
9. Ver, entre outras biografias, Bourne, *Getúlio Vargas of Brazil*.
10. De fato, a Petrobras não teve um enorme sucesso na exploração de petróleo em seus primeiros anos, embora em outubro de 2005, muito depois de a empresa ter perdido seu monopólio, o Brasil se tornou exportador líquido de produtos petrolíferos. Este *status* icônico da Petrobras foi reconhecido na Constituição de 1988, que lhe deu proteção especial.

11 Paraná, *Lula*, p. 75.

12. *Ibid.*

13. Para estes números citados no parágrafo seguinte, ver Lacerda *et al.*, *Economia Brasileira.*

14. Lula foi a uma das duas grandes reuniões políticas que concluíram a campanha presidencial. Em 30 de setembro de 1960 ele ouviu o prefeito de São Paulo, Adhemar de Barros, falando em um comício final na Praça João Mendes. Barros, cujo slogan extraoficial era "ele rouba mas faz", chegou em terceiro na eleição. Lula, ostentando um broche adhemarista depois do comício, foi surrado e jogado para fora de um bonde por eleitores de Jânio Quadros.

15. Ernesto Geisel, então chefe da Casa Militar do novo presidente, e presidente ele próprio na década de 70, foi mandado para investigar essas alegações. Ele as descartou. No entanto, quando a democracia foi restaurada no Brasil nos anos 80, algumas foram comprovadas.

16. Este foi o relato dado por Lula a Denise Paraná (*Lula*, p. 76). Paulo Markun, em *O Sapo e o Príncipe* (p. 54), culpa um colega de Lula, possivelmente sonolento nas primeiras horas da manhã, por ter soltado o braço da prensa enquanto Lula estava apertando um parafuso.

17. Informação dada ao autor em meados dos anos 60 por Carlos Widmann, então correspondente no Brasil do *Suddeutsche Zeitung.*

18. Campos, que fora diplomata além de economista, era ironicamente chamado por seus adversários brasileiros de "Bob Fields" por suas opiniões pró-estadunidenses. O regime militar não era avesso a manipular estatísticas econômicas, que Campos certa vez descreveu "como um biquíni: mais interessante pelo que esconde do que por aquilo que revela".

19. De fato, a censura começou no fim do governo Castelo Branco, com uma lei em fevereiro de 1967 que instituiu controle sobre TV, música, cinema, teatro e livros. Os jornais vinham sendo censurados desde o golpe militar.

20. Paraná, *Lula*, p. 154.

Capítulo 2

1. Segundo Mário Morel (*Lula – o início*, pp. 20-21), Lula foi acompanhado ao mortuário por um amigo e colega sindicalista, Nelson Campanholo, que estava preocupado com sua reação ao ver sua esposa e o bebê mortos; Campanholo entrou antes e então disse a Lula que os cadáveres não eram deles.

2. Ver Paraná, *Lula*, p. 265. Os gêmeos nasceram doentes, provavelmente sofrendo de uma infecção urinária.

3. Ver *ibid.*, p. 265, para a opinião de sua irmã Maria, e capítulo 3 para a campanha presidencial de 1989. Lula manteve contato com Lurian e fornecia dinheiro, e Maria comprou presentes de aniversário para ela.

4. O relato do próprio Lula está em *ibid.*, pp. 95-97. Sua irmã Maria tem uma visão menos idílica do seu primeiro encontro com Marisa. Segundo Maria, ele disse a seu assistente no sindicato, Luisinho: "Assim que uma nova viúva aparecer aqui, por favor me avise porque eu quero falar com ela" (*ibid.*, p. 266).
5. Morel, *Lula – o início*, p. 26, sugere que ela era babá dos filhos de um médico aos oito anos, e que trabalhava em uma fábrica aos treze.
6. Por sugestão de Frei Chico, Lula fez um curso para falar em público no Centro de Oratória Ruy Barbosa, ligado a uma faculdade de Direito.
7. Ver Paraná, *Lula*, p. 115.
8. Codi significava Centro de Operações de Defesa Interna. DOI significava Departamento de Operações de Informações. As duas organizações trabalhavam juntas para erradicar o que definiam como subversão interna.
9. Outro termo usado nos tempos de Geisel e Figueiredo era *abertura* — uma abertura da política.
10. Ver Baer, *A Economia Brasileira*, pp. 110, 114, *et passim*. Na segunda metade da década de 70, foi estimado que a taxa anual de crescimento médio era de 7%.
11. Ernesto Geisel administrara a Petrobras, o monopólio estatal do petróleo, de 1969 a 1973.
12. O general Golbery foi um dos conspiradores antes do golpe de 1964. Três meses depois do sucesso deste ele criou o SNI, com ele próprio na sua direção. Ele era uma eminência parda no regime militar e, como os chefes de inteligência em qualquer lugar, tinha às vezes uma compreensão mais realista da opinião pública do que os ministros e outros generais. Ver Ferreira e Delgado, *O Brasil Republicano*, p. 175
13. Os cursos na ESG eram ministrados por acadêmicos qualificados e outros de estatura similar, e eram assistidos por membros da elite civil e por oficiais. Uma associação de formados pela ESG tinha ramificações por todo o Brasil.
14. O governo Médici criou a Aerp (Assessoria Especial de Relações Públicas) como um órgão de propaganda que fazia filmes e lançava campanhas. Entre os *slogans* que promoveu, explorando a vitória do Brasil na Copa de 70, estavam "Ninguém segura o Brasil" e "Este é um país que vai pra frente" — frase emprestada de uma música popular de Miguel Gustavo.
15. A Polícia Militar de São Paulo também estava conduzindo seu próprio esquadrão da morte.
16. Também havia um significativo movimento de guerrilha rural no Araguaia, de 1972 a 1975, apoiado pelo maoísta Partido Comunista do Brasil, PCdoB. O PCdoB surgiu da cisão, em 1962, do PCB pró-soviético, fundado em 1922, porque os dissidentes achavam que os comunistas brasileiros deveriam recorrer à luta armada para fazer uma revolução.
17. Números do DIEESE, Departamento Intersindical de Estatística e Estudos Sócioeconômicos, citado em Alves, *Estado e Oposição no Brasil*, p. 185. O DIEESE era uma organização de pesquisa dos sindicatos.

18. Ver *ibid.*, p. 181.
19. Eduardo Matarazzo Suplicy era um intelectual e descendente da dinastia comercial Matarazzo. Era também um professor na Fundação Getúlio Vargas, e, portanto, deve ter ficado particularmente surpreso quando, sem explicação, o Banco Mundial declarou que os números da FGV para a inflação de 1973 tinham sido traduzidos equivocadamente pelo tribunal trabalhista. Mais tarde um dos fundadores do PT, ele foi senador petista nos primeiros anos do século XXI. A informação original sobre o estudo do Banco Mundial viera de Paulo Francis, um jornalista brasileiro em Washington. A perda atualizada de 34,1% foi calculada pelo DIEESE (ver nota 17).
20. Paulo Vidal não era mais membro da executiva; além de suas diferenças políticas com Lula, ele precisava de tempo livre para uma cirurgia.
21. Ver Paraná, *Lula*, p. 134.
22. Controversamente, Lula expulsou do sindicato um estudante que trabalhava na Resil e que pertencia à trotskista Convergência Socialista.
23. Entre muita cobertura da mídia havia uma longa entrevista à TV Cultura, entrevistas ao *Pasquim* e *Senhor*, e muitas reportagens em revistas de notícias.
24. O salário médio por hora de um operário do setor automotivo no Brasil, em 1978, era de 60 centavos de dólar, comparados aos 80 centavos na Colômbia e Coreia do Sul, 1,50 dólar no Peru, 1,60 dólar na Venezuela, 2,05 dólares no México, 4,30 dólares no Japão e 8,65 dólares nos Estados Unidos (Alves, *Estado e Oposição no Brasil*, tabela na p. 299).
25. Desde a revolução cubana em 1958, barbas haviam se tornado símbolos de radicalismo na América Latina.
26. Citado por Markun, *O Sapo e o Príncipe*, p. 140.
27. Paraná, *Lula*, p. 142.
28. Este relato se baseia fortemente em Markun, *O Sapo e o Príncipe*, pp. 135-150.
29. Lula disse que falou pela primeira vez sobre a necessidade de um partido de trabalhadores num congresso de petroleiros em 15 de julho de 1978 (ver Paraná, *Lula*, p. 138).
30. Dom Cláudio Hummes abrigou Nelson Campanholo, único membro da executiva dos metalúrgicos que escapara à prisão, por um dia inteiro na sacristia da Igreja Matriz de São Bernardo quando a polícia estava procurando por ele.
31. DOPS significava Departamento de Ordem Política e Social.
32. Marisa ajudou a organizar uma marcha de esposas de sindicalistas, falava em público e tomava parte num ato litúrgico pelos grevistas com o cardeal dom Paulo Evaristo Arns, mas o estresse a deixou doente. Ver Morel, *Lula — o início*, p. 108.

Capítulo 3

1. Este foi o ano da fundação do PCB.
2. Ele falou em 15 de julho de 1978.
3. Os dois eram Aurélio Pires, ligado ao PCdoB, e Benedito Marcílio, ligado ao maior grupo trotskista, Convergência Socialista. Outros na delegação sindical

eram Arnaldo Gonçalves, dos Metalúrgicos de Santos; Henos Amorina, dos Metalúrgicos de Osasco; Jacó Bittar, dos Petroleiros de Campinas; e David de Moraes, dos Jornalistas de São Paulo. Ver Markun, *O Sapo e o Príncipe*, p. 173.

4. Ver Keck, *The Worker's Party and Democratization in Brazil*, p. 77.
5. Bittar, por exemplo, desaprovou o modo como Lula lidou com a greve de 1979.
6. Keck, *The Worker's Party and Democratization in Brazil*, p. 93.
7. Miguel Arraes fora governador de Pernambuco antes do golpe militar e tinha promovido a reforma agrária.
8. Frei Chico disse a Mário Morel que achava que em 1980-1981 havia um perigo real de Lula ser assassinado, e que então ele seria transformado em mártir (Morel, *Lula – o início*, p. 74).
9. Era Euler Bentes Monteiro, um general aposentado que atraiu alguns dissidentes da ARENA para somar aos votos do MDB. O regime, entretanto, tinha fixado para si próprio uma confortável maioria no Congresso a despeito dos ganhos da oposição em 1978.
10. Um recurso-chave para o governo era seu grupo de senadores não-eleitos, conhecidos como "biônicos".
11. Mais recentemente se tornou possível concorrer a cargos eletivos apenas com um apelido.
12. Ver Markun, *O Sapo e o Príncipe*, p. 195.
13. De fato, a linha-dura tentou perpetrar uma fraude eleitoral que teria impedido Brizola de ganhar o governo do Rio, mas foi denunciada.
14. Um dos que estabeleceram o PT no Acre foi Chico Mendes, o líder dos seringueiros (assassinado em 1988), que desenvolveu o conceito ecologicamente correto de reservas extrativistas. Jorge Viana do PT foi eleito governador em 1998 e venceu novamente em 2002.
15. Dante de Oliveira, então com 32 anos, fora militante do grupo revolucionário MR-8; sua chegada ao Congresso ilustrou a maneira como, após a anistia e as eleições de 1982, antigos inimigos da ditadura estavam adentrando o sistema político.
16. Paulo Maluf, uma figura extremamente de direita, havia sido nomeado governador do estado de São Paulo pelos militares, mais tarde foi eleito prefeito da cidade de São Paulo, e depois preso por corrupção durante a presidência de Lula.
17. Ver Keck, *The Worker's Party and Democratization in Brazil*, p. 170, citando *Istoé*, 26 de agosto de 1981.
18. Ver Alves, *Estado e Oposição no Brasil*, p. 351.
19. Essa análise trilateral foi extraída de Keck, *The Worker's Party and Democratization in Brazil*.
20. Para uma história definitiva do MST, ver Branford e Rocha, *Cutting the Wire*.
21. Um documento de uma reunião preparatória do MST em 1984 afirmava que no estado do Paraná mais de 2,5 milhões de pessoas deixaram suas terras nos anos 70; números comparáveis em outros estados do Sul eram 1,5 milhão no Rio Grande do Sul e 600 mil em Santa Catarina.

22. Nos anos 70, empresas de muitos tipos, incluindo a Volkswagen do Brasil, tomaram parte na especulação de terra. No estado nordestino do Maranhão, quando seu governador era José Sarney, firmas como a linha aérea VARIG, o grupo de lojas Mesbla e a cadeia de supermercados Pão de Açúcar estavam investindo em fazendas de gado e plantações de eucalipto.
23. Ver Branford e Rocha, *Cutting the Wire*, p. 50.
24. No primeiro mandato de Lula, as taxas brasileiras de juros eram de 25% em janeiro de 2003 quando ele assumiu, e 13,75% quando ele concorreu à reeleição em outubro de 2006.
25. Markun, *O Sapo e o Príncipe*, p. 215.
26. Ver Kotscho, *Do golpe ao Planalto*, p. 166.
27. Esse partido era o Partido Municipalista Brasileiro. A sobrevivência de partidos nanicos no século XXI, frequentemente organizados em torno de uma ou duas personalidades e para aluguel, era um dos defeitos do sistema brasileiro que o PT, mais democrático e baseado na massa, procurou desafiar.
28. O grupo de campanha de Lula, em determinado momento, tinha apenas o equivalente a dez dólares para comprar uma refeição, e perdiam tempo discutindo o que podiam pagar (Kotscho, *Do golpe ao Planalto*, p. 162).
29. Maria Helena Amaral, uma jornalista, renunciou à equipe de Collor em protesto pela compra das declarações de Miriam por 200 mil cruzados, pagos por Leopoldo Collor (Markun, *O Sapo e o Príncipe*, p. 233).
30. Ver Dimenstein e de Souza, *A História Real*, pp. 47-50.
31. Esta senhora ficou viúva em 1979 quando seu marido foi assassinado, tão misteriosamente quanto o primeiro marido de Marisa.

Capítulo 4

1. Ver o *site* dos Metalúrgicos de São Bernardo e Diadema, e, depois da fusão de 1993 com Santo André também, www.abcdeluta.com.br.
2. Markun, *O Sapo e o Príncipe*, p. 237.
3. Robb, *A Death in Brazil*, pp. 39-44.
4. Parágrafo 4° da resolução em "O Socialismo Petista", aprovada em 1990 e ratificada no 2° Congresso Nacional do PT, novembro de 1999. Ver o *site* do PT.
5. Pouco depois da formação do PT, Lula contou ao jornalista Mário Morel: "De vez em quando eu digo que você pode me chamar um socialista, porque no fundo todos nós somos socialistas, porque todos nós queremos uma sociedade mais justa". Mas ele também disse que não queria o tipo de socialismo imposto com baionetas e tortura. Seu sonho era de um país onde todos tivessem os mesmos direitos e não passassem por cima de outros ou causassem infelicidade aos seus próximos (Morel, *Lula – o início*, pp. 166, 174-5).
6. Não era claro qual membro da antiga família imperial teria se tornado o novo monarca brasileiro se o plebiscito tivesse apoiado a reinstalação da monarquia,

mas antes que o PT e o PSDB se desentendessem sobre a questão presidencial foi planejado que Lula seria o candidato à Presidência e Fernando Henrique Cardoso o primeiro-ministro.

7. Markun, *O Sapo e o Príncipe*, p. 249.
8. Ver Kotscho, *Do golpe ao Planalto*, p. 187-90.
9. O nome completo de Mendonça era José Eduardo Mendonça. Ele trabalhou para eleger Collor governador de Alagoas em 1986.
10. Ver Baer, *A Economia Brasileira*, tabela 10.1a, p. 223.
11. Anedota recontada em Dimenstein e Souza, *A História Real*, p. 72.
12. De um modo geral, os partidos da esquerda com os quais o PT se sentia mais à vontade para fazer alianças nos anos 90 e no início do século XXI eram: o PDT (partido de Leonel Brizola), o PSB (partido Miguel Arraes), o PCdoB e o PPS (o rebatizado Partido Comunista Brasileiro, PCB, por tanto tempo liderado por Luís Carlos Prestes), embora o PPS tenha se oposto a Lula na eleição de 2006.
13. Em apenas uma década, a economia brasileira e sua moeda sofreram, por exemplo, com a desvalorização mexicana de 1995, quando mais de sete bilhões de dólares saíram do Brasil em fevereiro e março; com a "gripe asiática" das economias do Sudeste da Ásia em julho de 1997, que levou a um declínio de 15% no PIB da Indonésia; com o calote da dívida argentina em 2001-2; e com o declínio de 10% do mercado mundial de ações em 2006, quando investidores dos Estados Unidos e da Europa se assustaram com as perspectivas de inflação.
14. Poucos sociólogos eram proeminentes também na política no fim do século XX; outro exemplo era Ralf Dahrendorf, cuja carreira na política alemã o levou a se tornar membro da Comissão Europeia.
15. A ocasião anterior foi em 1961, quando Juscelino Kubitschek passou a faixa presidencial a Jânio Quadros.
16. O real na época ainda valia um dólar norte-americano; o deputado do PT era Paulo Paim.
17. Estes dados vêm do capítulo "Porto Alegre: Public Power beyond the State", de Hilary Wainwright, um valioso relato do processo de orçamento participativo, em *Politics Transformed*, de Branford e Kucinski com Wainwright.
18. Depois de três anos exclusivamente em Porto Alegre, o Fórum Social Mundial ocorreu lá e em Mumbai em 2004, e foi realizado novamente na cidade em 2005. Em 2006 teve lugar em Caracas, Bamako e Karachi. Em 2005, o presidente Hugo Chávez foi festejado pelos ativistas e a contrastante desilusão com Lula foi vastamente notada.
19. Para um excelente relato sobre o movimento, ver Branford e Rocha, *Cutting the Wire*, especialmente o capítulo 7, pp. 129-47, que descreve o que ficou conhecido como o massacre de Eldorado dos Carajás.
20. *Ibid.*, p. 173.
21. *Ibid.*, p. 181.
22. Ver Markun, *O Sapo e o Príncipe*, p. 294. Consta que a discussão ocorreu durante uma refeição no *flat* de José Dirceu em Brasília.

23. Consta que Peter Mandelson — um guru do "Novo Trabalhismo" que exerceu vários ministérios no governo Blair e tinha um namorado brasileiro — disse, em uma visita ao Brasil, que comparava favoravelmente FHC e o PSDB ao governo trabalhista na Inglaterra.
24. Ver *EntreAtos*, um documentário de João Moreira Salles, conhecido cineasta independente, filmado entre o primeiro e o segundo turno da eleição presidencial de 2002.
25. Em 1997, em Londres, em uma atitude inesperada que acalmou mercados financeiros temerosos do radicalismo de um governo trabalhista, o ministro das Finanças, Gordon Brown, anunciou que o Banco da Inglaterra estabeleceria taxas de juros sem a interferência do governo.
26. Lula também foi apoiado pela senadora Benedita da Silva — sem parentesco — que era evangélica e a primeira senadora negra brasileira, e que fora governadora interina do Rio por um curto período, em 2002. Ela continuou a viver em uma favela.
27. No Maranhão, até o direitista PFL estava apoiando Lula.
28. Ver *Veja*, 28 de junho de 2006. Os nove eram o PT, PTB, o Partido Liberal do vice-presidente, o PSB, PDT, PPS, PCdoB, o Partido Verde e o Partido Popular (um partido de direita).
29. Ver *Financial Times*, 15 de outubro de 2002.
30. Lula saiu de um almoço com Otávio Frias Filho, proprietário da *Folha de S. Paulo*, durante sua campanha; o mandachuva da mídia perguntara-lhe insultuosamente se ele se julgava capacitado para governar o país quando não sabia sequer falar inglês (Kotscho, *Do golpe ao Planalto*, p. 225).

Capítulo 5

1. Entrevista com um funcionário da Educação, Brasília, 22 de setembro de 2005.
2. Palocci era um bom exemplo de carreirismo partidário à medida que o PT se tornava uma parte fixa e crescente da cena política; ele foi sucessivamente vereador, deputado estadual, deputado federal, prefeito duas vezes e depois ministro da Fazenda.
3. Crítica, em janeiro de 2006, de José Serra, o candidato derrotado do PSDB que se tornou prefeito de São Paulo em 2004 e governador do estado dois anos depois.
4. Antes da eleição de Lula para a Presidência, o PT tivera apenas 58 deputados; ao todo a maioria governista incluía nove partidos.
5. Muitos ainda achavam que havia várias desigualdades no sistema, com pensões excessivamente generosas para militares e juízes aposentados. Durante 2002, o estado teve que destinar 39 bilhões de reais para beneficiar o funcionalismo público, enquanto todo o gasto federal em saúde era de apenas 30 bilhões.
6. Tais ministros do Trabalho incluíam Peter Mendelson, Stephen Byers e Alan Milburn.
7. *Veja*, 23 de fevereiro de 2005.
8. Em setembro de 2004, por exemplo, José Dirceu estava presidindo essas comissões, ou "câmaras" de política social, desenvolvimento econômico e incentivos para investimentos privados produtivos no Brasil.

9. Tais parcerias, conhecidas como PPPs, foram muito usadas no Reino Unido como forma de criar bens públicos sem sobrecarregar o balancete nacional. Aqueles a favor argumentavam que mais melhorias na infraestrutura poderiam ser pagas se investidores privados se associassem a entidades públicas; críticos reclamaram que instituições públicas estavam sendo encilhadas com dívidas de longo prazo que seriam difíceis de pagar.
10. Dirceu, vendo o perigo de que Cavalcanti pudesse vencer, havia de fato proposto, de seu cargo na Casa Civil, um aumento no orçamento para os gabinetes dos deputados, mas Aldo Rebelo vetou o plano.
11. Ver, por exemplo, a *Folha de S. Paulo* de 21 de setembro de 2005.
12. O PDT, PPS e o PV disseram que apoiariam José Thomaz Nonô do PFL; Fernando Gabeira, que deixara o PT para ingressar no PV, liderou o ataque contra Cavalcanti.
13. *Veja*, publicada pela Editora Abril em São Paulo, tinha orgulho de seu jornalismo investigativo independente, mas geralmente não era amistosa com o governo Lula. Sua denúncia, publicada a 22 de abril de 2004, de que o PT havia comprado o apoio do PTB por dez milhões de reais, não teve nada comparado ao impacto de seus artigos um ano depois.
14. O expressivo e sutil português usado no Brasil tem uma palavra para tais partidos, "fisiológicos", para a qual a palavra inglesa *physiological* não faz jus. Conota que tais partidos são parte do organismo de poder político no Brasil, desligado de interesses ou ideologia, e parte de um sistema perpétuo de recompensas e favores.
15. Ver *Veja*, 18 de maio de 2005, p. 59.
16. Lula parecia gostar das pompas de seu cargo — jornalistas apelidaram o novo avião presidencial, comprado da European Airbus e não da brasileira Embraer, de "Aero-lula". O *airbus* custa cerca de 56,7 milhões de dólares para compra e dois mil dólares por hora para voar. Em uma referência às antigas fazendas, Lula chamava a suíte presidencial na frente do avião de "casa grande" e a área de trás para a tripulação e os jornalistas de "senzala". Quando ele teve que declarar seus bens ao Tribunal Superior Eleitoral em julho de 2006, eles eram 839.033 reais, comparados aos 422.949 reais na eleição de 2002 — um aumento que o PT atribuiu a economias do salário presidencial e boa administração financeira (*Folha Online*, 5 de julho de 2006).
17. Por exemplo, em junho de 2005 ele estava dizendo: "Nós vamos cortar nossa própria carne, se necessário — quem quer que seja culpado pagará o preço". Mas falando em um jantar em fevereiro de 2006 para celebrar o vigésimo sexto aniversário da fundação do PT, ele comentou: "O povo não deve execrar aqueles que erram. Errar é humano".
18. Ver o sumário de notícias do *Brazil Network* de 17 de julho de 2006. Lula disse que enquanto norte-americanos e europeus o haviam chamado de esquerdista, no Brasil ele fora chamado de agente da CIA pelo Partido Comunista Brasileiro, e de "uma muleta da ditadura" pelos trotskistas. Ele acrescentou que esses críticos agora eram todos seus amigos.
19. Proposta de Tony Blair, o primeiro-ministro do Reino Unido, anterior à reunião de São Petersburgo em 2006. Em Gleneagles, a reunião escocesa do G8 um ano

antes, que deu enfoque à pobreza africana, os líderes da Nigéria e da África do Sul também estiveram presentes.

20. Embora nascido no Rio de Janeiro em 1948, as conexões de Vieira de Mello com o Brasil tinham se tornado tênues, e sua família morava em Genebra, onde ele havia passado a maior parte de sua carreira com a Alta Comissão da ONU para Refugiados. Ficou bem conhecido quando Kofi Annan deu-lhe a responsabilidade de guiar o Timor Leste à independência. Em 2002 ele sucedeu Mary Robinson como alto comissário da ONU para os Direitos Humanos, e em maio de 2003 Annan o transferiu por quatro meses para liderar um escritório da ONU em Bagdá. A explosão que matou a ele e à sua equipe foi um sério revés para a ONU no Iraque pós-guerra.
21. Ver Scolese e Nossa, *Viagens com o Presidente.*
22. Ver *Veja*, 9 de fevereiro de 2005.
23. Dados lançados no fim de abril de 2006 pelo IBGE, o respeitado instituto brasileiro de estatística, sugerem que o Brasil superou o México em 2005 para se tornar a economia líder da América Latina, e a 11ª maior do mundo.
24. Estas conversas da OMC começaram em Doha em novembro de 2001 e deveriam ter sido concluídas em três anos. Elas foram descritas como "rodada do desenvolvimento", embora muitos analistas questionassem até que ponto a liberalização do comércio mundial promoveria o crescimento dos países mais pobres em desenvolvimento. Elas foram interrompidas em julho de 2006.
25. *Veja*, 25 de janeiro de 2006.
26. Entrevista, Denise Paraná, 8 de setembro de 2005. O irmão de Lula, Frei Chico, sofreu um ataque cardíaco naquele mês.
27. Ver *Veja*, 13 de julho de 2005.
28. O relatório final da CPI dos Correios retirou uma referência direta a Lulinha, embora tenha instado o Ministério Público a esclarecer a relação entre a Telemar e a Gamecorp (*Folha de S. Paulo*, 30 de março de 2006).
29. A consultoria de Vavá foi discutida na *Veja* de 12 de outubro de 2005. Um exemplo de outro país foi o papel legítimo desempenhado pelo irmão de Gordon Brown, então ministro das Finanças britânico, como um lobista relações públicas para a indústria nuclear.
30. Mercadante foi um dos intelectuais católicos que haviam ajudado a fundar o PT. Originalmente professor de economia, ele ajudara a coordenar sucessivas campanhas eleitorais, foi candidato a vice na chapa de Lula em 1994, foi eleito senador por São Paulo em 2002, foi líder do governo no Senado e concorreu ao governo de São Paulo pelo PT em 2006.
31. Ver Diretrizes do Programa de Governo do PT – 2006, desenvolvido no 13° Encontro Nacional em abril, publicado *on-line* no www.pt.org.br.
32. Discurso noticiado na *Folha de S. Paulo*, 24 de julho de 2006.
33. Alencar tinha abandonado o igualmente nanico Partido Liberal.

34. Aécio Neves da Cunha é neto de Tancredo Neves, que foi hospitalizado antes de assumir a presidência no fim da era militar.
35. Noticiado pelo jornal espanhol *El País*, 18 de julho de 2006.

Capítulo 6

1. "Restaurantes populares" tinham uma longa história na esquerda socialista. No Reino Unido, durante a Segunda Guerra Mundial, havia uma rede de restaurantes do governo chamada "restaurante britânicos".
2. Para comentários sobre o Fome Zero, ver Baer e Amann, "Economic Orthodoxy versus Social Development?" e um debate entre Alfredo Saad Filho e Sue Branford em *Red Pepper*, janeiro de 2005. O programa atraiu o apoio de celebridades brasileiras: Gisele Bündchen, a modelo, doou um cheque de 50 mil reais em 2003, que pagou por trinta e cinco cisternas.
3. Em 1999, por exemplo, os 20% de brasileiros mais ricos detinham 63,8% da renda do país, e o 1% mais rico detinha 13,3%; os 20% mais pobres tinham apenas 2,3%. Ver o capítulo de Sue Branford e Kucinski com Wainwright, *Politics Transformed*.
4. Multinacionais como a IBM, Banco Real (ABN Amro) e Dupont tinham assumido a liderança na criação de cotas de empregos para refletir a diversidade racial brasileira.
5. O estudo foi conduzido por Maurício Cortez Reis e Anna Risi Crespo para o Instituto de Pesquisa Econômica Aplicada, usando estatísticas nacionais. Foi publicado na *Folha de S. Paulo* em 25 de setembro de 2005.
6. A pesquisa de Sergei Soares em 2000 e de Ricardo Henriques em 2001 havia se concentrado na desvantagem educacional e no acesso desigual. Um estudo do IBGE publicado em novembro de 2006 mostrou que houvera um aumento de 22% em 2001 para 30% em 2005 na proporção de brasileiros negros e pardos recebendo educação superior, e um aumento significativo no número deles se matriculando em escolas secundárias.
7. O estudo do Banco Mundial *Equity and Development* foi lançado em setembro de 2005.
8. A Organização Internacional do Trabalho estima que cerca de 25 mil pessoas estejam trabalhando em condições de escravidão; de 1995 a 2006, cerca de 18 mil trabalhadores rurais tenham sido libertados como resultado de uma unidade de inspeção móvel especial do Ministério do Trabalho (*The Sunday Times Magazine*, Londres, 3 de setembro de 2006). Aloizio Mercadante afirmou que nos primeiros três anos do governo Lula, 13.179 trabalhadores rurais foram resgatados da servidão (*Brasil: Primeiro Tempo*, p. 196).
9. Em 2003, Lula criou a Secretaria Especial de Políticas para as Mulheres, com *status* ministerial, ligada à Presidência.
10. O romance teve sua primeira edição no Brasil pela Editora Schwarcz Ltda. em 1997. O filme, dirigido por Fernando Meirelles e Kátia Lund, foi exibido no Brasil pela primeira vez em 2002.
11. O PCC foi supostamente fundado em uma prisão no interior de São Paulo em 1993; Marcola assumiu o controle em 2002 e levou-o para fora da prisão para traficar drogas em larga escala.

12. Estatísticas de crimes à mão armada citadas aqui são de várias fontes, incluindo o artigo de Serra na *Folha de S. Paulo* em setembro de 2005.
13. Ver Scolese e Nossa, *Viagens com o Presidente*, p. 59.
14. Ver *Veja*, 5 de outubro de 2005, pp. 76-88.
15. Esta expressão foi amplamente usada durante a crise de corrupção. Como o consumo de pizza em geral se dá entre amigos, foi sugerido nesse contexto que todos os políticos de Brasília eram um grupo de amigos que compartilhavam as fatias do cargo, sem excluir nenhum dos seus.
16. Ver Branford e Rocha, *Cutting the Wire*, p. 286, para uma discussão sobre a atitude do governo FHC com o MST; ele mobilizou uma grande força policial quando o MST conclamou um "dia de ação" em maio de 2000.
17. Há uma grande variação de estimativas do número de índios no Brasil. Segundo a FUNAI, a agência governamental responsável, há 460 mil índios vivendo em reservas, com um adicional de 100 mil a 190 mil vivendo em outras áreas florestais, nas cidades e no campo. O IBGE, o instituto nacional de estatística, introduziu uma categoria indígena no censo de 1991. Em apenas uma década, o número de pessoas descrevendo a si mesmas como indígenas no censo cresceu de 294 mil para 734 mil, em 225 grupos étnicos estimados (*Época*, 6 de novembro de 2006).
18. Mercadante, *Brasil: Primeiro Tempo*, p. 174.
19. *Folha de S. Paulo*, 8 de setembro de 2005.
20. Ver Mercadante, *Brasil: Primeiro Tempo*, p. 177-8.
21. Citado em *Veja*, 1° de dezembro de 2004, p. 35.
22. Na eleição de 2006, Blairo Maggi foi facilmente reeleito governador no primeiro turno, com dois terços dos votos.
23. Ver *The Guardian*, 6 de abril de 2006, citando o Greenpeace e números oficiais brasileiros.
24. O Greenpeace tentou presenteá-lo com uma "serra elétrica de ouro" em uma escola, mas ele escapou dos manifestantes pela porta dos fundos. Um de seus assessores, Luiz Antonio Pagot, que deixara sua firma para unir-se a ele na Secretaria Estadual da Infraestrutura, era um daqueles que viam ONGs ambientalistas como parte de um complô gigante para refrear o desenvolvimento brasileiro.
25. Lula foi até o funeral de Mendes, embora ele tenha ocorrido entre o Natal e o Ano-Novo no final de 1988; ele tinha reconhecido a importância de Mendes muito antes da imprensa brasileira, um fator que o ajudou a explicar a força do PT no Acre (ver Kotscho, *Do golpe ao Planalto*, pp. 154-5).
26. Em 2005, o Congresso passou uma lei tornando mais fácil vender, cultivar e comercializar colheitas geneticamente modificadas.
27. Ver *The Guardian*, 24 de julho de 2006.
28. A afirmação era que 85.500 quilômetros quadrados de floresta tinham sido perdidos, uma área maior que o estado da Carolina do Sul.
29. O impacto dramático das medidas contra a derrubada de árvores em cidades que haviam prosperado com o comércio ilegal foi descrito no *The Guardian* de 21 de

novembro de 2006; Castelo dos Sonhos, no sul do Pará, havia se tornado uma cidade fantasma.

30. Ver, por exemplo, *The Guardian* de 17 de julho de 2006. *Veja* e a imprensa brasileira tinham mais reportagens não só sobre a Amazônia, mas também sobre o aquecimento global em geral.
31. Ver Hemming, *Die If You Must*, p. 638. Hemming, que escreveu três volumes magistrais com a história dos índios no Brasil, da chegada dos portugueses em 1500 até 2000, declarou então que havia dez reservas indígenas com mais de dois milhões de hectares.
32. Relatório do Instituto Socioambiental, "Povos Indígenas no Brasil, 2001/2005", citado na *Época* de 6 de novembro de 2006.
33. Os macuxis, que também vivem na vizinha Guiana Francesa, estão à vontade com a modernidade. Eles são uma das muitas tribos que utilizam técnicas sofisticadas de *lobby* para obter seus direitos. Atritos com a FUNAI, a agência governamental para os índios, são corriqueiros, e dois dos maiores grupos coordenadores indígenas boicotaram uma conferência nacional de povos indígenas em maio de 2006, organizada pela comissão nacional estabelecida por Lula. Lula também ratificou algumas áreas menores para os habitantes indígenas.
34. Relatório do Instituto Socioambiental, "Povos Indígenas no Brasil, 2001/2005", citado na *Época* de 6 de novembro de 2006.
35. Esse estudo foi publicado pela *Veja* em 15 de dezembro de 2004, p. 120-2.
36. Sônia Rocha, do Instituto de Estudos de Trabalho e Sociedade, usou números de 2004 para mostrar que menos de 4% das crianças em famílias recebendo o Bolsa Família estavam fora da escola até a idade de treze anos, mas 7,1% daqueles com catorze anos e 12,7% daqueles com quinze não frequentavam. O custo das oportunidades para as famílias, os atrativos do mercado de trabalho para os adolescentes e o fato de que eles não estavam aprendendo muito na escola explicavam a diferença. Estudo publicado na *Folha de S. Paulo* em 17 de outubro de 2006.
37. O distrito do grande ABC, onde Lula havia começado sua carreira sindical, ganhou sua própria universidade federal.
38. Antes, Buarque fora reitor da Universidade de Brasília, e foi eleito governador do Distrito Federal pelo PT.
39. Além de um punhado de universidades particulares, como as velhas universidades católicas de São Paulo e Rio de Janeiro, as cinquenta e cinco universidades federais eram geralmente vistas como as melhores. A inscrição era gratuita, mas os exames vestibulares eram difíceis. Pais gastavam muito em escolas particulares de segundo grau para que seus filhos pudessem passar no vestibular; o corpo discente era em sua grande maioria rico ou de classe média.
40. Mercadante, *Brasil: Primeiro tempo*, p. 145.
41. *Veja*, 14 de junho de 2006, pp. 138-9.
42. Estudo publicado na *Folha de S. Paulo* a 13 de dezembro de 2005.

Capítulo 7

1. *Turco* é um rótulo comum, embora equivocado, para o grupo cujos ancestrais vieram, em sua maioria, do que é hoje a Síria e o Líbano, inicialmente na época do Império Otomano. No fim do século XX, muitos estavam desempenhando um papel proeminente nos negócios e na política.
2. Quando Lula ganhou por pouco o primeiro turno da eleição presidencial, Garcia ofereceu demitir-se; embora Garcia tivesse sido posto como presidente do PT depois de Berzoini ser forçado a renunciar por causa do dossiê anti-PSDB, a liderança na coordenação política para o segundo turno foi assumida por Jaques Wagner, que exercera três ministérios e foi o inesperado vencedor petista para o governo da Bahia.
3. Estimativas preparadas pelo meu assistente de pesquisa, Carlos Feres; devido ao tempo gasto em viagens aéreas, não é possível ser absolutamente preciso sobre os períodos em que Lula esteve fora do Brasil. Scolese e Nossa, *Viagens com o Presidente*, p. 74, estimaram que ele esteve fora durante 159 dias, ou 14% de seus primeiros três anos no cargo.
4. Em espanhol a associação é conhecida como Mercosur; em português é Mercosul.
5. Discurso de posse citado e comentado em conferência de Paulo Roberto de Almeida na PUC de São Paulo, 13-14 de setembro de 2006 (ver www.pralmeida.org).
6. Ver Scolese e Nossa, *Viagens com o Presidente*, p. 270.
7. O PT, antes da eleição de Lula, vinha pressionando para que a ALCA fosse submetida a um plebiscito nacional, mas o próprio Lula já tinha se afastado do que teria se tornado um referendo sobre a economia neoliberal e uma verdadeira festa para o antiamericanismo.
8. Ele estava repetindo esta frase quando se dirigiu à Assembleia Geral da ONU em setembro de 2006, argumentando que a pobreza gerava violência.
9. Anoop Singh, diretor do Departamento do Hemisfério Ocidental do FMI; resumo da imprensa na reunião do FMI em Cingapura, em 16 de setembro de 2006.
10. O Brasil se saiu melhor recrutando árabes em vez de latino-americanos, pois vinte e dois governos árabes foram representados e apenas doze latino-americanos. A história diplomática brasileira relacionada a Israel/Palestina havia sido intrincada. Foi um voto do Brasil nas Nações Unidas que atingiu a maioria para o reconhecimento do Estado de Israel nos anos 40; nos anos 70, o governo militar apoiou a resolução da ONU que definiu o sionismo como racismo.
11. O primeiro-ministro Tony Blair especulou sobre isso.
12. O *status* permanente do Reino Unido, por exemplo, jazia no fato de que o Império Britânico foi um dos vitoriosos, mas esse império havia se evaporado nos anos 60.
13. Alguns dos constrangimentos para a ONU incluíam o massacre em Srebrenica, o genocídio em Ruanda, a corrupção no comércio de petróleo-por-alimentos com Saddam Hussein do Iraque, e a incapacidade da ONU de evitar a guerra no Iraque em 2003 ou de obter um rápido cessar-fogo no Líbano em 2006.

14. Informação fornecida por Paulo Roberto Almeida, Brasília, outubro de 2006.
15. Nem os membros permanentes do Conselho de Segurança nem os temporários tinham um registro impressionante "representando" os pontos de vista de suas regiões ou de seus associados. Alguns diplomatas brasileiros acharam que Lula deveria ter feito um acordo com a Argentina, sob o qual eles se alternariam em um assento no Conselho de Segurança.
16. O Brasil operava um regime de taxas de juros muito baixas para investimentos a longo prazo no setor produtivo. Por exemplo, a Taxa de Juros de Longo Prazo do governo foi baixada de 7,5% ao ano para 6,85% em setembro de 2006, pouco antes da eleição.
17. A *Veja* estimou que a inflação cumulativa dos quatro anos, 2003-2006, seria de 29,3% (12 de julho de 2006, pp. 60-61).
18. *Bovespa* é abreviação de Bolsa de Valores de São Paulo.
19. Aloizio Mercadante era um economista que fora professor na PUC de São Paulo; ativo no movimento estudantil contrário à ditadura, foi um dos fundadores do PT, candidato a vice-presidente na chapa de Lula em 1998, líder do governo no Senado durante o governo Lula e candidato derrotado do PT ao governo de São Paulo em 2006. Para ser justo, houvera tantos fracassos para estabilizar a moeda brasileira antes do real, que algum cinismo era justificável; mas a oposição do PT e o equívoco de Lula foram fatais para eles na eleição de 1994.
20. Os dados citados aqui são de um número especial da *Época*, a revista de notícias publicada pelo grupo Globo, em 4 de setembro de 2006; o exemplar examinava até que ponto o governo de Lula havia realizado suas promessas de campanha.
21. Em 2005, de acordo com dados do Ministério do Trabalho, havia 33,2 milhões de empregos registrados. A força de trabalho não-registrada é difícil de estimar, mas aproximadamente 126 milhões de adultos, 18 anos em diante, votaram na eleição presidencial de 2006.
22. *Época*, 4 de setembro de 2006.
23. Ver *Veja*, 16 de agosto de 2006. Os economistas eram Gary Becker, Douglass North, Robert Solow, Robert Mundell, Paul Samuelson, Edward Prescott e James Heckman.
24. A mesma edição de *Veja* afirma que, entre 1980 e 2005, a participação chinesa no comércio mundial havia crescido de 3,2% para 13,6%, a da Índia crescera de 3,3% para 6%, mas a do Brasil tinha caído de 3,4% para 2,6%.
25. Ver Baer e Amann, "Economic Orthodoxy versus Social Development?"
26. Um estudo da Conferência de Comércio e Desenvolvimento da ONU classificou o Brasil depois da China, dos Estados Unidos, da Índia e da Rússia. Também mostrou que países em desenvolvimento estavam investindo no exterior cada vez mais (publicado na *Folha de S. Paulo*, 6 de setembro de 2005).
27. Estudo publicado na *Folha de S. Paulo*, 13 de setembro de 2005.
28. Uma reportagem na *Veja* de 6 de setembro de 2006 afirmou que a produtividade da Volkswagen em 2005 (trinta e três carros por operário) era menor que a me-

tade da produtividade na planta da Toyota em Kentucky (setenta e quatro carros por operário).

29. Foi um tributo ao medo da China, bem como à excessiva pachorra da burocracia brasileira, o fato de que apenas quatro anos após a China ter entrado na OMC o Brasil reconheceu o acontecimento oficialmente em um decreto de 329 páginas no *Diário Oficial*.

30. Reportagem do *The Guardian*, 14 de setembro de 2006.

Capítulo 8

1. Ver Kotscho, *Do golpe ao Planalto*, pp. 274-76.
2. Na sua edição de 25 de maio de 2005, a *Veja* mostrou que o PTB estava tentando obter 400 mil reais por mês do IRB, a corporação estatal de resseguros. O partido também estava levantando fundos junto a uma empresa de serviços públicos, a Eletronorte.
3. *Folha de S. Paulo*, 6 de junho de 2005.
4. Ver *Veja*, 29 de outubro de 2005.
5. Os 10% podiam valer 70 mil reais.
6. Enquanto apenas dois parlamentares do PT estavam envolvidos, havia 22 do PTB, 20 do PL e 20 do PP (ver *Veja*, 26 de julho de 2006).
7. Em julho de 2006, foi alegado que Delúbio Soares, ex-tesoureiro do PT, tivera ligações com a máfia dos vampiros.
8. Jornalistas em muitos países, demonstrando certa falta de imaginação, têm adicionado "*gate*" a palavras para descrever escândalos políticos locais desde os anos 70. Este tributo ao escândalo de Watergate foi copiado, por exemplo, na África do Sul na era do *apartheid* quando se noticiou o caso Muldergate.
9. Nos comícios de Mercadante na última semana antes da eleição, os oradores só esperavam que ele chegasse ao segundo turno, mas Serra venceu com uma maioria confortável no primeiro.
10. Houve uma forte suspeita de que a divulgação das fotos foi parte de uma operação espúria do PSDB, que tinha amigos na polícia; na disputa pela escolha de Serra para concorrer contra Lula em 2002, foram liberadas na hora certa fotos incriminadoras de dinheiro associadas à rival de Serra, Roseana Sarney, que teria sido a candidata do PFL à Presidência.
11. Ver *Veja*, 9 de fevereiro de 2005.
12. Publicado pela *Folha Online* de 22 de outubro de 2006. Muitos duvidariam da abrangência destas declarações de bens ao TSE. Mesmo assim, a distribuição de "milionários" entre os partidos era chocante — PFL com 38, PMDB com 37, PSDB com 21 e PT com apenas 6 — o que mostrava que os deputados petistas refletiam a relativa pobreza do seu eleitorado.
13. Pelo material sobre o acordo entre o Transparência Brasil e a CGU (Controladoria Geral da União), sou grato a Maria Laura Canineu pela assistência na pesquisa.

14. Mercadante, *Brasil: Primeiro Tempo*, pp. 213-14.
15. Até 2006 haviam sido feitas cinquenta e duas emendas à Constituição de 1988; cada uma delas tivera que passar pelas duas casas do Congresso duas vezes, com 60% votando a favor. Na Índia, em contrapartida, havia demorado quase cinquenta anos para que se atingisse o mesmo número de emendas, e a Austrália emendou sua Constituição apenas seis vezes em mais de um século.
16. O fundo estatal para os partidos políticos devia distribuir 118 milhões de reais em 2006, de acordo com a *Folha de S. Paulo* de 3 de outubro de 2006.
17. O caso foi apresentado pelo PCdoB, com a ajuda de sete outros partidos pequenos, e a decisão do tribunal foi unânime; no total, catorze pequenos partidos comemoraram a perpetuação de seus privilégios.
18. *Veja*, 19 de julho de 2006.
19. Diplomata brasileiro, falando confidencialmente, Brasília, outubro de 2006.
20. Seu nome completo era Carlos Alberto Libânio Christo; ele era um ano mais velho que Lula.
21. Entrevista, *Estado de São Paulo*, 24 de agosto de 2005; citado *on-line* em www.escandalodomensalao.com.br.
22. A Ordem concluiu que não havia prova suficiente em 2005-6 que ligasse o presidente diretamente com corrupção.

Capítulo 9

1. Lula ameaçou escrever um livro sobre todas as mentiras que os jornalistas tinham publicado sobre ele durante seu período no cargo; o autor estava presente a esse comício.
2. Essa era uma piada usada anteriormente contra os politburos comunistas nas chamadas Democracias Populares.
3. Dados do TSE publicados na *Folha Online* em 7 de agosto de 2006. Quando a eleição presidencial foi para o segundo turno, os custos foram para o espaço, com o TSE permitindo que Lula gastasse 115 milhões de reais, e Alckmin reclamando quando não lhe permitiram aumentar suas despesas de 85 milhões para 95 milhões. Relatórios subsequentes mostraram que, coletivamente, empresas foram os maiores contribuintes da campanha de Lula, com bancos (10,5 milhões de reais), empreiteiras e companhias de minas e aço, nessa ordem; os comitês pró-Lula e os comitês regionais do PT deram 15 milhões de reais; bancos deram a Alckmin a mesma quantia que deram a Lula.
4. Pesquisa nos padrões de voto sugerem que a base de apoio de Lula estava entre os mais pobres e os mais ricos, mas que ele tinha perdido terreno na classe média, comparado a 2002. Apoio dos muito ricos sugeria que eles o consideravam bom para os negócios.
5. Metade do décimo terceiro salário pago aos pensionistas cobertos pelo Instituto Nacional de Seguro Social foi pago em setembro, na véspera da eleição.

6. Este pacote foi um esquema do governo, baixado por meio de uma medida provisória, o dispositivo que anulava o Congresso.
7. Publicado na *Folha Online* em 17 de setembro de 2006.
8. Ver *Estado de São Paulo*, 29 de setembro de 2006; as posições de diferentes líderes da Conferência variaram.
9. O estado do Acre era território do PT havia muito tempo e, embora preferindo Alckmin para presidente, ainda assim elegeu um governador do PT no primeiro turno; em Minas Gerais, onde Aécio Neves obteve 7,4 milhões de votos para governador, dois terços dos votos, Lula recebeu 5,1 milhões de votos contra 4,1 milhões de Alckmin.
10. Tim Power, do Centro para Estudos Brasileiros de Oxford, demonstrou uma clara coincidência entre o Índice de Estatísticas de Desenvolvimento Humano para os estados brasileiros e os resultados do primeiro turno da eleição. Um cálculo da *Veja* (11 de outubro de 2006) mostrou que a renda média mensal de estados que apoiaram Alckmin era de 861 reais, comparados aos 570 reais nos estados que apoiaram Lula; 27% das pessoas nos estados de Alckmin tinham acesso à internet, comparados aos 16% de Lula.
11. Essas estimativas de deputados pró-governo e pró-oposição foram feitas pela *Folha de S. Paulo* em 3 de outubro de 2006; era provável que, por razões "fisiológicas", um presidente Alckmin pudesse persuadir alguns deputados a trocar de alianças para um governo do PSDB-PFL.
12. Os resultados da eleição de deputado federal para os quatro grandes partidos foram os seguintes, com os números anteriores entre parênteses: PMDB 89 (78), PT 83 (81), PSDB 65 (59) e PFL 65 (64). Entre os pequenos partidos: PSB 27 (27), PDT 24 (20), PL 23 (36), PTB 22 (43), PPS 21 (15), PCdoB 13 (12) e PV 13 (7).
13. O novo total no Senado foi: PMDB 16 (19), PFL 18 (19), PSDB 15 (11) e PT 11 (14). Entre os pequenos partidos, os de melhor desempenho foram o PDT 5 (5), PTB 4 (3) e PSB 3 (4).
14. O programa gratuito de televisão foi transmitido em 21 de outubro de 2006.
15. A firma era chamada Vicatur, e os conspiradores supostamente teriam comprado seus dólares dela para comprar o dossiê.
16. Como de costume, houve alegações de truques sujos em algumas eleições estaduais. No Rio de Janeiro, um candidato do direitista PP ao Senado, que parecia estar sendo vencido por uma candidata do PCdoB, de repente assumiu a dianteira depois de muitos eleitores terem recebido mensagens de celular dizendo que a candidata do PCdoB era favorável ao aborto.
17. Garotinho recebera forte apoio dos evangélicos e fora candidato à Presidência pelo PSB em 2002, jogando seu peso em Lula no segundo turno de então.
18. Números do desemprego para as seis regiões metropolitanas são coletados pelo IBGE, o instituto de estatística.

19. Consta que o custo da compra da Inco pela CVRD foi de 13,2 bilhões de dólares.
20. Depois do segundo turno, parecia que o PV e o PDT apoiariam, no geral, o segundo governo Lula.
21. O candidato bem-sucedido do PSB era Eduardo Campos.
22. *Estado de São Paulo*, 30 de outubro de 2006.
23. Alguns diriam que o PTB na época de João Goulart era um partido de esquerda, mas o próprio Goulart era um latifundiário, o PTB estava longe de ser democrático, e ele não foi eleito presidente por sufrágio universal.

Capítulo 10

1. Ciro Gomes, que fora um bem-sucedido governador reformista do Ceará e era casado com uma popular estrela de telenovelas, mostrou que os esquerdistas também podiam ter uma atitude displicente quanto à filiação partidária. Anteriormente ele pertencera ao PSDB e depois ingressara no PPS (o outrora PCB), pelo qual foi candidato à Presidência em 1998 e 2002, quando apoiou Lula no segundo turno. Ele se bandeou para o PSB, e Lula o nomeou ministro da Integração Nacional em seu governo de coalizão. Enquanto ele voltava para Brasília em 2006, seu irmão Cid Gomes era simultaneamente eleito governador do Ceará pelo PSB no primeiro turno.
2. Uma das vantagens de Lula era a robustez de sua própria compleição, que suportava uma agenda penosa de viagens. Ele fez, entretanto, acupuntura com um especialista chinês em Brasília para combater dores musculares.
3. O Bolsa Família, associado à frequência escolar, estava ajudando a reduzir a desigualdade educacional. Um estudo de Sônia Rocha, do Instituto de Estudos de Trabalho e Sociedade, mostrou que menos de 4% das crianças em famílias que recebiam o auxílio estavam fora da escola até a idade de treze anos, embora essa proporção crescesse significativamente a partir dos quinze (*Folha de S. Paulo*, 17 de outubro de 2006).
4. Kotscho, *Do golpe ao Planalto*, p. 97.
5. O positivismo, uma filosofia desenvolvida pelo pensador francês Auguste Comte (1798-1857), está por trás do lema na bandeira brasileira, "Ordem e Progresso".
6. O Brasil almejava uma taxa de crescimento de 5% em 2007; Lula ressentira-se da crítica da oposição de que o país estava ficando atrás de outros países latino-americanos, sem falar na China e na Índia.
7. Ver Gilberto Dimenstein na *Folha de S. Paulo* de 4 de outubro de 2006. Magalhães morreu aos setenta e nove anos em 20 de julho de 2007; Jaques Wagner, o governador petista da Bahia, declarou luto oficial de cinco dias.

8. Nas eleições legislativas de meio de mandato nos Estados Unidos, em 2006, alegações de corrupção aparentemente afetaram os resultados de dez disputas para a Câmara dos Representantes.
9. Hummes, que se afastara da Teologia da Libertação nos anos 80, foi escolhido pelo papa Bento para encabeçar a Congregação do Clero para o Vaticano dois dias depois da reeleição de Lula; a Conferência Nacional dos Bispos do Brasil anunciou que o papa faria uma visita a São Paulo, o que ocorreu em 2007.
10. Cerca de dois meses após o segundo turno em 2006, estimou-se que a campanha do PT de Lula ainda devia de cinco a dez milhões de reais.
11. O *ranking* da Transparência Internacional, no qual quanto mais alto está o país, mais honesto ele parece em questões públicas e negócios (*Veja*, 1° de novembro de 2006, p. 92).
12. A 13ª Conferência do PT, em abril de 2006, presenciou uma luta para que fosse feita qualquer análise do escândalo; o Campo Majoritário ligado a Berzoini (subsequentemente demitido) e Lula tentaram impedir.
13. Lula declarou, em uma entrevista a jornalistas do *La Republica*, *El País* e *Le Figaro*, que a Polícia Federal havia realizado trezentas operações anticorrupção entre 2003 e 2006, comparadas a quarenta e oito nos oito anos anteriores sob o presidente Cardoso (publicado na *Folha Online* de 4 de novembro de 2006).
14. Dados fornecidos pela Comissão da Anistia e citados na *Veja* de 11 de outubro de 2006, p. 74; Sérgio da Silva del Nero recebeu a quantia de 34 milhões de reais.
15. Citado em Bourne, *Getúlio Vargas of Brazil*, p. 202.
16. Vargas liderou com sucesso uma revolução protestando que o velho sistema político não era democrático, depois instalou um Estado Novo de estilo fascista, depois se juntou aos Aliados contra o Eixo na Segunda Guerra, e finalmente se reinventou como "pai dos pobres" e fundador do PTB, o Partido Trabalhista Brasileiro.
17. De fato, oito dos vinte e dois líderes não foram — o mais baixo comparecimento em dezesseis reuniões. Hugo Chávez foi um dos que não compareceram, embora a Venezuela fosse agora membro do Mercosul. Em favor de Lula foi dito que ele estava descansando por ordem médica.
18. Relatório Bloomberg, 1° de novembro de 2006. Mesmo assim, houve atritos com os Estados Unidos, que estavam protegendo o biodiesel à base de cereais contra as importações e subsidiando-o.
19. *Veja*, 22 de setembro de 2004.
20. Scolese e Nossa, *Viagens com o Presidente*.
21. Kotscho, *Do golpe ao Planalto*, p. 152.
22. *Ibid.*
23. Lula não resistiu a fazer uma piada no Taj Mahal. Perguntando aos operadores de câmera se aquela não era a coisa mais linda que já tinham visto, ele mesmo respondeu: a coisa mais esplêndida era ele mesmo!

24. Estimativa de um economista, Joelmir Betting.
25. *Veja*, 17 de novembro de 2004.
26. Essa informação foi publicada por Kennedy Alencar, um experiente correspondente da *Folha de S. Paulo* em Brasília, na *Folha Online* de 5 de novembro de 2006.
27. Ver o filme *EntreAtos*.

BIBLIOGRAFIA SELETA

ALCOFORADO, Fernando. *De Collor a FHC.* São Paulo, Nobel, 1998.

ALMEIDA, Paulo Roberto de. *Relações internacionais e política externa do Brasil.* 2ª ed. Porto Alegre, UFRGS Editora, 2004.

ALVES, Brito. *A História de Lula, o Operário Presidente.* Rio de Janeiro, Espaço e Tempo, 2003.

ALVES, Maria Helena Moreira. *Estado e Oposição no Brasil, 1964-1984.* Bauru, EDUSC, 2005.

BAER, Werner. *A Economia Brasileira.* 2ª ed. São Paulo, Nobel, 2003.

_____ & AMANN, Edmund. "Economic Orthodoxy versus Social Development? The Dilemmas Facing Brazil's Labor Government." Monografia, Universidade de Manchester e Universidade de Illinois em Urbana-Campaign, 2005. Publicado *online* em www.business.uiuc.edu/Working_Papers/05-0108.pdf

BOURNE, Richard. *Getúlio Vargas of Brazil, 1883-1954: Sphinx of the Pampas.* Londres, Charles Knight, 1974.

_____ *Political leaders of Latin America: Che Guevara, Alfredo Stroessner, Eduardo Frei Montalva, Juscelino Kubitschek, Carlos Lacerda, Eva Perón.* Londres, Pelican, 1969.

BRANFORD, Sue & KUCINSKI, Bernardo, com Hilary Wainwright. *Politics Transformed: Lula and the Workers' Party in Brazil.* Londres, Bureau Latino-Americano, 2003.

_____ & ROCHA, Jan. *Cutting the Wire: The Story of the Landless Movement in Brazil.* Londres, Bureau Latino-Americano, 2002.

BRUCE, Iain. *The Porto Alegre Alternative: Direct Democracy in Action.* Londres, Pluto Press, 2004.

CAVALCANTI, Luiz Otávio. *O que é o governo Lula.* São Paulo, Landy Editora, 2003.

CONTI, Mario Sérgio. *Notícias do Planalto: A imprensa e Fernando Collor.* São Paulo, Companhia das Letras, 1999.

DIMENSTEIN, Gilberto & SOUZA, Josias de. *A História Real.* São Paulo, Editora Ática, 1994.

FAUSTO NETO, Antonio & outros. *Lula Presidente: Televisão e política na campanha eleitoral.* São Paulo, Hacker Editores, 2003.

FERREIRA, Jorge & DELGADO, Lucília de Almeida Neves. *O Brasil Republicano: O tempo da ditadura – regime militar e movimentos sociais em fins do século XX.* Rio de Janeiro, Civilização Brasileira, 2003.

HEMMING, John. *Die If You Must: Brazilian Indians in the Twentieth Century.* Londres, Pan Books, 2004.

ISIDORO, Ursulino dos Santos. *O Lula da TV, o Lula real e a morte do capitalismo selvagem.* São Paulo, Ícone Editora, 2004.

KECK, Margaret E. *The Workers' Party and Democratization in Brazil.* New Haven, CT: Yale University Press, 1992.

KOTSCHO, Ricardo. *Do golpe ao Planalto.* São Paulo, Companhia das Letras, 2006.

KUCINSKI, Bernardo. *As Cartas Ácidas da Campanha de Lula em 1998.* São Paulo, Ateliê Editorial, 2000.

LACERDA, Antônio Corrêa de & outros. *Economia Brasileira.* São Paulo, Editora Saraiva, 2005.

MARKUN, Paulo. *O Sapo e o Príncipe.* Rio de Janeiro, Objetiva, 2004.

MENDES, Cândido. *Lula: a opção mais que o voto.* Rio de Janeiro, Garamond, 2003.

_____ *Lula entre a impaciência e a esperança.* Rio de Janeiro, Garamond, 2005.

MERCADANTE, Aloizio. *Brasil: Primeiro Tempo.* São Paulo, Editora Planeta, 2006.

MOREL, Mário. *Lula – o início.* 3ª ed. Rio de Janeiro, Nova Fronteira, 2006.

PARANÁ, Denise. *Lula, o filho do Brasil.* São Paulo, Editora Fundação Perseu Abramo, 2002.

ROBB, Peter. *A Death in Brazil.* Londres, Bloomsbury, 2004.

SCOLESE, Eduardo & NOSSA, Leonencio. *Viagens com o Presidente.* Rio de Janeiro, Editora Record, 2006.

VELLOSO, João Paulo dos Reis. *Novas Prioridades e desenvolvimento sustentado.* Rio de Janeiro, José Olympio Editora, 2003.

WILCKEN, Patrick. *Empire Adrift: The Portuguese Court in Rio de Janeiro, 1808-1821.* Londres, Bloomsbury, 2004.

Sites Úteis

Presidência da República: *www.presidencia.gov.br*

Época: *www.epoca.com.br*

Estado de São Paulo: *www.estadao.com.br*

Folha de S. Paulo: *www.folhaonline.com.br*

Istoé: *www.terra.com.br/istoe*

Partido dos Trabalhadores: *www.pt.org.br*

Veja: *http://vejaonline.abril.com.br*

ÍNDICE REMISSIVO

B

C

E

F

M

N

Q

R

S

TEMPOS DE GLÓRIA

Lula com o presidente norte-americano Barack Obama. "Esse é o cara", disse Obama.

Presidente Lula chega a Camp David e é recebido pelo presidente George Bush e sua esposa

Lula e Marisa Letícia participam do "batismo" da plataforma P-51, da Petrobras.

Lula e Marisa Letícia (no alto, à esquerda) nos funerais do Papa João Paulo II, abril de 2005.

Com o Papa Bento XVI, em São Paulo, 2007.

Lula e Marisa Letícia chegam para o jantar oferecido pelo rei Harald e rainha Sonja, da Noruega, 2007.

Com os chefes de Estado do G-20, em uma de suas muitas reuniões.

Passando em revista as tropas, ao lado do presidente da China, Hu Jintao. Pequim, 2009.

Com o rei da Bélgica, Alberto em Bruxelas, 2009.

Em Salamanca, na Espanha, durante recepção oferecida pelos reis aos chefes de Estado, 2005.

Marisa e a rainha Silvia, da Suécia, em Estocolmo, 2007.

Lula discursa durante banquete oferecido pela rainha Margrethe, da Dinamarca.

Com o rei Abdullah bin Azis Saud, na Arábia Saudita, 2009.

Com Bono Vox, do U2 e Bill Gates, num intervalo do Fórum de Davos, na Suíça, 2005.

Com o presidente Sarkozy, da França, 2009.

Com o presidente do Irã, Mahmoud Ahmadinedjad, em Nova York.

Impressão e Acabamento

Prol Editora Gráfica